Une nuit d'égarement

MARIA BARRETT

Une nuit d'égarement | *J'ai lu* 5340/**J**

Maria Barrett

Une nuit d'égarement

Traduit de l'anglais
par Anne Busnel

Éditions J'ai lu

REMERCIEMENTS

Un autre livre, un autre bébé, a vu le jour non sans mal. Je dois beaucoup à William, Lily et Edward, dont la patience et l'amour m'ont soutenue ; à Emma Aylward, pour son indulgence et son efficacité ; et à mon directeur, Jules.

Je voudrais remercier David Rees et Ian Hamilton de chez Grenalls, qui m'ont aidée dans mes recherches, ainsi que Eleanor Bannister et Jane Merrimen. Merci également à Sarah et Jerry Hicks du Folly Wine de Petersfield, à Kirstin Cliffton et Zoe Quick pour leurs conseils techniques.

J'aimerais également remercier mon éditeur, Barbara Boote, et toute l'équipe de Little Brown, Helen Anderson et Mic Cheetham. Enfin, merci, Emma pour toutes ces rudes journées de travail, et merci, Jules, pour le travail, mais surtout pour toutes ces attentions qui rendent la vie heureuse.

Titre original :

BREACH OF PROMISE
All rights reserved. Published by arrangement
with Little, Brown and Company,
London

1

Alice se retourna dans le lit et tâta les draps frais là où, un moment plus tôt, reposait un corps chaud. Aussitôt, elle se redressa. La lumière était allumée dans la salle de bains, mais la porte était fermée.

S'adossant contre les oreillers, Alice guetta une silhouette derrière la vitre. Elle était en colère. Non, en réalité, elle était hors d'elle. La semaine avait été éprouvante. Elle s'était fait licencier, elle avait un retard de règles inquiétant et, si ce type pensait pouvoir faire un saut chez elle le temps d'une bonne partie de jambes en l'air, il se fourrait le doigt dans l'œil !

Elle regarda sa montre. Bon sang, 8 heures du soir, et on était samedi ! Il n'allait tout de même pas prendre la poudre d'escampette après l'avoir sautée et la laisser avec la télé pour seule compagnie !

Comme la porte de communication s'ouvrait, Alice soupira.

— Salut ! lança-t-il, avant de traverser la pièce pour laisser tomber la serviette humide sur le sol, à côté du lit.

Alice ravala sa hargne en se mordant la lèvre.

— Tu as des projets pour ce soir ? demanda-t-il d'un ton détaché.

Il saisit sa chemise sur le dossier de la chaise, l'enfila sur sa poitrine bronzée et entreprit de la boutonner.

— C'est ce que je croyais, répondit-elle.

— Ah oui ? Et tu as eu un imprévu ?

— Oui, toi.

Souriant, il se baissa pour ramasser son slip. Manifestement, il pensait qu'elle plaisantait. Alice pinça la bouche.

— Où vas-tu ? s'enquit-elle d'une voix curieusement calme.

— À l'enterrement de vie de garçon d'Eddy. Ça va chauffer, ce soir. Harry a loué tout le rez-de-chaussée du Wine Gallery, il a engagé une strip-teaseuse avec des nichons incroyables, tout le...

— Seigneur, vous, les hommes, êtes tellement immatures ! s'écria Alice en sautant hors du lit pour se précipiter vers la salle de bains.

Elle poussa la porte si fort que le panneau de verre vibra dangereusement, puis elle reparut une seconde plus tard, nouant la ceinture de son peignoir en éponge.

— Des nichons incroyables, hein ? C'est si macho, si... condescendant ! cria-t-elle. Vous êtes tous les mêmes, vous ne savez que...

— Eh ! Une minute ! coupa-t-il en levant la main. Qu'est-ce qui te prend ?

Il la fixait, une expression amusée sur les traits. Visiblement, il s'attendait qu'elle éclate de rire, ou du moins esquisse un sourire. Mais Alice se laissa tomber sur le fauteuil de velours rouge placé à côté du lit et se prit la tête entre les mains. Les larmes envahirent ses yeux.

— Alice ?

Il ne savait comment réagir. Cette scène ne faisait pas partie du jeu. Alice était géniale, tout le monde le savait ; drôle, sympa, dynamique, bref, une supernana. L'image de son corps étendu lascivement dans ce même fauteuil quelques heures plus tôt s'imprima dans son cerveau. Il se détourna, enfila sa veste.

— Alice, ça va ?

Gêné, il fit tinter ses clés dans sa poche. Alice releva la tête dans un sursaut.

— Bien sûr, ça va parfaitement bien ! Pourquoi irais-je mal ? J'ai une bonne bouteille de vin blanc au frigo, je peux me faire livrer une pizza, et il y a sûrement un bon film à la télé! Bon sang, tu es vraiment un connard! acheva-t-elle.

Il restait là, les bras ballants, à la regarder. Non, à vrai dire, ce n'était pas un connard comme la plupart des types qui n'avaient fait que passer dans la chambre et la vie d'Alice. Il était juste le dernier d'une longue série d'amants qui avaient jalonné cette vaine quête d'amour et de bonheur.

Alice s'essuya les yeux d'un revers de manche.

— Si tu dois partir, tue-toi tout de suite!

— Écoute, si j'avais su que tu n'avais pas de projets pour la soirée, si tu me l'avais dit, alors j'aurais pu...

— Quoi? Rester une heure de plus avant de t'évaporer dans la nature? Oh non! Je t'en prie, épargne-moi ça.

Il se sentait vraiment piteux. Il ne connaissait Alice que depuis quelques semaines, et ils avaient pris du bon temps ensemble. Bien qu'il n'ait pas l'intention de s'engager sérieusement, il ne souhaitait pas la quitter pour autant.

— Écoute, pourquoi ne viens-tu pas à la soirée d'Eddy, tout à l'heure? proposa-t-il. On va sûrement sortir en boîte, tu pourrais nous rejoindre. Tu sais, la plupart des gars sont...

— Oui, je les connais!

Elle se retint d'ajouter : «Au sens biblique!»

Il insista :

— Alors viens, on s'amusera.

L'impatience le gagnait. Non qu'il soit vraiment pressé, mais il n'avait pas envie de s'éterniser.

— Allez, Alice. Qu'en dis-tu?

Elle haussa les épaules en guise de réponse.

— C'est au Wine Gallery, poursuivit-il, sur Fulham Road. Tu connais? Bon, alors on se voit tout à l'heure, d'accord?

Elle acquiesça vaguement. Les yeux baissés sur ses mains, elle se concentra sur une petite peau morte près d'un ongle, jusqu'à ce qu'elle entende la porte se refermer. Alors elle releva la tête et prêta l'oreille, espérant déceler un bruit qui annoncerait son retour. Mais il n'y avait que le silence lugubre de sa propre solitude.

Alice demeura morose une bonne heure, puis décida qu'elle avait assez perdu de temps à se morfondre sur son sort. Elle se doucha, se fit un brushing, se maquilla, avant de se glisser dans sa tenue la plus sexy.

Vers 22 heures, elle quitta son appartement. Un quart d'heure plus tard, un taxi la déposa devant le Wine Gallery, au moment même où Harry, le témoin du futur marié, surgissait sur le trottoir pour faire signe au chauffeur.

— Alice, quelle coïncidence! s'exclama-t-il en la voyant ouvrir la portière du véhicule.

Harry était un ancien amant, l'aventure d'une seule nuit. Manifestement, il n'avait pas compris qu'Alice venait se joindre à la soirée.

— Alice, quelle chance de tomber sur toi! Écoute, je ne sais vraiment pas quoi faire… Regarde-moi ça!

Il fit un geste, et Alice aperçut, un peu plus haut sur la rue, le futur marié, Eddy Gallagher, plié en deux sur la clôture d'une maison cossue.

— Trois bières, deux vodkas, et il est complètement dans le cirage, je ne peux rien en tirer. Et la soirée est loin d'être finie!

Alice hocha la tête. Elle se doutait de ce qui allait suivre.

— Alice, il faut qu'il rentre chez lui. Il a vomi deux fois, je ne peux pas l'abandonner dans un coin. Tu ne pourrais pas…?

Il fut interrompu par un gargouillis et se tourna pour voir Eddy vomir une troisième fois sur la pelouse de la maison.

— Tiens, tu vois ce que je veux dire! s'exclama Harry.

Rejoignant son ami, il le soutint tant bien que mal et l'entraîna vers le taxi.

Le chauffeur passa la tête par la portière.

— Eh, vous! Pas question que je prenne ce type dans ma bagnole, il va salir ma banquette! Trouvez un autre taxi!

— Non, attendez! cria Harry en lançant un regard implorant à Alice. Cette dame va le ramener chez lui et s'assurer qu'il ne vomisse pas dans le taxi, n'est-ce pas, Alice? Tenez, voilà un petit dédommagement... Dix livres, ça ira? Non? Vingt alors...?

— C'est trente ou rien! décréta le chauffeur.

— D'accord pour trente, convint Harry en tirant les billets de sa poche, avant de se tourner vers Alice: Tu veux bien faire ça pour moi? Je sais que ce n'est pas une partie de plaisir, mais il suffit de le raccompagner chez lui. Je ne peux pas quitter la soirée, c'est moi qui suis responsable de tout. Oh, s'il te plaît, Alice!

Alice regarda Eddy, qui était sans doute le seul de la bande avec qui elle n'avait pas couché. Elle l'aimait bien, c'était un type honnête, amoureux fou de sa fiancée, quelqu'un qui n'avait pas peur de s'engager, contrairement à tous les gais lurons qu'elle avait connus jusque-là.

— Quelle est l'alternative? demanda-t-elle.

— Il faudra que j'appelle un taxi et que je laisse Eddy aux bons soins du chauffeur, qui le jettera sans doute devant la porte de son immeuble. Comme il fait très froid pour un mois de mai, il mourra sans doute d'hypothermie à trois ou quatre heures du matin.

Souriant, Harry ajouta:

— Il n'y a pas d'alternative, Alice. Je t'en prie, occupe-toi de lui pour moi, d'accord?

Alice poussa un profond soupir. Elle avait le cœur trop tendre, elle ne savait pas dire non, c'était son problème.

— D'accord, concéda-t-elle.

Ravi, Harry appuya le corps flasque d'Eddy contre la carrosserie pour ouvrir la portière. Résignée, Alice retourna s'asseoir.

— 34 Park Road, précisa Harry au chauffeur. Puis vous conduirez madame là où elle voudra aller.

À grand-peine, il poussa son camarade ivre sur la banquette où celui-ci s'affala contre Alice.

— S'il vomit sur mes chaussures, tu me devras une paire neuve! lança-t-elle à Harry.

Riant, ce dernier claqua la portière.

— Merci beaucoup, Alice. Tu es merveilleuse, je t'aime !

Si seulement c'était vrai ! songea-t-elle.

— Pouvez-vous attendre un instant ? demanda Alice au chauffeur qui s'était garé le long du trottoir.

Ils venaient de traverser Londres toutes vitres baissées. L'air frais avait revigoré Eddy qui était maintenant capable de tenir sur ses jambes, avec l'aide d'Alice toutefois.

— Je ne serai pas longue ! promit-elle tout en soutenant Eddy vers l'immeuble de style victorien.

Elle l'adossa contre le mur et entreprit de lui faire les poches à la recherche de ses clés. Elle n'en trouva aucune.

Doucement, elle le secoua. Il s'était mis à ronfler.

— Eddy, où sont tes clés ?

Il émit un grognement, la repoussa et se tourna vers le mur. Agacée, Alice lui fit faire volte-face pour le secouer plus rudement.

— Eddy ! Eddy ! Tes clés !

C'était peine perdue. Elle jura entre ses dents. Que faire ? Elle n'avait pas l'intention de perdre davantage son temps avec lui. Il n'y avait plus qu'à l'abandonner devant le porche en espérant qu'un voisin le découvrirait et le ferait rentrer. La nuit était douce, il ne souffrirait pas du froid…

— Eddy, je m'en vais maintenant, dit-elle en haussant le ton.

Pas de réponse. Le saisissant par son col, elle le fit glisser jusque sur le seuil où il s'effondra comme une masse.

— Bon, j'ai fait ce que j'ai pu, marmonna-t-elle.

Comme elle s'éloignait en direction du taxi, elle jeta un regard en arrière… et s'arrêta. Un plan germait dans son cerveau. Durant quelques secondes, elle considéra la silhouette recroquevillée, tandis que l'idée faisait son chemin en elle, tel un virus.

Alice avait toujours été une opportuniste. Elle savait très bien ce qui n'allait pas chez elle : la douleur sourde au creux du ventre, les crises de larmes inexpliquées, la sensation de vertige qui la saisissait chaque matin. Et là, devant l'épave humaine pitoyable prostrée sur le seuil du 34 Park Road, elle sut qu'une chance inouïe se présentait à elle.

Sans plus réfléchir — Alice préférait de loin l'action —, elle lança au chauffeur de taxi :

— Pouvez-vous attendre quelques minutes de plus ?

Il haussa les épaules avec indifférence, et elle revint rapidement sur ses pas.

— Allez, viens, Eddy, lui dit-elle en le remettant sur pied. Je t'emmène chez moi.

Tirant et poussant, elle l'installa de nouveau sur la banquette arrière avec l'aide du chauffeur.

— Battersea, indiqua-t-elle ensuite à ce dernier qui reprenait le volant.

— Ça va aller, ma petite dame ? lui demanda-t-il par-dessus son épaule.

Avec un sourire, elle assura :

— Oui, tout est parfait. Ou du moins, tout le sera bientôt.

De retour chez elle, Alice gratifia le chauffeur de dix livres supplémentaires pour qu'il aide Eddy à grimper l'escalier. Elle lui demanda de l'étendre sur son lit, puis alla tout de suite noter la somme dans son agenda afin de la réclamer plus tard à Harry. C'était la moindre des choses.

Ensuite, elle brancha la bouilloire, avant de retourner dans la chambre déshabiller Eddy. Ses habits empestaient le vomi, et elle ne voulait pas le laisser dans cet état. L'idée qu'il cuve son vin dans son lit ne l'enchantait guère, toutefois c'était un petit prix à payer pour mener à bien ses desseins.

Elle lui ôta tout d'abord sa veste et sa cravate, puis déboutonna sa chemise. Son regard s'arrêta sur le torse musclé. Eddy Gallagher était un athlète, ce qui expliquait pourquoi il ne supportait pas l'alcool : pas une once de graisse. Doucement, Alice fit glisser ses doigts sur sa large poitrine. Il grommela quelque chose, lui saisit la main, et Alice se figea, soudain gênée. Mais, sans ouvrir les yeux, il se contenta de porter ses doigts à ses lèvres pour les embrasser.

— Kate… chuchota-t-il.

Un sentiment de jalousie submergea Alice. Retirant sa main, elle s'admonesta :

— Alice, ma fille, ressaisis-toi. Ce n'est pas d'amour dont tu as besoin, mais de sécurité.

Pourtant les mots avaient un goût amer dans sa bouche.

Eddy s'éveilla, tenaillé par une terrible sensation de menace. Avant même d'ouvrir les yeux, il sentit une vive douleur au creux de l'estomac, douleur qui n'avait rien à voir avec la gueule de bois dont il souffrait. Son malaise s'accentua, et il jaillit hors du lit. Titubant, il ouvrit plusieurs portes dans l'espoir de trouver celle de la salle de bains, et finit par vomir dans l'évier de la cuisine. Il ne lui restait plus rien à rendre que de la bile.

— Bon sang ! Où est-ce que…

Yeux clos, il appuya son front contre l'inox de l'évier. Où diable avait-il échoué ?

— Eddy ?

Il pivota sur lui-même en entendant la voix féminine.

— Alice ? Mon Dieu, je…

Alice dormait toujours nue, et elle n'avait pas fait exception à la règle la nuit passée. Debout sur le seuil de la cuisine, elle n'était vêtue que d'un déshabillé de soie qui ne cachait rien de son anatomie.

— Seigneur ! gémit Eddy.

— Merci.

— Non, je voulais dire... Ô mon Dieu ! Nous n'avons pas... Euh... je n'ai pas...

Il s'interrompit, incapable de soutenir son regard, et déglutit avec peine. Le silence retomba et, enfin, d'une voix faible, il demanda :

— Que s'est-il passé cette nuit ?

Alice hésita. Elle aussi avait vomi ce matin, ce qui l'avait fait se décider une bonne fois pour toutes. Au lieu de détromper Eddy et de lui dire l'entière vérité — ce qu'elle aurait fait d'ordinaire sans problème —, elle haussa les épaules et se détourna.

— Alice ? Je t'en prie, réponds-moi !

Il la rattrapa, la saisit par les épaules pour la regarder en face.

— Tu étais saoul, hier soir. Je suis arrivée à la fête et Harry m'a demandé de te raccompagner chez toi. Tu tenais à peine debout et, une fois devant ta porte, je n'ai pas pu trouver tes clés. Alors je t'ai ramené chez moi.

Le visage d'Eddy s'allongea.

— Et... ? fit-il en retenant son souffle.

Alice soutint son regard. Il était si malheureux, si paniqué que, l'espace d'un instant, elle faillit éclater de rire. Mais son hilarité se mua tout de suite en colère. La tenait-il en si piètre considération que la perspective d'avoir passé la nuit avec elle le plongeait dans une telle consternation ?

De nouveau, elle haussa les épaules.

— Alice ! s'écria-t-il, un accent de désespoir dans la voix.

— Pour l'amour du ciel, Eddy, devine par toi-même ! Tu étais ivre, oublions ça, d'accord ?

— Oublier ?

Tandis qu'elle allait brancher la bouilloire, il enfouit son visage entre ses mains. Il ne se rappelait pas le moindre détail, ni son départ du bar ni sa rencontre avec Alice. Comment diable avait-il fini dans son lit ? Il aimait Kate, leur mariage était prévu dans un mois...

Il se redressa, prit une profonde inspiration, et retourna dans la chambre. Il devait partir et réfléchir, reprendre pied avec la réalité.

Il découvrit ses habits soigneusement posés sur la chaise, et s'assit sur le lit pour les enfiler. Puis, comme il considérait la chemise et le pantalon bien pliés, les chaussettes retournées ensemble, la cravate enroulée sur elle-même, il se demanda par quel miracle il avait pu se montrer aussi méticuleux sous l'emprise d'une passion avinée. Non, bien sûr, c'était impossible. Quelqu'un l'avait déshabillé. Si donc il avait été dans l'incapacité de se dévêtir, il n'avait certainement pas pu faire l'amour à une femme dont la réputation de nymphomane n'était plus à faire.

Il embrassa la pièce d'un regard circulaire, à la recherche des habits d'Alice. Il aperçut sa robe sur un cintre, ses sous-vêtements et ses bas sagement disposés sur la coiffeuse. Là encore, aucun signe de frénésie sexuelle. Il n'avait pas pu se conduire ainsi, c'était impossible, il le savait !

Ses habits sentaient le vomi, il avait dû être malade comme un chien. Comment un homme dans cet état aurait-il pu manifester le moindre désir charnel ?

Pendant un moment, il demeura assis, songeur. Puis il s'habilla à la hâte, essayant d'occulter l'odeur pestilentielle qui imprégnait ses affaires. Enfin il saisit sa veste sur le dossier de la chaise.

— Alice ! appela-t-il.

Il la trouva dans la cuisine, en train de boire un café.

— Je pars, lui annonça-t-il. Merci de m'avoir hébergé.

Elle le dévisagea. Il avait l'air sincère. Elle lui rendit son sourire, mais ne le détrompa pas pour autant sur ce qui s'était passé la veille.

— C'était un plaisir, répondit-elle.

Mal à l'aise, Eddy hocha la tête.

— Je te dois quelque chose pour le taxi, le pressing ? Est-ce que j'ai brisé quelque chose chez toi ?

— Seulement mon cœur.

Nerveux, il se passa la main dans les cheveux.

— Je plaisantais, assura-t-elle.

— Oh… Bon, eh bien, à plus tard.

— C'est ça.

— Au revoir, Alice.

— Au revoir, Eddy.

Elle perçut le bruit de ses pas dans le couloir, le grincement de la porte d'entrée. Mais celle-ci ne se referma pas et, quelques secondes plus tard, il revint dans la cuisine.

— Alice, je suis désolé, j'ai oublié mes clés. Où sont-elles ?

Elle se tourna vers l'évier pour poser sa tasse. Tout cela ne l'amusait guère, en définitive.

— Je n'en sais rien, dit-elle sans le regarder. C'est la raison de ta présence ici, au départ.

— Il ne manquait plus que ça !

— Je peux appeler Harry, si tu veux, lui demander si quelqu'un a trouvé un trousseau la nuit dernière…

— Non !

Il ne tenait pas du tout à ce que tout le monde sache qu'il avait passé la nuit chez Alice.

Plus gentiment, il ajouta :

— Merci de ton offre, mais je vais aller au bar et leur poser la question moi-même. Écoute, Alice, je suis vraiment navré… Je n'ai plus un centime sur moi, et…

— Bien sûr. Mon porte-monnaie est dans mon sac, dans la chambre. Sur la table de chevet ! précisa-t-elle comme il enfilait déjà le couloir.

Elle attendit. Une minute plus tard, il refit son apparition, livide. Il lui tendit le sac, et elle tira de son porte-monnaie un billet de dix livres.

— Ça suffira ?

— Oui. Merci.

Le billet à la main, il demeura pétrifié sur place.

— Ça va, Eddy ?

— Oui, je… je ferais mieux d'y aller.

— Tu es sûr que… ?

Elle se tut en le voyant tourner brusquement les talons et quitter la pièce. Cette fois, il sortit pour de bon en refermant la porte derrière lui. Intriguée, Alice gagna la chambre. Pourquoi diable avait-il eu l'air si désemparé ?

Comme elle s'asseyait sur le lit, elle comprit au moment où son regard tombait sur la boîte de préservatifs qu'elle avait achetée la veille. Sur la table de nuit traînaient encore les emballages des deux préservatifs dont elle s'était servie en début de soirée.

Alice saisit la boîte et la regarda fixement.

Parfois, la vie dérapait. Il fallait faire avec.

— Eh bien, voilà, murmura-t-elle.

Et un petit sourire s'inscrivit sur ses lèvres tandis qu'elle faisait glisser sa paume sur son ventre encore plat.

2

Alice resta au lit un moment, ayant du mal à trouver l'énergie de se lever. Elle fixa le tailleur de soie bleue qu'elle avait choisi pour le mariage et qui était suspendu dans la penderie, et dont les petits boutons de nacre scintillaient dans le soleil matinal.

Elle se tourna puis, prise d'une brusque nausée, retomba sur le dos. Le malaise se dissipa peu à peu. Elle ouvrit alors le tiroir de la table de chevet et en sortit le petit sachet que lui avait remis le pharmacien la veille. On eût dit un poids mort au creux de sa main. Elle en tira une boîte, arracha la Cellophane qui l'enveloppait et lut la notice explicative intitulée : PREMIER PAS : TEST DE GROSSESSE À FAIRE SOI-MÊME.

Rapidement, elle lut les instructions, tandis qu'une certaine tension l'envahissait. Cela semblait très simple. Evidemment, Alice ne se faisait guère d'illusion ; avant même d'avoir fait le test, elle était certaine d'être enceinte.

Le test à la main, elle se dirigea vers la salle de bains.

Très concentrée, elle oublia un instant sa nervosité. Elle ôta le capuchon de protection, puis procéda comme il était indiqué sur la notice.

Ayant déposé le test sur le bord du lavabo, elle se lava les mains et regarda, fascinée, une mince ligne bleue apparaître dans la première fenêtre-témoin. Cela signifiait simplement que le test avait été fait correctement. Le cœur battant, elle s'assit sur la baignoire.

Savoir dans le fond de son cœur était une chose, obtenir la preuve irréfutable en était une autre.

En quelques instants, une seconde ligne bleue apparut et s'élargit légèrement. Pas de doute : elle était enceinte.

— Ô mon Dieu ! murmura-t-elle en se levant.

Elle se mit à arpenter la petite pièce.

Bien sûr, elle était enceinte. Elle était préparée à cette éventualité, et elle y avait beaucoup réfléchi. Alice savait qu'elle voulait garder ce bébé. À 38 ans, célibataire sans but dans l'existence, elle voulait cet enfant et la vie qui allait avec : le mariage, la sécurité, l'amour. Elle avait toujours cru que, si elle tombait enceinte, seule, sans soutien, elle serait capable de considérer le problème de façon rationnelle, sans céder à l'émotion. Mais c'était faux. Peut-être avait-elle sous-estimé la force de l'instinct maternel ? Peut-être était-ce à cause des hormones, ou juste parce qu'elle, Alice, en dépit d'une vie désastreuse, avait finalement réussi à créer quelque chose de merveilleux qui grossissait déjà en elle ?

Ce qui était sûr en tout cas, c'est que son horloge biologique devait s'être mise en marche depuis des années déjà, sans qu'elle s'en rende compte.

À présent, l'esprit en déroute, elle n'était certaine que d'une chose : le mariage et la sécurité primaient sur tout, et l'amour n'était que la cerise sur le gâteau. Elle voulait ce bébé, plus que tout ce qu'elle avait désiré dans son existence… et elle allait s'arranger pour l'avoir !

Alice emporta le test dans la chambre et le déposa sur la table de chevet. Elle la tenait, cette preuve indiscutable, sa police d'assurance. Un instant, elle considéra le tailleur bleu suspendu dans la penderie, et une brève pointe de culpabilité l'assaillit. Mais elle était trop déterminée. Certes, des personnes allaient souffrir à cause d'elle, mais des drames similaires survenaient chaque jour et les gens survivaient.

De toute façon, elle n'avait jamais aimé Kate. Elle était trop parfaite, trop soignée, trop aimée, trop chanceuse. Il était temps que la vie lui donne un coup de griffe. D'ailleurs, ce genre de revers forgeait le caractère.

Alice alla s'asseoir à la coiffeuse pour se maquiller. Elle-même avait eu son lot de déboires, et elle n'en était pas morte.

Soudain, elle se pencha pour regarder plus attentivement son visage dans le miroir. À présent, elle devait prendre soin d'elle et de son bébé. Qu'y avait-il de plus important au monde que le bonheur d'un enfant ? Et qu'importe le prix à payer.

Remarquant des ombres mauves sous ses yeux, elle ajouta un peu d'anticerne sur son fond de teint. Puis elle consulta sa montre. Il était juste 8 heures, et la cérémonie devait commencer à 14 heures. Elle avait tout son temps.

Se redressant, elle continua de dévisager son reflet. Curieux, elle aurait dû éprouver un semblant de doute ou de honte, cependant il n'en était rien. Plus vite elle se sortirait de ce guêpier, et mieux cela vaudrait.

Coûte que coûte, se rappela-t-elle.

Et Alice savait que le prix à payer pour ce bébé serait très élevé.

Eddy chantait à tue-tête — et faux — sous la douche, tout en se frottant vigoureusement à l'aide d'un savon à l'odeur exotique que Harry lui avait donné. D'ordinaire, il n'aimait guère «sentir la cocotte», mais Kate appréciait les parfums et, après tout, ils se mariaient aujourd'hui.

Coupant l'eau chaude, il resta quelques secondes sous

le jet soudain glacé, puis sortit de la douche. Rapidement, il se sécha et s'enveloppa dans son vieux peignoir, avec une pensée amusée pour ses parents qui, décidément, ne jetaient jamais rien.

Comme il retournait dans sa chambre, la voix de sa mère s'éleva :

— Eddy ? Il y a quelqu'un en bas qui veut te voir.

Il revint vers l'escalier pour jeter un coup d'œil vers l'étage inférieur.

— Qui est-ce, maman ?

Voyant son père apparaître à la porte du salon, il lui lança :

— Eh, papa, tu ne devrais pas être à l'église en train de faire répéter la chorale, ou d'essayer l'orgue ?

Puis, voyant que son père ne lui rendait pas son sourire, il se sentit soudain inquiet.

— Ça va, papa ?

Le révérend Michael Gallagher ne répondit pas. Il s'avança, au moment où une silhouette féminine sortait du salon à sa suite. Une jeune femme…

Eddy se pencha pour mieux la voir.

— Alice ? Sapristi, mais que…

Sa présence inattendue lui remémora l'enterrement de sa vie de garçon et il rougit. Il avait beaucoup réfléchi durant les jours qui avaient suivi. Il avait fini par se convaincre qu'en dépit de la boîte de préservatifs trouvée sur la table de nuit, il n'avait pu faire l'amour à Alice cette nuit-là. Il n'en aurait eu ni l'envie ni la capacité physique.

Pendant un moment, il la fixa, puis se ressaisit et lui dit :

— Pardon, content de te voir, Alice. Je suis en train de m'habiller, alors tu ferais mieux de monter.

Il lâcha la rampe et aperçut les marques humides que ses paumes moites avaient laissé sur le bois ciré. Machinalement, il s'essuya sur son peignoir, tout en se disant qu'il n'avait aucune raison d'être anxieux. C'était une coïncidence, rien de plus.

— Tu veux une tasse de café ? lui proposa-t-il.

Alice paraissait tendue.

— Non, merci, Eddy. Mon estomac ne le supporte pas en ce moment.

C'est vrai qu'elle n'avait pas vraiment l'air dans son assiette. Près d'elle, le père d'Eddy observait la scène avec une mine réprobatrice. Le révérend Gallagher avait le sens de la bienséance, et il ne comprenait pas qu'une jeune femme rende visite de façon impromptue à son fils le matin de ses noces. Sourcils froncés, il leva les yeux vers Eddy qui, trop accaparé par Alice, ne le vit même pas.

Alice se mordit la lèvre. À présent qu'elle se trouvait au presbytère, qu'elle avait rencontré les parents d'Eddy, entrevu l'église décorée de guirlandes de fleurs, et surtout maintenant qu'elle était face à Eddy qui, visiblement, exultait de bonheur, le courage lui manquait presque…

Presque.

Parvenue en haut de l'escalier, elle le suivit dans le couloir, tandis qu'il lui faisait la conversation sur un ton banal. Sa chambre de garçon était encore ornée de trophées sportifs et de photos de ses camarades d'école. Eddy referma la porte derrière eux et jeta un coup d'œil sur les murs.

— Maman me menace sans cesse de tout enlever et de faire redécorer la pièce, mais il n'en est pas question ! Tout cela appartient à mon histoire, expliqua-t-il.

Il décrocha une photo représentant deux adolescents en maillot de bain qui brandissaient fièrement un énorme thon qu'ils venaient de pêcher.

— Harry et moi, il y a treize ans, commenta-t-il. On pêchait au gros en Méditerranée. La mère de Kate nous avait tous invités dans le sud de la France. Elle prenait des vacances avec son nouvel amant, et elle voulait éviter que Kate s'ennuie. Evidemment, Kate n'avait aucune envie de nous voir. À ses yeux, nous n'étions que des crétins boutonneux, même si elle avait deux ans de moins que nous.

Il sourit, tendit la photo à Alice après l'avoir longuement contemplée.

— Finalement, le copain de sa mère nous a emmenés faire du bateau durant tout le séjour, et la mère de Kate était furieuse ! C'étaient vraiment des vacances géniales.

Alice remarqua les petites rides qui plissaient le coin de ses paupières lorsqu'il souriait. Incapable de réfréner sa curiosité un peu masochiste, elle demanda :

— Comment as-tu rencontré Kate ? Vous étiez à l'école ensemble ?

— Non, pas du tout. J'étais à l'école avec Harry. J'ai fait la connaissance de Kate quand elle est venue à Tonsbry pour les grandes vacances. Son oncle Leo est le propriétaire du domaine. Il nous a présentés, et la mère de Kate a encouragé notre relation, étant donné que j'étais le fils du vicaire. Bien entendu, nous ne sommes pas sortis ensemble à ce moment-là. Nous avons perdu contact quand je suis parti à l'université, et je l'ai retrouvée là-bas quelques années plus tard.

Il reprit la photo, la remit au mur.

— Mais c'est cette année-là, en France, que je suis tombé amoureux d'elle, poursuivit-il rêveusement. J'avais 15 ans et… je n'ai pas résisté à son bikini argenté ! Un petit bout de chiffon qui laissait des paillettes partout où elle allait. Nous l'appelions Fée Clochette, cela la mettait hors d'elle ! Ensuite, je n'ai jamais pu l'oublier, ni elle ni son bikini.

Il rit de nouveau, puis son regard croisa celui d'Alice, et le rire mourut dans sa gorge.

— Ça va, Alice ? Tu es toute pâle.

Elle secoua la tête, s'approcha en silence de la fenêtre pour regarder au-dehors.

— Alice ?

Eddy paniqua tout à coup, avec l'impression qu'un désastre allait fondre sur lui.

— Alice, quelque chose ne va pas ?

Sa voix chevrotait. C'était ridicule. Il était tendu à cause de son mariage, voilà tout.

Mais comme Alice lui faisait brusquement face, il sursauta.

— Je suis enceinte, déclara-t-elle.

Eddy ferma les yeux. L'espace d'un instant, son cerveau parut se déconnecter du reste de son corps. Il ne perçut aucun bruit, aucune image, aucune odeur, rien. Puis, quelques secondes plus tard, le choc l'atteignit de plein fouet. Il tituba, recula contre le mur, poings serrés. Il lui était impossible de déglutir tant sa bouche était sèche.

— Tu es sûre?

Elle hocha la tête. Il réfléchissait à toute allure, des images défilaient dans sa tête, se bousculaient. Cette nuit? Cette nuit fatale où il avait dormi chez Alice? Avait-il vraiment fait l'amour à cette fille qu'il connaissait à peine et dont il n'était absolument pas amoureux?

La pièce se mit à tourner autour de lui et il s'affaissa contre le mur, mains sur les cuisses.

Peu à peu, le vertige s'apaisa et il releva la tête.

— Alice, qu'es-tu en train de me dire?

— Cette nuit-là…

Elle s'interrompit, se détourna. Elle allait devoir proférer le pire des mensonges afin de se sauver, et elle ne pouvait soutenir le regard d'Eddy.

— Je n'ai rien dit parce que tu étais fiancé, enchaîna-t-elle. Je ne voulais pas tout gâcher. Soyons francs, nous nous connaissons à peine, toi et moi. Je suis une amie de Kate, je… Ce n'était qu'une aventure d'un soir, une stupide erreur survenue à cause de l'alcool et qui n'aurait jamais dû se produire…

Eddy ricana, ce qui la fit tressaillir. Elle avait pleinement conscience des conséquences désastreuses qu'impliqueraient ses paroles. Mais c'était une question de survie. Elle ne renoncerait pas.

De nouveau, elle lui fit face.

— Eddy, nous n'avons pas utilisé de préservatif. Enfin… nous avons essayé deux fois, mais tu étais tellement saoul… Je pensais qu'il n'y avait aucun danger, je ne m'attendais pas du tout à… à tomber enceinte. Je suis désolée.

— Désolée? Tu es désolée, Alice? Bon sang, tu débarques ici le matin de mon mariage, pour m'annoncer qu'un soir où j'étais ivre mort, je t'ai mise enceinte? Et tu es *désolée*?

Il se tourna soudain pour écraser son poing contre le mur. Le plâtre se craquela sous l'impact et, une fois de plus, Alice frémit.

— Seigneur, c'est impossible! Impossible! cria-t-il. Tu ne pouvais donc pas prendre la pilule du lendemain? Hein? Nous sommes au XXe siècle, au cas où tu ne le saurais pas!

Alice se raidit dans l'attente de ce qui allait suivre. Il allait exiger qu'elle avorte, c'était inévitable, et elle avait déjà préparé la parade.

Elle patienta, mais Eddy se taisait.

— Tu es absolument certaine d'être enceinte? demanda-t-il enfin.

Elle se mordit la lèvre et hocha la tête, attendant l'ultime question: combien l'intervention coûterait-elle?

— Et tu es sûre que c'est de moi?

Nouveau hochement de tête.

— Depuis combien de semaines?

— Environ cinq.

Elle mentait, elle n'avait pas eu ses règles depuis au moins huit semaines, mais si elle se montrait suffisamment maligne, il n'en saurait jamais rien.

— Je vois, murmura-t-il.

Il y eut un long silence qui parut durer une éternité. Alice fixait le sol sans rien voir. Elle entendit Eddy se déplacer et sentit ses mains se poser sur ses épaules.

— Alice…

Voilà, songea-t-elle. Combien va-t-il m'offrir?

— Je suis désolé, moi aussi, poursuivit-il d'une voix qui se fêla. Mais ne t'inquiète pas, je veillerai sur toi, sur vous deux.

Elle percevait la tension qui l'habitait et qu'il réprimait au prix d'un effort surhumain. Enfin il la relâcha et, après avoir traversé la chambre, il sortit en refermant doucement la porte derrière lui.

Alice se laissa tomber sur le lit. Un long moment, elle demeura immobile, à regarder le plafond mansardé, les photographies d'Eddy, de Kate Dowie, de Harry Drummond, du domaine de Tonsbry, de l'université, du cricket, du squash... Des instants de vie saisis sur pellicule. Elle ne se trouvait sur aucune, pas même dans les photos de groupe. Telle une comète, elle avait surgi de l'infini pour s'abattre dans l'existence d'Eddy Gallagher et la détruire.

La honte qui la ravageait paralysait ses mouvements. L'espace d'un instant, elle faillit lui courir après, lui avouer que tout cela n'était qu'un tissu de mensonges. Mais elle restait inerte et les minutes passaient. Elle avait déclenché une réaction en chaîne et il était trop tard pour faire marche arrière.

En bas, des voix s'élevèrent, des cris retentirent, une porte claqua. Alice se pelotonna en position fœtale.

Pas une fois Eddy ne lui avait demandé d'avorter. Il n'y avait même pas fait allusion. Il assumait sa paternité, reconnaissant au bébé le droit de naître, endossait toute la responsabilité.

Bien que rongée par la culpabilité, Alice éprouvait un immense soulagement. Eddy était bien tel qu'elle l'avait jugé, franc et droit, il avait réagi en homme d'honneur, il l'avait sauvée, au prix de son bonheur personnel. Le plan avait parfaitement fonctionné.

Non, il était impossible de faire marche arrière.

Harry Drummond engloutissait un énorme petit déjeuner typiquement anglais, au Chien et Chat, un restaurant du village de Tonsbry, quand Eddy fit irruption dans l'établissement. Il était 10 h 30. Harry avait été

24

faire son jogging, puis il s'était douché avant d'enfiler un pantalon et une chemise bleue.

À l'entrée d'Eddy, il marmonna quelque chose la bouche pleine, puis cessa de mâcher et considéra son ami avec perplexité.

— Qu'est-ce qui se passe, Eddy? Tu n'as pas l'air dans ton assiette, dit-il en jetant sa serviette sur la table.

— Pouvons-nous aller dans un endroit plus intime? Il faut absolument que je te parle.

Harry jeta un coup d'œil au jardin.

— Là-bas?

— D'accord.

Comme ils émergeaient au grand air, Harry fourra les mains dans ses poches et se tourna face à son ami dans une attitude désinvolte. Le problème d'Eddy était certainement mineur, il n'y avait pas de quoi s'inquiéter.

— Tu n'as pas peur que j'aie perdu les alliances, au moins? s'enquit-il en souriant. Non? Alors quoi? Tu veux répéter ton discours?

Eddy était pétrifié, comme si ses pieds venaient de s'enraciner dans le sol. Tout son corps lui faisait mal, il avait envie de se recroqueviller sur lui-même, de se rouler en boule. Il hésita, sachant que le reste de sa vie dépendrait de ce qu'il allait dire. Mais ce moment de doute ne dura pas. Un homme digne de ce nom connaissait son devoir. Lui-même s'était toujours conformé à ses préceptes, et il entendait bien continuer. L'intégrité morale était chez lui aussi primordiale que le besoin de manger ou de respirer. C'était l'essence même de sa nature.

Harry lui donna un coup de coude.

— Allez, Eddy! Que se passe-t-il? Tu as le trac?

Il souriait toujours, mais une lueur méfiante était apparue dans son regard. Eddy secoua la tête.

— Quelque chose d'affreux vient de se produire, Harry. Enfin, je veux dire, c'est moi qui ai fait quelque chose d'affreux, d'épouvantable même…

Le sourire de Harry s'évanouit.

— Pour l'amour du ciel, crache le morceau! s'emporta-t-il. Qu'y a-t-il de si terrible?

— Alice. Alice White, articula Eddy.

— Alice White ? Que diable vient-elle faire dans tout ça ?

Il s'énervait de voir son ami faire ainsi durer le suspense, et en même temps il pressentait que celui-ci allait réellement lui annoncer une catastrophe.

— Mon enterrement de vie de garçon… Je… nous…

Eddy retomba dans le silence. Il s'était toujours cru fort, voire courageux, mais jamais il n'avait eu à prononcer des paroles aussi pénibles. Il n'était pas sûr d'y arriver.

— Continue, lui intima Harry, très sérieux cette fois.

— J'étais ivre. Apparemment… nous avons couché ensemble. Je ne m'en souviens pas, mais c'est ce qui s'est passé, et…

— Eh, une minute ! Qui dit que ça s'est passé ?

— Alice.

— Ah, Alice ! Voyons, Eddy, cette nuit-là, tu ne tenais pas debout, alors je ne vois pas comment tu aurais pu… Tu ne la crois pas, n'est-ce pas ?

— Oh si ! Bien sûr que si. Pourquoi mentirait-elle, de toute façon ?

— Je n'en sais rien, mais écoute, même si tu as vraiment couché avec elle, tu ne serais pas le premier à qui cela serait arrivé, ni même le dernier. Ce genre de chose est plutôt fréquent, tu sais. Tu n'étais pas marié à l'époque, alors…

Harry haussa les épaules, l'air dégagé, quand en réalité il bouillait de colère.

Eddy Gallagher avait tout eu : des études à Cambridge, une place en or dans un grand cabinet de comptabilité, de l'argent. Et pour couronner le tout, il allait épouser Kate Dowie. Et pourtant il était là, en train de gémir parce qu'il avait commis un petit dérapage, et se révélait incapable de tirer un trait dessus, comme l'aurait fait n'importe quel type normalement constitué.

Tout ce cinéma agaçait passablement Harry.

D'une voix froide, il continua :

— Écoute, Eddy, je n'approuve rien, mais je vais

oublier ce que tu viens de me dire, et tu vas t'empresser toi aussi d'oublier cette histoire, d'accord ? Tu ne vas pas gâcher ta vie pour si peu. Arrête de geindre et reprends-toi, mon vieux. C'était une erreur, inutile de s'éterniser là-dessus, O.K. ?

Eddy se passa une main sur le front, puis chercha le regard de son ami.

— Ce n'est pas si simple, murmura-t-il. Il y a autre chose.

— Quoi donc ? Je ne vois pas ce qui...

— Alice est enceinte. Et l'enfant est de moi.

À ces mots, Harry explosa :

— De toi ? Tu veux rire ? Eh, Eddy, reviens sur terre ! C'est Alice qui t'a dit ça ? Alice qui s'est tapé la plupart des hommes que je connais ainsi que tous leurs copains ? Bon sang, c'est incroyable !

Il s'était mis à arpenter nerveusement l'allée. Soudain, il s'arrêta et fit face à Eddy.

— Ne me dis pas que tu la crois !

— Si, je la crois.

Harry émit un rire sans joie.

— Allons, Eddy ! Quelle preuve peut-elle te fournir ? A-t-elle fait un test de paternité ? Franchement, elle a tout inventé, elle te mène en bateau.

— Mais pourquoi ? Pourquoi ferait-elle cela ?

— Parce qu'elle t'a vu venir, voilà pourquoi. En toute franchise, qui prendrait une telle déclaration au sérieux, à part toi ? Alice, la traînée au cœur gros comme ça ! Tu es trop gentil, Eddy, n'importe qui le devine au premier coup d'œil.

Eddy secoua la tête.

— Non, je ne crois pas, répondit-il avec fermeté. Honnêtement, Harry, je ne...

— Tu as vraiment gobé ce ramassis de conneries ? Tu la crois, c'est cela ? Mon Dieu, mais oui, tu la crois vraiment !

Il y eut un silence, et Harry se détourna. Il pensa alors à Kate, à toutes ces fois où il l'avait désirée, convoitée, où il s'était dit que, s'il en avait eu l'occasion, il l'aurait rendue bien plus heureuse qu'Eddy ne le ferait jamais. Son adolescence repassa comme un film en accéléré dans sa mémoire. Même à 15 ans, il était déjà convaincu d'être fait pour elle, bien qu'elle soit déjà sous le charme du grand, du beau, du brillant Eddy Gallagher.

Et pourtant, c'était lui, Harry, qui l'avait retrouvée à Londres ! Ah, si seulement il ne l'avait pas présentée à Eddy ! Si seulement il les avait tenus éloignés l'un de l'autre ! Combien de fois avait-il pensé à tout cela durant les deux dernières années ? Combien de fois s'était-il lamenté sur cette erreur monumentale ?

De nouveau, il se tourna vers Eddy :

— Bon, et maintenant ?

Dès qu'il eut prononcé ces mots, il mesura la chance qui s'offrait à lui et qu'il pouvait saisir au bond. Pour la première fois depuis des années, il n'était pas dominé par Eddy. Aujourd'hui, Harry se sentait enfin son égal. Eddy avait commis une énorme bourde !

Il considéra son ami pâle et défait. C'était son devoir de le conseiller au mieux, de le convaincre de réfléchir à deux fois, peut-être de reporter le mariage et de parler avec Kate...

Au lieu de cela, il demanda :

— Tu veux annuler le mariage ?

Eddy fixait le sol. Un silence tendu s'ouvrit comme un gouffre entre les deux hommes. Rassemblant tout son courage, il releva la tête.

— Je n'en sais rien, avoua-t-il. Que puis-je faire d'autre, Harry ?

Harry prit alors un risque, bien que mesuré car il connaissait par cœur la nature foncièrement honnête de son camarade.

— Epouse Kate, fais comme s'il ne s'était jamais rien passé avec Alice, nie tout en bloc.

— Pour l'amour du ciel, Harry ! Comment pourrais-je mentir ? Si je ne dis rien, si j'oublie tout comme tu me le conseilles et que je me marie, et si je suis bien le père de cet enfant, Kate ne me le pardonnera jamais ! Plus tard,

Alice pourra apporter la preuve de ma paternité par un simple examen médical, et qu'arrivera-t-il alors ? J'aurai épousé Kate en la trompant, je l'aurai trahie de la pire façon. Tu comprends bien ça, quand même ?

Oh ! oui, Harry comprenait ! Une partie de lui-même admirait la droiture d'Eddy, et cependant il ne pouvait s'empêcher de considérer son intérêt personnel. Au milieu de cet immense gâchis se profilait un chemin que lui, Harry, pouvait emprunter pour atteindre son but. Il serait là pour Kate, il lui éviterait la honte, apaiserait sa douleur. Il viendrait la voir, la soutiendrait dans cette terrible épreuve et, finalement, quand elle l'aurait surmontée, qui sait ? peut-être tomberait-elle amoureuse de lui ?

— Tu comprends, Harry, répéta Eddy, je n'ai pas le choix. Je dois faire mon devoir. Dis-moi que tu comprends, Harry !

Harry sentit que la décision reposait entre ses mains. Il garda le silence un instant, et enfin acquiesça.

— Oui, je comprends. Tu dois faire ton devoir.

Eddy plongea son visage entre ses mains.

— Quel gâchis ! gémit-il.

Harry faillit lui tapoter l'épaule, mais se retint. Ils étaient amis depuis longtemps, mais tout cela allait changer désormais. S'il voulait Kate — et la question ne se posait pas —, il allait devoir choisir son camp.

— C'est assurément un foutu gâchis, convint-il. Et il va falloir gérer ça avec délicatesse. J'ai bien peur que tu ne sois obligé de disparaître de la circulation.

— Quoi ? Que veux-tu dire ?

— Bon sang, Eddy ! Tu dois foutre le camp et me laisser régler tout ça ! Quand j'aurai annoncé la nouvelle, plus personne ne voudra te voir.

— Toi ? Mais pourquoi te chargerais-tu de…

— Et qui va mettre Kate au courant, d'après toi ? Alice ?

— Non, moi, bien sûr.

— Toi ? Tu plaisantes ! La meilleure chose à faire est

de t'éclipser au plus vite. Tu as déjà fait assez de mal comme ça, non ?

— Je ne peux pas partir comme un voleur. Et Kate ? Je lui dois au moins de tout lui expliquer de vive voix.

— Pourquoi ? À quoi cela servirait-il ?

Harry tenait absolument à annoncer lui-même la nouvelle à Kate. Il devait être là pour la réconforter. Il se voyait déjà lui tendre les bras, lui offrir une épaule sur laquelle s'appuyer…

La perspective de ne plus revoir Kate, de ne pas être en mesure de lui expliquer remplissait Eddy de désespoir et d'un intense sentiment d'impuissance.

— Non, je… Harry, tu crois vraiment que je ne ferai qu'empirer les choses en lui parlant ?

— Evidemment ! Tu as pris ta décision, elle ne pourra rien y changer, alors fiche-lui la paix. Laisse-moi me charger de tout ça.

— C'est une fuite, c'est lâche, je…

— C'est la seule réaction décente que tu puisses avoir. Il n'y a pas que toi et Kate dans cette histoire. Il y a toute une organisation, de l'argent dépensé, des gens à appeler, des annulations à envoyer, enfin, tout un micmac. Eddy, tu vas annuler ton mariage, tu ne vas pas rester au milieu de tout ça et bouleverser tout le monde par ta présence. Kate doit être mise au courant, puis il y aura des formalités à accomplir. Je m'en occupe.

Le silence retomba. Harry était presque certain d'avoir réussi à persuader Eddy. Il se trompait.

— Non, je ne peux pas faire ça ! s'exclama soudain ce dernier. Je ne peux pas fuir comme un…

— Il le faut !

— Non, Harry ! En fait, c'est tout le contraire. Je ne peux pas te laisser annoncer la nouvelle à Kate, ce serait mal. Je dois le faire moi-même.

Il s'exprimait d'un ton ferme. Eddy n'était pas un couard. Tout comme il assumerait sa paternité, il parlerait à Kate.

— Mon Dieu, quel gâchis ! répéta-t-il.

— Je crois que tu commets une erreur, insista Harry. À mon avis...

Mais Eddy se dirigeait déjà vers la salle du restaurant. Harry lui courut après.

— Écoute, Eddy! Si tu veux intervenir en personne auprès de Kate, promets-moi au moins une chose : une fois que tu auras détruit ses espoirs et ses rêves de bonheur, jure-moi que tu auras la décence de la laisser tranquille.

— Que veux-tu dire ?

— Si tu l'aimes, et quoi qu'il advienne par la suite, tu devras la laisser vivre sa vie.

Eddy baissa les yeux. Ce que Harry lui demandait semblait inconcevable. Comment accepter de ne plus jamais revoir Kate ?

— Eddy, promets-le-moi, bon sang !

— D'accord, je te le promets.

Et, sur ces mots, Eddy s'éloigna et sortit pour toujours de la vie de Harry.

Tonsbry House se trouvait à vol d'oiseau à peu de distance du village. Il fallait traverser les champs jusqu'au ruisseau, puis suivre Stream Lane. En d'autres circonstances, Eddy aurait apprécié la balade, mais là, il avançait à pas lents, avec une détermination lugubre, vers l'épreuve qu'il s'était infligée.

Après avoir sauté par-dessus la barrière du dernier champ, il se dirigea vers la maison, les chaussures trempées de la rosée qui apparaissait souvent les matins d'été. Il parvint sur l'arrière de la demeure dont les pierres jaunes couvertes de lichen brillaient dans le soleil matinal et, pendant un moment, il considéra le bâtiment, avant de ramasser une pierre.

C'était une habitude de longue date, presque un rituel maintenant. Il visa la fenêtre de la chambre de Kate et lança son projectile. Celui-ci heurta l'un des petits carreaux avec un bruit sec. Il attendit. Un moment plus tard, une tête brune se profila dans l'encadrement. Il vit le visage pâle de Kate qui lui sembla plus beau que jamais. Elle était enveloppée d'une serviette de bain blanche qui révélait la courbe de ses épaules bronzées et la ligne délicate de son cou de cygne.

Ouvrant la fenêtre, elle se pencha.

— Ô mon Dieu, Eddy! Tu ne devrais pas être là! Cela porte malheur de...

Elle s'interrompit, se renfonça légèrement à l'intérieur de la chambre pour vérifier que la serviette était bien en place. Soudain gênée, elle rougit. Puis, remarquant l'expression d'Eddy, elle fronça les sourcils.

— Eddy, que se passe-t-il? Pourquoi...

— Kate, je suis désolé, il faut que je te parle. En privé. Peux-tu descendre tout de suite?

Elle porta la main à ses cheveux, un tic nerveux chez elle, et tira sur une mèche rebelle.

— Qu'y a-t-il? Tu ne peux pas me le dire maintenant?

— Non, je préfère que tu viennes.

Kate jeta un coup d'œil par-dessus son épaule, puis répondit:

— D'accord, j'arrive d'ici une minute.

Comme elle refermait la croisée, Eddy surprit l'expression de panique qui s'inscrivait sur son visage et l'angoisse l'étreignit.

— Salut!

Il pivota sur lui-même. Occupé à contempler les environs de Tonsbry, il n'avait pas entendu Kate traverser la pelouse dans sa direction. Elle était merveilleuse, fraîche, radieuse, adorable. Sa beauté lui coupa le souffle. Comme elle s'avançait pour l'embrasser sur la joue, il frémit et elle sursauta.

— Eddy? Mais que se passe-t-il, à la fin?

— Kate, il faut que je te dise quelque chose, dit-il d'un ton précipité. Quelque chose d'affreux, quelque chose... s'est produit. Nous ne pouvons plus... Je veux dire, je ne peux pas... je ne peux pas t'épouser aujourd'hui.

Kate recula d'un pas. Pendant un moment, elle le dévisagea, puis secoua la tête.

— Non, non, impossible, dit-elle avec un petit sourire. Eddy, arrête ! C'est ridicule. Explique-moi.

Il lui saisit les mains.

— Kate, j'ai fait une erreur, une terrible erreur…

— Dis-moi ce qui s'est passé !

Il prit une inspiration et vit Kate comme il la verrait toujours à partir de cet instant, effrayée, malheureuse.

— Je me suis saoulé, j'ai couché avec Alice White, et elle attend un enfant de moi, débita-t-il.

Voilà, tout était dit. Un silence, puis il chercha le regard de Kate.

— Je ne te crois pas, dit-elle en secouant la tête. Désolée, mais je n'en crois pas un mot !

— Mon Dieu, Kate, c'est vrai, c'est la fichue vérité. Je ne m'en souviens même pas, j'ignore comment et pourquoi, mais je l'ai fait, j'ai gâché nos deux vies ! Kate, je suis tellement navré, je ne sais pas comment c'est arrivé…

— Arrête ! cria-t-elle soudain, les mains sur les oreilles. Arrête ! Arrête ! Arrête ! Je ne veux plus rien entendre ! Je ne veux pas savoir ce que tu as fait !

Sa voix s'étranglait sous l'effet des sanglots qui montaient dans sa gorge et qu'elle refusait de libérer. Le silence retomba de nouveau sur eux, les séparant définitivement. Kate se dominait dans un effort qui requérait toute sa bravoure. Elle inspira profondément.

— Tu en as parlé à Harry ? demanda-t-elle.

Il hocha la tête.

— Et à Leo ?

— Non, je… Bon sang, Kate ! Dis quelque chose ! Crie, injurie-moi, mais réagis, je t'en prie !

Son silence empirait les choses. Il voulut lui prendre la main, mais elle recula.

— Je t'en prie, Kate, parle-moi, ne reste pas comme ça…

La gifle arriva de nulle part et atterrit sur sa joue dans un claquement sec, et le revers suivit aussitôt.

— Tu… tu…

— Je crois, dit-elle d'une voix frémissante de colère et de chagrin, que tu devrais partir.

— Mais, Kate…

Elle parvint à relever la tête et retourna vers la maison, son refuge. Ses jambes flageolaient, elle tenait debout par miracle.

Elle ne se retourna pas.

— Kate, je…

Que pouvait-il ajouter ? Les mots étaient futiles. Il la regarda s'éloigner et il sut que c'était la dernière fois qu'il la voyait et qu'il ne pouvait rien y faire.

Comme elle s'avançait vers la haie d'ifs, il vit alors une silhouette sortir de l'ombre et s'approcher d'elle. Encore un pas, et elle se jeta dans ses bras. Elle demeura ainsi pendant ce qui parut une éternité, puis les deux silhouettes regagnèrent la maison. Eddy sentit son estomac se nouer en reconnaissant l'homme.

— Harry Drummond, murmura-t-il, incapable de bouger, tandis qu'il voyait son ami lui arracher Kate pour toujours.

Plus tard, bien plus tard, quand le traiteur fut parti, que les invités eurent été renvoyés chez eux, que l'orchestre eut été décommandé, les bouteilles de vin laissées intactes dans leurs caisses à la cave, les verres emballés dans leurs cartons, Kate Dowie se plaça devant la grande fenêtre à l'étage de Tonsbry House pour regarder les pelouses. L'énorme toile de tente à rayures pimpantes était toujours dressée dans le jardin. Les tables et les chaises étaient encore en place, ainsi que les bouquets de fleurs disposés pour le plaisir d'invités qui n'étaient jamais venus.

— Le mariage fantôme, murmura-t-elle avec amertume.

Une main se posa sur son épaule.

— Kate ?

C'était Leo, son oncle, le seul de la maison à qui elle aurait pu se confier. Pourtant, elle ne répondit pas. Elle ne voulait pas de sa compassion, cela ne servirait qu'à la faire pleurer et elle s'y refusait absolument.

— Kate, comment te sens-tu?

Elle ne bougea pas. Pourquoi tout le monde lui posait-il la même question?

— Kate chérie, viens prendre une tasse de thé ou boire quelque chose...

Elle perçut un accent de désespoir dans la voix de son oncle et, raidie, lutta contre les larmes en se collant contre la vitre.

— Kate?

— Va-t'en, chuchota-t-elle. Je t'en prie, va-t'en.

Oui, qu'il s'en aille! Qu'il la laisse à son chagrin! Son humiliation était totale, elle n'allait pas en plus s'effondrer devant ses proches.

Résigné, Leo lui pressa gentiment l'épaule avant de s'éloigner. Comme le bruit de ses pas s'estompait, Kate ferma les yeux. Mais rien ne changea. Rien ne pouvait effacer de son esprit l'image de cette journée catastrophique, la cérémonie annulée et la terrible souffrance qu'avaient déclenchée en elle les paroles d'Eddy.

Leo Alder entra dans le salon, avant de refermer doucement la porte derrière lui.

Adriana, la mère de Kate, fumait une de ses cigarettes au menthol longues et fines cerclées d'or. Elle secoua la cendre dans une petite soucoupe en porcelaine de Limoges et demanda:

— Alors, Leo? Qu'a-t-elle dit?

— Comme prévu, elle m'a demandé de la laisser tranquille.

Adriana considéra durement son frère, un homme qu'elle méprisait et n'avait jamais compris, avant de tirer une longue bouffée sur sa cigarette. Elle décroisa ses longues jambes gainées de bas noirs et se leva.

— Je vais lui parler.

Leo s'interposa entre elle et la porte.

— Ce n'est pas une bonne idée, objecta-t-il.

— Je ne te demande pas ton avis. Si j'ai envie de voir ma fille, j'irai la voir !

Ignorant l'expression peinée de son frère, elle écrasa sa cigarette dans la soucoupe, puis se dirigea vers la porte. Elle avait ôté son chapeau, un large bidule bleu marine et blanc orné de plumes. Les quelques mèches auburn qui s'échappaient de son chignon adoucissaient son visage aux traits hiératiques. En la regardant, Leo songea que Kate tenait sa beauté de sa mère.

— Bouge-toi de là, Leo ! exigea-t-elle sèchement.

Mais Dieu merci, Kate n'avait pas hérité de son sale caractère.

— Kate a besoin de moi, poursuivit Adriana. Elle doit se confier, ce n'est pas bon de tout garder pour elle. Elle doit boire un verre de cognac et pleurer un bon coup.

John Dowie, le père de Kate et le premier mari d'Adriana, intervint à son tour :

— Écoute, Adriana, si Kate désire rester seule, je crois que...

Sans le laisser achever, elle se tourna vers lui avec une expression dédaigneuse.

— Tais-toi, John ! Si tu étais bon à quoi que ce soit en dehors de tes cours et de tes livres, je te demanderais peut-être ton opinion. En l'occurrence, tu peux te la garder !

Une toux discrète retentit près de la fenêtre. Adriana releva la tête.

— Oui ? fit-elle, agressive.

L'actuel mari d'Adriana — le numéro quatre, en fait, et le seul qui ait réussi à la supporter —, le comte de Grand Blès, esquissa un sourire.

— Si ta fille a besoin de solitude, ma chère Adriana, c'est exactement ce qu'il faut lui procurer.

Adriana voulut répliquer, puis se ravisa en voyant le comte lever la main. Elle avala sa salive, baissa les yeux sur ses escarpins bleus Bruno Magli.

— Je veux juste l'aider, dit-elle plus doucement.

Le comte s'approcha pour la prendre par le bras et la reconduire vers sa chaise.

— Bien sûr, acquiesça-t-il. Kate est ta fille, tu l'aimes beaucoup.

Le silence retomba dans la pièce. Tout le monde aimait Kate. Elle était courageuse, drôle, superbe, sans une once de prétention ni de méchanceté. Mme Able, la gouvernante de Leo, renifla bruyamment dans son coin et Harry se mit à fixer ses mains.

À cet instant, la porte du salon s'ouvrit.

— Ah, je vois que tout le monde est là ! lança Kate.

Debout sur le seuil, ses cheveux encore noués en chignon, elle portait le vieux jean et le T-shirt blanc qu'elle avait enfilés à la hâte pour rejoindre Eddy. Un sourire crispé était inscrit sur ses lèvres. Elle voulait paraître brave mais, au contraire, ce sourire ne la rendait que plus vulnérable. Leo se dit qu'elle était à deux doigts de craquer.

— Quelqu'un a des ciseaux ? s'enquit-elle. Leo, madame Able ? Où puis-je en trouver une paire ?

— Des ciseaux ? répéta Adriana d'une voix choquée.

Elle avait déjà vu sa fille en crise, l'avait vue bouleversée à propos de problèmes mineurs qui s'étaient réglés d'un baiser ou d'un cadeau. Mais la personne qui venait de pénétrer dans cette pièce, cette fille cassante, qui semblait dénuée de vie, elle ne la connaissait pas.

Adriana retint son souffle et sentit la main de Pierre presser la sienne.

— Oui, des ciseaux, confirma Kate en se tournant vers sa mère. Je vais découper ma robe de mariée. Tu te souviens de ce bal au mess des officiers dont Harry nous a parlé ? Je me suis dit, pourquoi perdre une aussi jolie toilette ? Pourquoi ne pas la raccourcir et la teindre en noir ? Je la porterai pour l'occasion.

Elle sourit de nouveau, et les tendons de son cou trahirent la tension qui l'habitait.

— J'ai même pensé à couper les manches et à agrandir le décolleté. J'ai de très beaux seins, autant les montrer, maintenant que je ne suis plus fiancée.

Toutes les personnes présentes semblaient paralysées par la stupeur.

— Alors? Où sont ces ciseaux, madame Able?

Leo répondit :

— Juste ici, dans la boîte à couture, ma chérie.

Il se leva et alla ouvrir la vieille machine à coudre en acajou qui datait de l'époque victorienne. Saisissant la paire de ciseaux, il revint vers Kate et la lui tendit.

— Tu es certaine de vouloir faire ça maintenant? demanda-t-il d'un ton tranquille.

— Mais oui. Pourquoi pas? C'est l'occasion ou jamais, alors autant m'en occuper tout de suite. Merci, oncle Leo. Je te montrerai le résultat quand j'aurai fini.

Et, refermant la porte derrière elle, elle quitta le salon.

De retour dans sa chambre, Kate s'approcha de la robe de mariée encore suspendue dans la penderie et protégée de sa housse. Elle ouvrit les ciseaux, les plaça au bas de l'ourlet de soie. Sa main se mit à trembler. La maintenant fermement de son autre main, elle coupa et entendit le bruit du tissu qui cédait sous les lames d'acier. Alors, seule dans sa chambre, Kate se mit enfin à sangloter.

3

Quatre ans plus tard

L'infirmière qui s'occupait de Leo Alder à Tonsbry House avait trois enfants en âge d'aller à l'école. Les enfants coûtaient cher avec leurs lecteurs de disques laser, leurs tennis Nike, leurs jeux informatiques et leurs maillots de foot. Elle avait donc un job à mi-temps dans un cabinet médical pour payer tous ces petits extra mais, plus elle gagnait d'argent, plus sa petite famille en dépensait, et elle n'avait toujours pas d'économies en banque.

Elle était compétente et honnête, travaillait dur, et s'occupait avec soin de Leo qui se mourait d'un cancer. Pourtant, quand elle se vit offrir un petit bonus simplement pour communiquer des nouvelles de son malade par téléphone, elle accepta sans le moindre remords. C'était contre l'éthique de sa profession, le dossier du patient était prétendument confidentiel mais, après tout, cela n'avait rien de foncièrement illégal et l'argent était le bienvenu.

Au début, elle n'appelait qu'une fois par semaine. Puis, comme la santé de son patient déclinait, elle téléphona tous les deux, trois jours. Le jour de la mort de M. Alder, elle composa le numéro qu'on lui avait donné avant même de prévenir le médecin. Comme toujours, elle se servit de son portable, et obtint directement l'homme à qui elle avait toujours eu affaire.

— M. Alder est mort ce matin à 9 h 10. Aurez-vous encore besoin de mes services ?

La voix à l'autre bout du fil lui répondit par la négative et l'assura que la somme promise serait déposée chez elle en liquide en fin de journée. Elle le remercia, coupa la communication, et sortit de la chambre de Leo Alder pour rejoindre le rez-de-chaussée et informer la gouvernante de la triste nouvelle. Puis elle téléphona du bureau au médecin qui devait venir délivrer le certificat de décès.

Dans l'air tiède et parfumé de la petite île de Moustique, au moment où l'aube pointait à l'horizon, la sonnerie du téléphone retentit dans le salon d'une spacieuse villa dont les jardins s'étendaient jusqu'à la plage de sable blanc.

Une paire de talons cliqueta sur le sol de marbre du couloir, puis on décrocha.

— Oui ?

— C'est moi. Je voulais juste vous annoncer que Leo Alder est mort ce matin, il y a une heure.

Il y eut un long silence, puis celui qui appelait reprit avec impatience :

— Allô ? Vous êtes toujours là ?

— Oui. Mettez tout en marche dès aujourd'hui.

Il y eut un déclic, et la tonalité s'éleva.

Kate Dowie pédalait en direction de Pimlico et manœuvrait habilement son vélo entre les voitures. Parvenue à Egerton Square, elle monta sur le trottoir, freina, puis s'arrêta devant l'enseigne qui annonçait :
KATE DOWIE — TRAITEUR SURFIN.

Prenant un gros cadenas dans le panier d'osier placé devant le guidon, elle attacha le vélo à la grille de fer, puis souleva une pile de sacs en papier, ainsi que plusieurs boîtes de plastique. Les bras chargés, elle se dirigea vers l'immeuble.

Remarquant que la fourgonnette n'était pas encore arrivée, elle se promit d'appeler Rebecca pour vérifier que tout allait bien.

Kate venait d'effectuer sa tournée du matin qui consistait à livrer dans la City de très onéreux sandwichs aux saveurs exotiques. Pendant ce temps, Rebecca, l'un de ses meilleurs chefs, se chargeait de livrer avec la fourgonnette les commandes de déjeuners tout prêts.

D'ordinaire, Kate revenait bien après Rebecca qui s'occupait déjà des menus du soir. Voilà pourquoi son retard l'inquiétait aujourd'hui.

D'un vigoureux coup de pied, elle poussa la porte d'entrée. Elle avait du pain sur la planche : trois réceptions, plus les préparatifs d'un cocktail qui aurait lieu le lendemain à la City.

Sur la table, elle prit son courrier et l'inspecta tout en gravissant les marches. Essentiellement des confirmations de commandes, nota-t-elle avec satisfaction. Après quatre années de dur labeur, l'entreprise KATE DOWIE fonctionnait à plein rendement et pouvait d'ores et déjà se qualifier de succès.

Tout n'avait pas toujours été aussi rose. Lorsque Kate, contre l'avis de tout le monde, avait repris cette société de services soi-disant florissante — c'était à l'automne qui avait suivi sa rupture avec Eddy —, elle avait découvert qu'en réalité, la maison n'avait que deux clients sérieux qui avaient recours à ses prestations une fois par mois.

Afin de racheter l'entreprise, elle avait engagé tous ses biens propres, refusant tout net l'aide financière de sa mère. Elle était fermement décidée à obtenir son indépendance et à faire ses preuves, même si, à l'époque, elle n'aurait su définir avec exactitude ce qu'elle cherchait à démontrer. Peu à peu, elle avait conquis une clientèle fidèle.

Elle se levait à 4 heures du matin pour préparer des sandwichs raffinés et les livrer ensuite à la City ; elle s'était mise à faire pousser ses propres aromates, à torréfier son propre café, avait appris à composer un menu, à choisir les vins qui les accompagnaient et, désormais, elle proposait systématiquement son whisky maison parfumé à la truffe, une spécialité qui l'avait rendue célèbre.

Au bout du compte, elle avait enfin compris ce que signifiait «faire ses preuves».

Cette démarche avait été vitale pour lui redonner confiance en soi après l'échec qu'elle avait subi. Car elle considérait bien son mariage manqué comme un échec personnel dont elle s'était longtemps tenue pour responsable. Et elle s'était bien promis de ne jamais, jamais recommencer.

Auparavant, la vie l'avait plutôt gâtée mais, maintenant, Kate avait appris à provoquer la chance. Elle était toujours aussi belle, mais d'une beauté sans artifice qui, la plupart du temps, passait inaperçue au premier abord. Puis, par un sourire, un geste gracieux, un trait d'humour, sa splendeur éclatait, prenant les gens par surprise, leur coupant le souffle.

Comme Alice l'avait subodoré, Kate avait changé.

Elle avait appris à dissimuler sa vraie personnalité, mais ses collaborateurs et amis savaient bien que, sous cette façade, se cachait toujours la même Kate, drôle, intelligente, énergique.

Parvenue au premier étage de l'immeuble, Kate laissa tomber par terre les boîtes en plastique, les sacs de papier et le courrier. Comme elle fouillait dans sa poche pour trouver ses clés, la porte s'ouvrit et Stefan apparut sur le seuil, comme toujours impeccable, bronzé et musclé dans son T-shirt blanc et son pantalon de jogging.

— Salut ! Des appels ? lui demanda Kate en se penchant pour ramasser ses affaires.

— Quelques-uns.

Il saisit les boîtes qu'elle lui tendait avant de retourner dans la cuisine.

Stefan et Kate se connaissaient depuis trois ans. Il habitait l'étage au-dessus et possédait la clé de son appartement. Chaque matin, lorsqu'elle partait effectuer ses livraisons, il s'installait chez elle pour répondre au téléphone et prendre les messages. En effet, Kate détestait les répondeurs et ne s'en servait qu'en cas de stricte nécessité. À son sens, le son d'une voix bien réelle faisait toute la différence entre une commande passée chez elle et une commande passée chez le concurrent. De plus, Stefan était bourré de charme et, comme la clientèle se composait de nombreuses femmes, Kate voyait dans son assistant un atout non négligeable.

— Mme Varrall a-t-elle appelé à propos de vendredi soir ? s'enquit-elle. J'ai laissé son menu sur le bureau, tu l'as trouvé ?

Ce disant, elle alla tout de suite ouvrir le réfrigérateur pour vérifier que la mousse de crevettes aux asperges avait bien pris.

— Kate…

— Mmmm ?

Sans relever la tête, elle inséra la lame d'un couteau dans la mousse, la ressortit, hocha la tête avec satisfaction.

— Je dois appeler Rebecca avant tout, ajouta-t-elle.

Elle est en retard, j'espère qu'il ne lui est rien arrivé. C'est peu probable, mais je ne peux m'empêcher de me faire du souci. Nous avons tellement de boulot aujourd'hui !

— Kate ?

La jeune femme jeta un coup d'œil par-dessus son épaule et s'excusa d'un sourire :

— Pardon, Stefan, je jacasse. Tu voulais me dire quelque chose ?

Il hésita. Le coup de fil qu'il avait reçu n'était pas une surprise, il s'y attendait, tout comme Kate, très certainement, même si elle s'obstinait à nourrir un espoir aveugle en dépit de l'avis des médecins. Quoi qu'il en soit, il ne savait comment lui annoncer la nouvelle.

— Seigneur, tu ne vas pas me dire que tu ne peux pas venir travailler vendredi soir ? s'exclama-t-elle soudain. Je tiens beaucoup à partir tôt pour passer voir Leo à Tonsbry. L'infirmière m'a dit que son état empirait et…

— Kate, oublie vendredi. Tu as reçu un appel ce matin et… ce n'est plus la peine d'aller là-bas. Je suis vraiment désolé, mais…

Elle se figea. Quelques secondes s'écoulèrent, puis :

— Leo est mort. Il est mort, c'est cela ?

Stefan hocha la tête. Il ne savait trop quelle serait la réaction de Kate. Elle avait une façon bravache d'aborder les désastres qui lui permettait de surmonter la plupart des épreuves, mais là c'était différent. Elle se trouvait face à un décès, celui de Leo. Sans avoir jamais fouiné dans la vie de Kate, Stefan savait ce que son oncle représentait à ses yeux. Il avait toujours été présent pour elle quand sa mère était au loin, occupée à se marier ou à divorcer, alors que son père vivait dans son monde d'intellectuel. Au milieu de cette désertion parentale, Leo avait toujours symbolisé la sécurité et la stabilité qui manquaient tant à Kate.

Gauchement, Stefan voulut lui presser le bras, mais elle se déroba.

— Ça va, réussit-elle à articuler.

Elle s'approcha de la fenêtre, croisa les bras, et Stefan nota que ses articulations blanchissaient sous l'effort. Il brancha la bouilloire, alla chercher dans le placard la bouteille de cognac dont se servait Kate pour sa cuisine. Il en versa une rasade dans une tasse, y ajouta un sachet de thé, deux cuillerées de sucre, puis, en silence, il lui tendit la boisson.

Kate l'accepta et avala une longue gorgée. Ses mains tremblaient, elle frissonnait.

— Bois tout, lui conseilla-t-il.

Devait-il appeler quelqu'un ? Harry peut-être ? Mais non. C'était plus fort que lui, il n'aimait pas ce type.

Kate semblait s'être retranchée en elle-même et avoir perdu toute conscience de la réalité.

— Kate ?

Elle sursauta, porta la tasse à ses lèvres et but encore. Lentement, ses joues reprirent leurs couleurs. Stefan hésitait sur la conduite à tenir. Devait-il rester auprès d'elle, ou au contraire la laisser seule avec son chagrin ? Il ne lui avait pas tout dit, mais ne se sentait pas le courage de continuer.

— Stefan ?

Relevant les yeux, il vit que le choc semblait passé, que ses yeux brillaient de larmes contenues.

— Qui t'a prévenu ? demanda-t-elle. Était-ce mon père ou Mme Able ?

— Non, c'est Eddy Gallagher qui a appelé.

Son changement d'expression fut si rapide et si violent qu'il en demeura pantois. Les yeux plissés, la bouche pincée, elle s'empourpra subitement.

— Eddy Gallagher ! lâcha-t-elle. Qu'a-t-il à voir avec Leo ?

— Il a appelé de Tonsbry. Il travaille pour ton oncle, sur le domaine. Il...

— Eddy travaille pour Leo ? répéta Kate, incrédule. Mais qu'est-ce que ça veut dire, bon sang ?

Elle esquissait de grands gestes saccadés sous l'effet de la fureur. En fait, elle frôlait l'hystérie.

— La dernière fois que j'ai entendu parler de lui, il était marié et vivait à Notting Hill. Qu'est-ce que tu me racontes, Stefan ? Je n'y comprends rien ! Eddy n'a rien à voir avec Leo ! Comment pourrait-il savoir qu'il est mort ? Pourquoi a-t-il appelé ? Je ne…

Stefan l'attrapa par les épaules pour essayer de la calmer.

— Kate, relax. Écoute, Eddy gérait la propriété pour Leo, c'est tout ce que je sais. Il a appelé parce qu'il voulait être sûr que tu accuserais le coup. C'est tout, O.K. ?

Mais il mentait. Il ne lui précisait pas que ce n'était pas la première fois, loin de là, que Eddy téléphonait. Et ce type qui, manifestement, se préoccupait beaucoup de Kate lui était sympathique.

La jeune femme garda le silence une bonne minute. Stefan savait qu'elle retenait ses larmes, car elle détestait pleurer en public. Respectueux de ses sentiments, il s'éloigna vers l'angle opposé de la cuisine pour la laisser en paix.

— Je suis navré pour Leo, dit-il. Dois-je demander à Rebecca de te remplacer aujourd'hui ? Je peux lui donner un coup de main si tu veux prendre quelques jours de congé.

— Non, merci. C'est gentil, mais je préfère travailler. Cela me fera plus de bien que de rester désœuvrée.

Elle s'essuya les mains sur son tablier, saisit un rouleau de Sopalin et se moucha avec un bruit sonore.

Et voilà ! pensa Stefan. Elle va encore s'abrutir de travail et se couper du monde !

Puis, fataliste, il répondit :

— Comme tu veux.

— Je ne suis pas en état de choc, tu sais. Je m'y attendais. Au fond de moi, je savais que cela arriverait, et… ô mon Dieu !

Ses yeux s'étaient de nouveau remplis de larmes. Elle se moucha encore, et Stefan s'avança pour lui passer le bras autour des épaules et l'entraîner doucement vers le salon. Il l'obligea à s'asseoir sur le canapé et retourna faire du thé dans la cuisine. Quand il revint, Kate, qui venait de jeter un regard autour d'elle, s'écria :

— Stefan, tu as tout rangé! Tu n'aurais pas dû, c'est trop gentil, c'est…

Elle s'interrompit le temps de se moucher.

— Seigneur, je suis si lamentable! Je suis désolée, tu n'aurais pas dû, vraiment, c'est…

— Ce n'est rien, coupa Stefan en lui tendant une tasse.

En vérité, il avait trimé toute la matinée. Lorsqu'il avait appris la mort de Leo Alder, il avait désespérément cherché quoi faire pour témoigner à la jeune femme son amitié. Il avait passé plusieurs heures à ranger frénétiquement, à nettoyer, à épousseter, à aspirer, et enfin à aérer cet appartement superbe mais quelque peu négligé.

Le miroir placé au-dessus de la cheminé avait une petite tache. Il se pencha pour l'essuyer du bout de son T-shirt.

— Et toi, pense à tout ce que tu as fait pour moi, répliqua-t-il.

— Je t'ai donné un job de grouillot, ce n'est pas Byzance.

— Peut-être pas pour toi mais, à mes yeux, cela comptait beaucoup, du moins à l'époque.

Il la considéra tandis qu'elle buvait son thé à petites gorgées. En réalité, elle l'avait sauvé, c'est ainsi qu'il voyait les choses. Il l'avait rencontrée par une nuit glaciale, dans un café près de la gare de Waterloo où il se trouvait avec pour seule fortune un billet de dix livres en poche. Elle lui avait payé un café, avait discuté cinq minutes avec lui puis, sur un coup de tête, lui avait proposé de faire le plongeur lors d'un buffet organisé pour trente personnes. C'est ainsi qu'avait commencé leur amitié.

Rasé de près, vêtu d'un jean propre prêté par un ami, ses cheveux noirs bien peignés en arrière, Stefan s'était avéré très séduisant. Plongeur et serveur improvisé, il s'était inventé, lors de cette réception donnée par l'élite de la presse, une nouvelle personnalité. Stephen Briggs, né dans le Kent, était devenu Stefan Vladimar, un jeune intellectuel qui arrivait d'Europe de l'Est, lesté d'un passé aussi mystérieux que fascinant. Il avait prétendu être un acteur entre deux rôles et, en trois heures de temps, il s'était décroché un boulot. Ce n'était pas un rôle, mais cela payait drôlement bien.

Stefan aimait la vie et surtout les femmes. En fait, il avait un talent inné pour cette profession. En apparence, il les escortait à des dîners, des cocktails, des réceptions ; en vérité, il leur donnait l'impression d'être aimées et désirées, ce qu'elles cherchaient par-dessus tout. Et il était vraiment doué pour ça.

À présent, il avait ses clientes régulières, et possédait un appartement dans le même immeuble que Kate. C'était une simple garçonnière, assez grande toutefois pour qu'il puisse y recevoir. Il prenait grand soin de son corps d'athlète et de son visage aux traits bien ciselés. Il s'habillait en Armani pour les journalistes, portait un costume taillé sur mesure de chez Simpson pour les avocates de la City, du Paul Smith pour les seniors de la publicité, et des sous-vêtements de coton Calvin Klein pour toutes. Il était raffiné, élégant, et il s'en mettait plein les poches.

— Stef ?

Il tressaillit. Il était si absorbé dans ses pensées qu'il avait presque oublié Kate.

— Stef, répète-moi exactement ce qu'a dit Eddy ?

Il lui prit sa tasse des mains et la ramena dans la cuisine pour la rincer, tout en se demandant ce qu'il allait répondre. Il connaissait l'histoire de Kate et Eddy, ou plutôt des bribes, mais tout ça s'était passé avant qu'il ne la rencontre. Les sentiments de Kate vis-à-vis d'Eddy lui étaient totalement inconnus.

En fait, ce dernier avait prononcé les paroles suivantes : «Leo est mort à 9 h 10 ce matin. Pouvez-vous prévenir Kate de ma part ? Je ne voulais pas qu'elle apprenne la nouvelle de n'importe qui, je voulais m'assurer qu'elle ne soit pas seule en ces instants pénibles. Comment va-t-elle ? Je veux dire, est-elle heureuse ? Vous veillerez sur elle, n'est-ce pas ? Prévenez-moi si je peux faire quelque chose, mais ne lui parlez pas de Tonsbry, à moins d'y être absolument contraint… »

La voix de Kate s'éleva dans son dos, impatiente :

— Stefan ?

— Il a dit que Leo était mort et qu'il voulait que ce soit moi qui te prévienne.

— A-t-il demandé de mes nouvelles ?

Comme il hochait la tête, elle s'exclama :

— Quoi ? Qu'a-t-il dit ?

Sa voix avait une intonation particulière. Elle s'était approchée, et Stefan sentait le cognac dans son haleine. De toute évidence, elle avait l'estomac vide. Bien qu'elle ait fait de la cuisine son métier, Kate ne portait pas d'intérêt particulier à la nourriture.

— Pas grand-chose, euh… Il a dit…

Il s'interrompit en bredouillant. Depuis qu'il connaissait Kate, elle n'avait presque jamais mentionné Eddy Gallagher. On aurait dit qu'elle l'avait effacé de sa vie. Voulait-elle vraiment connaître tous ces détails, ou était-ce simplement sa façon de réagir à la mort de Leo ?

Il ne fallait pas rouvrir de vieilles blessures. Kate était assez fragile comme ça.

Il prit sa décision. Gallagher avait peut-être l'air d'un brave type au téléphone mais, jadis, il avait fait cruellement souffrir Kate. Il pouvait fort bien recommencer, et Stefan ne voulait pas en être responsable.

— Il m'a juste demandé de t'avertir, c'est tout, déclara-t-il.

— Oh… Je vois.

Elle poussa un soupir, et Stefan pria pour ne pas avoir commis d'erreur.

— Alors voilà, murmura-t-elle encore pour elle-même.

Elle se détourna, soudain irritée, presque défiante, puis annonça :

— Il faut que j'appelle Harry. Son régiment est en manœuvres, mais je peux peut-être lui faire passer un message.

Oh non ! Pas Harry ! songea Stefan, la mort dans l'âme.

Et, derechef, il se demanda s'il avait bien agi.

— Flora, arrête, s'il te plaît !

Eddy Gallagher n'avait même pas relevé la tête. Assis dans la cuisine de son petit cottage situé sur le domaine de Tonsbry, il tenait sa fille sur ses genoux tout en tapant une addition sur le clavier d'une calculatrice.

Comme il notait le total sur son livre de comptes, le bruit métallique de la fourchette contre l'assiette de porcelaine reprit.

— Flora, je te préviens…

Il entama un autre calcul, et son humeur baissa à mesure que son crayon courait le long de la colonne de chiffres. Soudain un tintement plus sonore que les autres retentit. Il leva les yeux, s'empara vivement de la fourchette.

— Arrête ! Je ne vais pas te le répéter dix fois !

— Pourquoi ? fit Flora avec une moue.

— Pourquoi quoi ?

Elle trempa son doigt dans la cuillerée de confiture déposée dans son assiette et entreprit de tracer des dessins sur la table.

— Flora, pour l'amour du ciel, tu as fini ?

— Oui.

— Oui quoi ?

Flora se pencha pour lécher la confiture dans son assiette.

— Oui-merci-s'il-te-plaît-est-ce-que-je-peux-sortir-de-table ?

Eddy esquissa un sourire.

— Oui, tu peux.

Elle se laissa glisser entre ses jambes et se dirigea vers l'évier pour se laver les mains. Flora était maniaque de la propreté. Où avait-elle pris une telle habitude ? Il l'ignorait. Lui-même avait de piètres talents domestiques, et Flora n'avait pas d'exemple maternel à imiter.

— Nettoie ta figure tant que tu y es, elle est pleine de confiture.

— Papa ?

— Oui ?

— Qu'est-ce que tu fais ?

— Mes comptes, j'en ai pour deux minutes.

— Papa ?

— Oui ?

— Quand tu auras fini ?

Eddy soupira et lâcha son crayon. Flora le regardait d'un air très concentré.

— Maintenant. J'ai fini, capitula-t-il. Va mettre tes bottes.

— Oooouais !!!

— Au diable, les comptes ! maugréa-t-il lorsque la fillette fut sortie de la cuisine.

De toute façon, cette activité le déprimait. Il avait vraiment besoin de prendre l'air.

— Vous sortez ? lui demanda Mme Able qui descendait l'escalier, un panier de serviettes sales entre les bras.

Elle était gouvernante à Tonsbry depuis trente ans et Eddy la connaissait depuis toujours.

— Vous avez l'air vanné, mon garçon, fit-elle remarquer en déposant son panier sur la table de la cuisine. C'est un bien triste jour pour nous tous. Et juste au moment où vous veniez de vous installer !

Tristement, elle lui tapota l'épaule, puis fouilla la poche de son tablier à la recherche de son mouchoir pour essuyer une petite larme.

— Je vais m'occuper de Flora ce matin, si vous voulez. Comme ça, vous pourrez vous reposer un peu, proposa-t-elle.

Eddy sourit, mais secoua la tête.

— Eddy, vous avez déjà tant fait ! Je ne vois pas...

— Pas tant que ça.

Avait-il vraiment fait tout ce qui était en son pouvoir ? Il avait mis ses talents comptables au service d'un domaine en bien mauvaise posture et tenté désespérément de redresser la barre mais, en vérité, à quoi avait-il abouti ? À pas grand-chose, c'était du moins son avis et, dans cette optique, il estimait avoir échoué à adoucir les derniers mois de Leo.

Ces trois dernières années avaient été jalonnées d'échecs, tant sur le plan professionnel que personnel ! Retomberait-il jamais sur ses pieds ?

— Je suis prête !

Eddy et Mme Able tournèrent la tête vers Flora qui venait de surgir du couloir, son manteau sous le bras, ses bottes à l'envers, et son chapeau enfoncé sur sa tête tordant ses oreilles à angle droit. En dépit de ses soucis, Eddy sourit.

— Tu t'es habillée toute seule ? Quelle grande fille ! Allons, viens ici et mets ton pied dans la bonne chaussure…

Eddy assit sa fille sur la chaise de la cuisine avant de s'agenouiller devant elle.

— Papa ?

— Oui ?

— Ça va mieux, maintenant ?

Elle le considérait avec une curiosité teintée d'inquiétude.

— Mieux ? Que veux-tu dire, chérie ?

— Tu étais en grogne, ce matin.

— En grogne ? Oh, tu veux dire en rogne ?

— Oui. C'est parce que tu étais malheureux ?

Eddy détourna le regard quelques instants. Il se sentait proche des larmes. Il aimait beaucoup Leo qui lui avait offert la chance de sa vie et à qui il serait éternellement reconnaissant.

— Oui, tu as raison, chérie, j'étais malheureux.

Flora se pencha en avant et planta un baiser sonore sur la joue de son père.

— Attrape-moi ! lança-t-elle, avant de sauter sur ses pieds et de filer par la porte.

Eddy se releva et lui emboîta le pas.

— Ramenez-la pour déjeuner, lui lança Mme Able. John et moi, nous avons besoin d'un peu de vie dans la maison aujourd'hui.

Elle renifla, se tamponna les yeux de son mouchoir

imprimé de roses. Eddy, qui enfilait son manteau, revint vers la gouvernante pour l'embrasser doucement sur la joue. C'était la première fois qu'il osait une telle familiarité avec elle et, tandis qu'il s'éloignait vers la porte, il entendit un claquement de langue réprobateur. Mais lorsqu'il se retourna, Mme Able souriait.

— Flora ! appela-t-il en débouchant sous le porche.

La fillette se tenait près de la clôture et tendait une poignée d'herbe à l'un des moutons pour l'attirer à elle. En entendant son père, elle rebroussa chemin en courant pour glisser sa main dans la sienne.

— Allons-y, sinon, il va y avoir une mutinerie de moutons à Tonsbry.

— Une moutonnerie ?

— Une révolte, corrigea Eddy.

Soudain, il souleva le petite fille dans ses bras et se mit à la chatouiller tout en courant.

— Les pirates, le capitaine Crochet et papa vont te manger toute crue ! cria-t-il.

Flora se mit à pousser des cris perçants et, en quelques minutes, Eddy Gallagher oublia ses tourments et son avenir lugubre. Il avait Flora, et ce n'était pas la première fois qu'il s'émerveillait de ce prodige qui illuminait sa vie.

Adriana faisait sa valise quand Pierre entra dans la chambre. Méticuleuse, elle avait aligné sur le lit une douzaine de tenues qu'elle pliait les unes après les autres avant de les ranger dans ses bagages avec ordre et méthode. Son visage était pâle, mais ses yeux brillaient d'une excitation étrange et presque érotique.

— Où vas-tu, ma chérie ? demanda-t-il en ôtant sa chemise pour la laisser tomber par terre.

Adriana releva la tête. D'ordinaire, la vue de son mari mince et bronzé produisait toujours le même effet sur elle, mais aujourd'hui elle se sentit juste agacée.

— J'ai réservé une place pour Paris sur le vol d'Air

France de ce soir, répondit-elle. Une voiture vient me chercher à 3 heures.

— Pourquoi Paris ? s'étonna Pierre en s'asseyant sur le lit.

Adriana déposa un tailleur de soie dans sa valise, puis se ravisa et le plaça sur la pile de toilettes écartées.

— Je veux être près de Kate, mais tu sais combien je déteste Londres. Alors j'ai appelé Manni et je lui ai demandé d'ouvrir l'appartement. Il vient me chercher à l'aéroport Charles-de-Gaulle demain matin. Mon Dieu, il y a tant à faire et je n'arrive pas à mettre la main sur Lorna ! Elle a disparu, juste quand j'avais besoin d'elle ! C'est typique de sa part...

— C'est son jour de congé, Adriana. Tu ne peux tout de même pas lui demander d'attendre ici au cas où tu déciderais de sauter dans le prochain avion pour Paris.

Pierre employait le ton ironique dont il était coutumier, mais Adriana l'ignora.

— Puis-je te demander pourquoi tu m'abandonnes pour filer au Gai Paris ?

Il feuilletait le roman qu'elle était en train de lire et qu'elle avait posé sur la table de nuit. Il lui avait été recommandé par une amie, mais elle n'y prenait aucun plaisir et ne comprenait rien à l'intrigue. Pierre remarqua qu'elle avait dressé une liste de courses au bas de la page 30 de sa petite écriture serrée. Il sourit.

— Leo est mort ce matin, annonça Adriana sans détour.

Le sourire de Pierre disparut. Il observa sa femme et nota sur son visage une expression qu'il connaissait bien. Aussitôt, il sentit son sexe se durcir.

Adriana dénoua la ceinture de son déshabillé de soie et le fit glisser sur ses épaules. Elle avait un corps superbe, qu'elle avait fait sculpter dans diverses cliniques californiennes au cours des dernières années. Sa silhouette était celle d'une jeune femme.

Vêtue en tout et pour tout de ses escarpins à hauts talons, elle s'approcha du lit et se pencha au-dessus de

Pierre, prenant soin de ne pas le toucher. Puis elle passa une langue gourmande sur ses lèvres.

— Je me demande, murmura Pierre, pourquoi la mort de ton frère semble avoir sur toi un effet aussi...

Elle le réduisit au silence en lui mordant doucement la bouche, et il soupira en fermant les yeux. Après tant d'années passées à dominer son entourage de sa fortune et de son influence, Pierre de Grand Blès avait enfin trouvé son maître. Sa femme savait exactement comment le manipuler. Cela l'horrifiait et le fascinait.

4

Jan Ingram courut à travers le hall en direction de l'ascenseur. Ses talons glissaient sur le sol de marbre beige, elle peinait à porter son gobelet de café, son petit déjeuner, son sac à main, et sa mallette pleine de documents. Juste au moment où elle entrait dans la cabine, elle trébucha et se heurta à un quelconque comptable qui attendait la fermeture des portes ainsi que deux autres employés.

— Merde ! Je veux dire, zut ! marmonna-t-elle.

Comme il l'aidait à rétablir son équilibre, elle aperçut une tache de café sur l'ordinateur portable qu'il tenait à la main.

— Mon Dieu, je suis désolée ! Ce sont ces maudits gobelets...

Tirant de sa poche un mouchoir maculé de rouge à lèvres, elle entreprit de tamponner l'ordinateur.

— Ça va, ce n'est rien, dit sèchement l'homme avant de s'écarter d'elle ostensiblement.

— Oh, je... Désolée, répéta-t-elle.

Elle déglutit avec peine, luttant contre les larmes qui menaçaient de déborder, et baissa les yeux durant la montée à l'étage. Lorsque les portes s'ouvrirent, elle se glissa de côté pour laisser passer l'homme, puis compta mentalement les cinq étages qui la séparaient de son propre bureau, incapable de soutenir le regard des autres personnes présentes dans l'ascenseur.

Elle sortit à la hâte, tenant le gobelet de café éloigné de son manteau et, d'un coup de hanche, poussa la porte de verre qui conduisait aux locaux de Ingram Lawd Financial Services.

La mallette s'ouvrit au moment où elle franchissait le seuil, et les papiers se répandirent par terre.

— Oh non! Cindy, s'il vous plaît...

Une fille grande et mince, à la coiffure impeccable, se leva du bureau de réception et soupira afin de réparer les dégâts.

Jan déposa sur le bureau le sac qui contenait son déjeuner ainsi que le gobelet dégoulinant.

— Quel temps de chien! s'exclama-t-elle.

Elle était trempée, échevelée, mais n'en avait cure. Elle avait dépassé ce stade.

— Pourrez-vous m'apporter ces documents dans mon bureau? demanda-t-elle à Cindy qui s'activait toujours, agenouillée au milieu du couloir.

Comme aucune réponse ne lui parvenait, Jan ajouta, caustique :

— Si cela ne vous dérange pas trop, bien sûr !

Elle éprouva l'envie subite de blesser la réceptionniste. Encore une de ces poupées incompétentes, grossières et stupides que Duncan se plaisait à engager. Mais bon, mieux valait penser à autre chose.

En silence, elle récupéra son petit déjeuner et gagna son bureau, son manteau gouttant sur le sol tandis qu'elle se déplaçait.

Quelques minutes plus tard, elle était assise devant son ordinateur, toujours vêtue de son manteau, l'air hagard. La porte était fermée, personne ne pouvait la voir. Un instant, elle lutta contre le vertige.

Les larmes roulèrent sur ses joues, sans qu'elle songe à les essuyer. De toute façon, son maquillage avait déjà coulé. Et puis, qui se préoccupait d'elle ?

Reniflant, elle s'essuya le nez d'un revers de manche. Mon Dieu, elle était pathétique !

Elle se redressa, posa ses mains sur le bureau. Triste, voilà ce qu'elle était. Triste et vieille. Se renfonçant contre le dossier de la chaise, elle ouvrit un tiroir, fouilla le contenu à la recherche d'un mouchoir propre, mais ne trouva qu'un paquet de Kleenex chiffonnés. Elle se moucha, s'essuya les joues, et se sentit un peu mieux.

— Reprends-toi, Jan ! s'admonesta-t-elle. Tu as encore toute la journée à tenir !

Débarrassée de son manteau, elle s'intéressa aux journaux qui venaient de lui être livrés, le *Financial Times* et l'*Independent*. Elle saisit ce dernier et parcourut rapidement les gros titres. Autrefois, elle se serait tout d'abord plongée dans le *Financial Times*, elle aurait pris des notes, aurait appelé Duncan en cas de bonne nouvelle. Plus maintenant. Aujourd'hui, la vue du journal suffisait à la remplir de désespoir et d'un immense sentiment d'impuissance.

Avec un soupir, elle se moucha de nouveau, but une gorgée de café, puis reporta son attention sur un document auquel était agrafé un bref mémo au ton impersonnel : *Jan, ci-joint l'article sur le domaine de Tonsbry. Leo Alder est mort hier. Consulte le dossier, nous en discuterons ce matin. Duncan.*

— Salaud ! s'emporta-t-elle. Pour qui se prend-il ?

Elle ferma les yeux un moment, trop agitée pour se concentrer sur quoi que ce soit. Puis, se dominant, elle ôta le trombone et parcourut le feuillet. Pour la première fois depuis des semaines, elle oublia sa propre tragédie pour penser à Leo Alder.

— Pauvre Leo ! murmura-t-elle.

Elle avait toujours apprécié cet homme et désapprouvé la politique menée par Duncan concernant le domaine de Tonsbry. Devait-elle mettre la main sur le dossier avant toute chose ? Un coup d'œil au mémo de Duncan l'en dissuada. Elle saisit son beignet.

Vingt ans qu'ils étaient mariés et, en quelques mois,

toutes ces années de vie commune se trouvaient réduites à un mémo de trois lignes. Avec hargne, elle mordit dans la pâtisserie. La confiture à l'abricot jaillit et dégoulina sur son chemisier.

La quiétude qui régnait au mess des officiers était appréciée tant par les militaires que par le personnel. L'heure du petit déjeuner était idéale pour lire et se sustenter dans un silence complice. À une certaine époque, même les hommes mariés s'échappaient de leurs quartiers pour se glisser dans cette ambiance feutrée, savourer un petit déjeuner complet sans être dérangés par les pleurs de leurs mômes ou le bavardage de leur épouse.

Harry Drummond adorait le mess. D'ailleurs, à 32 ans, le séduisant capitaine adorait tout de la vie de soldat. Grand, blond, de carrure athlétique — il pratiquait le rugby, le squash et le cricket —, il avait le profil type pour la carrière qu'il avait choisie. Sans être foncièrement égoïste — un critère apparemment essentiel pour entrer dans l'armée —, il s'intéressait avant tout à sa petite personne. Il était satisfait de son existence, et très content de lui-même.

Ce matin-là, plongé dans la lecture du *Sun* — un prétexte pour écouter les conversations autour de lui —, il mangeait avec appétit une tranche de pain complet tartinée de marmelade d'orange dont le pot était marqué à son nom. Il savourait le silence. De retour d'une manœuvre qui avait duré deux semaines, il avait pris trois jours de vacances en Ecosse en compagnie de Sasha, la sœur de Tully.

Bien entendu, Kate ignorait tout de cette liaison qui avait commencé bien avant qu'ils ne se fréquentent. Harry n'en éprouvait pas le moindre remords. Il était jeune, vigoureux, et ce n'était pas sa faute si Kate ne s'intéressait pas au sexe. De plus, il avait mis des années — trois, pour être précis — à la convaincre de sortir avec lui, et il aurait vraiment fallu être idiot pour mener une vie de moine tout ce temps.

Harry esquissa un sourire au souvenir des trois derniers jours passés avec Sasha. Ils en avaient bien profité !

— Bonjour, mon capitaine.

Un jeune lieutenant venait de prendre place face à Harry. Il étala sa serviette sur ses genoux et attendit qu'un serveur prenne sa commande.

— Avez-vous reçu votre message ?

Harry, qui beurrait une deuxième tartine, releva la tête avec surprise.

— Non, quel message ? Je suis juste venu prendre mon petit déjeuner, il n'y avait rien dans mon casier.

— Le colonel n'a pas réussi à vous joindre ?

— Non, pourquoi ?

— Je n'en sais rien. C'est une dame qui vous a téléphoné, je crois. Votre fiancée, peut-être ? Cela semblait urgent...

Le lieutenant n'eut pas le temps de terminer sa phrase. Harry se leva d'un bond et se mit en quête du sergent du mess pour découvrir de quoi il retournait.

Cinq minutes plus tard, ayant acquis la certitude que c'était bien Kate qui avait cherché à le joindre, il se rendit à une cabine téléphonique. Il composa le numéro de l'appartement de Kate, écouta le message du répondeur, et se retrouva dans une position peu enviable : que savait-elle au juste ? Était-elle au courant de son escapade écossaise ? Il allait devoir bluffer.

Le bip du répondeur retentit à son oreille.

— Euh, Kate... Manifestement, tu n'es pas là. Je... j'ai appris que tu avais voulu me contacter, mais j'étais en Ecosse... Une invitation de dernière minute, de la part d'un copain. J'espère que tout va bien. On m'a dit que c'était urgent et...

Il s'interrompit, cherchant quelque chose de tendre et de rassurant à dire.

— Je suis très inquiet, vraiment. Peux-tu me rappeler ? Sinon, j'essayerai de te joindre plus tard. Je... oh oui, je pense à toi, Kate chérie ! Au revoir.

Il raccrocha avec un soupir de soulagement. Non qu'il soit froid ou timide, toutefois, la relation qu'il avait avec Kate n'était pas vraiment chaleureuse. Ils étaient intimes — Dieu sait qu'il avait œuvré pour en arriver là ! —, mais pas complices comme l'étaient la plupart des amants.

D'ailleurs, pouvait-on parler d'une histoire d'amour en ce qui les concernait ? Il s'agissait plutôt d'une amitié de longue date qu'il était parvenu à modeler pour arriver à ses fins.

De nouveau, il soupira, perplexe et un peu frustré. Puis, bien que son appétit se soit envolé, il retourna au mess pour achever son petit déjeuner.

Jan acheva la lecture de l'*Independent*. Elle s'apprêtait à consulter le *Financial Times* quand la porte de son bureau s'ouvrit brusquement. Elle sursauta, laissa tomber ce qui restait de son beignet sur ses genoux et se pencha pour ramasser le morceau. Quand elle releva la tête, son mari la considérait d'un air furieux.

— Jan ! Nom d'un chien, qu'est-ce que tu fabriques ?

Elle fourra le dernier morceau de beignet dans sa bouche.

— Nous avons une réunion du conseil dans cinq minutes ! Ne me dis pas que tu as oublié.

— Non, bien sûr que non.

Elle nota l'expression dégoûtée qu'il arborait et, gauchement, elle tirailla sur une mèche de ses cheveux frisottés.

— J'y serai, confirma-t-elle.

— Tu ferais bien de te dépêcher. Regarde dans quel état tu es !

Sur un dernier regard qui exprimait autant de mépris que de pitié, il claqua la porte derrière lui.

Jan mâchouilla son beignet quelques secondes, puis la colère explosa en elle.

— Salopard! s'écria-t-elle. Il a un sacré culot!

Ne lui suffisait-il pas de l'avoir humiliée, trahie, jetée comme une vieille chaussette, pour aller vivre avec une femme de vingt ans plus jeune qu'elle? N'était-ce pas assez qu'elle continue à venir travailler dans cette société pour laquelle ils avaient uni leurs efforts durant quinze ans, pour laquelle ils avaient tout sacrifié?

De nouveau, ses yeux s'embuèrent. Elle ouvrit son sac d'un geste sec pour en sortir son poudrier.

— Dans quel état je suis? Bon sang, à quoi s'attend-il? J'ai 43 ans, pas 23!

Elle appliqua un peu de poudre sur son visage, tamponna férocement les marbrures sur sa peau, mais les larmes continuaient de couler, si bien qu'elle finit par y renoncer pour brosser ses cheveux crépus qui auraient dû boucler naturellement si la permanente n'avait pas été ratée.

Elle regarda sa montre, décrocha le téléphone.

— Cindy, fit-elle après s'être éclairci la voix, avez-vous ramassé ces papiers? Bien. Veuillez les apporter à M. Lawd, il en aura besoin durant la réunion. Oui, la réunion qui a lieu maintenant. Merci.

Elle raccrocha, alla ouvrir un tiroir du classeur et se mit à chercher le dossier Tonsbry, qui devait sûrement être à l'ordre du jour ce matin. L'ayant déniché, elle le considéra, indécise. À vrai dire, elle n'avait guère envie de s'y plonger. C'était un dossier délicat, complexe. Et puis, elle était navrée pour Leo Alder. Elle ne voulait pas entendre parler d'hypothèque moins de vingt-quatre heures après son décès.

Je m'attendris avec l'âge, songea-t-elle, résistant à l'envie de se remaquiller une fois de plus.

Mais les années ne l'avaient pas vraiment attendrie, plutôt aigrie. Elle avait un goût amer dans la bouche depuis quelque temps, et le dossier Leo Alder n'arrangeait rien, bien au contraire.

Ingram Lawd avait fait de l'argent, beaucoup d'argent, à tel point qu'ils avaient reçu une proposition d'une importante banque de High Street. Le genre d'offre dont rêvent toutes les entreprises, le genre de succès que convoitent tous les hommes d'affaires. Mais pour quel résultat ? Et à quel prix ?

Prêter de grosses sommes à des gens aux abois, au plus fort de la récession, puis leur faire payer des intérêts exorbitants, voilà à quoi consistait leur métier. Saisir des propriétés, les revendre, augmenter sans cesse les profits…

Jan lissa sa jupe et boutonna sa veste sur son chemisier taché de confiture. Que lui restait-il aujourd'hui, mis à part un solide compte en banque et sa mauvaise conscience ? Pour Duncan et la société, elle avait tout sacrifié, les enfants, les amis, ses intérêts personnels. Tout.

Elle quitta le bureau juste au moment où Duncan apparaissait au bout du couloir. Il plaisantait avec un collègue.

— Rien, il ne me reste absolument rien, murmurat-elle, pleine d'amertume.

Mais, affichant un sourire forcé, elle suivit son mari pour se rendre à la réunion.

Kate versa les dernières gouttes de crème dans la sorbetière, mélangea tous les ingrédients, et brancha la machine. Puis elle nettoya le plan de travail, ouvrit son carnet de cuisine et inscrivit scrupuleusement toutes les étapes de la recette en s'aidant des notes qu'elle avait gribouillées à la hâte durant l'élaboration du sorbet. Il était 10 h 30, et cela faisait cinq heures maintenant qu'elle se livrait à divers essais culinaires.

Convaincue par Stefan qu'elle avait vraiment besoin de repos, elle n'avait pas effectué sa tournée matinale. Mais, incapable de rester au lit, elle s'était levée à 4 heures du matin et s'était rendue au marché de Covent Garden pour acheter une caisse de fruits frais. Depuis, comme toujours lorsqu'elle se sentait troublée ou nerveuse, elle travaillait.

Quatre heures et quarante minutes s'écoulèrent encore, le temps nécessaire à la confection de trois bacs de sorbet. Kate nota une dernière remarque dans son carnet, reboucha son stylo, et posa la tête sur le plan de travail. Les larmes et le manque de sommeil lui brûlaient les yeux. Plus jamais elle ne reverrait Leo.

Se redressant, elle prit une profonde inspiration. Puis elle entreprit de nettoyer la cuisine. Si elle ne flanchait pas, si elle trimait jusqu'à l'épuisement total, comme à l'époque où Eddy l'avait quittée, elle n'aurait pas le temps de réfléchir ni de s'abandonner à son chagrin. Elle se contenterait d'exister.

Elle alla ouvrir la porte et la fenêtre. L'atmosphère de la cuisine était étouffante, elle avait besoin d'air frais.

Le téléphone sonna. Elle prit la direction du salon, le répondeur se déclencha, et elle se rendit compte qu'à cause de la porte restée fermée toute la matinée et du bruit de la sorbetière, elle avait sans doute raté d'éventuels appels.

De fait, elle constata que trois messages avaient été enregistrés. Stefan avait dû brancher le répondeur afin qu'elle ne soit pas dérangée.

Kate entendit sa propre voix débiter le texte de l'annonce. Elle attendit, guettant les paroles de son interlocuteur avec un curieux sentiment de culpabilité, comme si elle était en train d'écouter aux portes. C'était idiot puisque l'appel lui était destiné de toute façon.

Un bip retentit, puis une voix s'éleva :

— Kate chérie, c'est maman.

Soulagée, Kate décrocha le combiné.

— Je suis là, maman. Je viens juste d'entendre le téléphone.

— Oh Kate, Dieu merci ! Comment vas-tu, chérie ? Je viens d'apprendre... Je sais combien Leo comptait pour toi...

Adriana s'interrompit, gênée. Leo était son frère, pourtant elle n'avait jamais fait mystère des sentiments qu'elle lui portait. Elle n'avait aucune sympathie, aucun respect pour lui, ne l'avait revu qu'une fois en trente ans, et encore, parce que Kate avait insisté pour les réunir à son mariage qui avait été un fiasco.

— Je suis désolée pour toi, Kate.

Cela, au moins, était vrai. Elle ne supportait pas l'idée que sa fille soit bouleversée.

De la commisération ! Kate sentit sa gorge se nouer et elle ravala ses larmes.

— Merci, je…

— Je suis à Paris, coupa Adriana. Je suis arrivée ce matin, juste au cas où.

— Au cas où quoi ?

— Au cas où tu aurais besoin de moi, voyons.

Kate se mordit la lèvre. C'était si gentil qu'elle avait encore plus envie de pleurer ! Toutefois, une telle sollicitude ne ressemblait guère à sa mère. Adriana l'aimait beaucoup, certes, mais à sa façon bien particulière, égoïste, détachée. Kate ne lui en tenait pas rigueur. Adriana était ainsi faite, voilà tout.

— Merci, dit-elle. Je suis désolée de ne pas t'avoir appelée. J'étais trop chamboulée…

En vérité, elle n'y avait même pas songé tant la place que sa mère tenait dans la vie de Leo était insignifiante.

— Comment as-tu appris la nouvelle ? poursuivit Kate.

L'avocat de Leo s'était chargé de toutes les formalités, mais il y avait gros à parier qu'Adriana ne figurait pas sur la liste des gens à prévenir.

Il y eut un silence à l'autre bout du fil, puis Adriana répondit :

— J'ai appelé le domaine.

— Vraiment ? s'étonna Kate, sans toutefois la questionner plus avant.

— Oui. Dis-moi, Kate, peux-tu me faire une promesse ?

Le ton avait changé, s'était durci, mais Kate, obnubilée par son chagrin, ne s'en rendit pas compte.

— De quoi s'agit-il ?

— Promets-moi que tu ne décideras rien sans m'en aviser au préalable.

— Que veux-tu dire ? À quelle décision fais-tu allusion ?

— Oh, à rien en particulier. Enfin, n'oublie pas que je suis à Paris si jamais tu as besoin de moi, d'accord ?

De nouveau les larmes. Kate dut se moucher.

— Merci, maman.

Sa mère perçut le sanglot dans sa voix et poussa un soupir exaspéré. Kate se sentit aussitôt embarrassée.

— Chérie, je dois raccrocher, j'ai plusieurs rendez-vous ce matin. Je t'appellerai dans la semaine. Je vais courir les boutiques parisiennes, il y a quelque chose qui te ferait plaisir ?

Kate fut rassurée. Voilà qui ressemblait plus à l'Adriana qu'elle connaissait. Sa mère était capable de lui acheter n'importe quoi sur un coup de tête, et cependant elle ne songeait jamais à prendre des nouvelles du boulot de sa fille, ou encore de Harry.

— Non, merci.

— Alors, à bientôt, ma chérie. Prends bien soin de toi.

Adriana lui envoya un baiser sonore et raccrocha avant que Kate ait le temps d'ajouter quoi que ce soit. Un moment, celle-ci demeura immobile, le combiné à la main. Puis elle le reposa sur son socle et pressa le bouton des messages sur le répondeur.

Le premier appel émanait de Harry. En entendant son timbre viril, Kate s'adossa au mur, yeux clos, envahie d'une immense tristesse. Après tout ce temps, après tout ce qu'il avait fait pour elle, pourquoi ne ressentait-elle aucune émotion au son de sa voix ?

Décidant que les autres messages pouvaient certainement attendre, elle débrancha le répondeur et regagna la cuisine afin de reprendre son nettoyage.

5

Le lendemain, Kate s'éveilla alors qu'il faisait encore nuit. Elle regarda sa montre, une tête de Mickey lumineuse sur un bracelet de plastique rouge, et constata qu'il était 6 heures.

Tout à fait réveillée, elle sauta du lit. Ayant enfilé un vieux jean, un pull en cachemire gris, et des bottes de cheval au cuir patiné, elle se rendit dans la salle de bains pour se laver le visage, se brosser les dents et se donner un coup de peigne. Elle était prête.

Elle alluma les lumières dans l'appartement, puis ouvrit la fenêtre pour laisser entrer l'air, tapota quelques coussins sur le canapé, rangea des papiers sur la table, puis alla se faire un café. Kate était devenue une experte dans la préparation du café. Elle utilisait dans son métier diverses variétés de grains, et parfumait le breuvage à l'aide de différentes essences selon les goûts des clients. Mais chez elle, elle buvait n'importe quelle marque instantanée, avec du lait en poudre et un édulcorant. Et peu importe que le liquide n'ait pas grand goût. Au moins, c'était vite fait. C'est bien connu, les cordonniers sont toujours les plus mal chaussées.

Kate détestait cuisiner chez elle, et son congélateur était plein de plats tout préparés. Si elle recevait, ce qui était plutôt rare, étant donné qu'elle travaillait le soir, elle commandait des pizzas et les proposait à ses invités directement dans la boîte en carton.

La jeune femme prit une dernière gorgée de café et jeta le restant dans l'évier. Elle alla chercher son sac dans la chambre, ferma au passage la fenêtre, éteignit les lumières. Avant de sortir, elle vérifia que les enveloppes destinées à Stefan et Rebecca se trouvaient bien sur la table de l'entrée. Elles contenaient diverses instructions, des suggestions de menus, des factures, ainsi que des idées de dernière minute pour les recettes.

On était mercredi, et Kate projetait de rentrer dès le vendredi, puisque le week-end promettait d'être chargé. Evidemment, son séjour risquait de durer plus longtemps. Si l'avocat de Leo ne l'avait pas appelée, elle se serait contentée d'assister à l'enterrement, de passer la journée à Tonsbry, puis de rentrer immédiatement à Londres. Elle n'avait aucune envie de s'attarder dans cette demeure où Leo n'était plus. Pis, elle le redoutait. Sans compter que son travail la réclamait. Il la motivait, la faisait avancer. Sans lui, elle aurait eu peur de craquer complètement.

Sur le point de sortir, elle se souvint du cadeau destiné à Mme Able et retourna sur ses pas. Elle le trouva sur le réfrigérateur et le déposa dans son fourre-tout. C'était une boîte de truffes maison. Enfin prête, elle quitta l'appartement et s'installa dans la voiture qu'elle avait louée pour la semaine.

Elle ne se sentait pas bien du tout, mais il n'y avait aucun moyen de se défiler. Tremblante, elle regarda le ciel qui s'éclaircissait lentement puis, respirant un bon coup, elle démarra.

Eddy se tourna dans le lit, avança le bras vers le réveil qu'il renversa et envoya rouler sous la table de nuit. Immobile, il l'écouta biper dans le noir. Finalement, s'arrachant à la tiédeur des draps, il tâtonna sur le sol et coupa l'alarme.

La chambre n'était pas chauffée et, frissonnant, il saisit son pull avant de foncer vers la salle de bains pour une toilette de chat.

Comme il traversait le couloir, il vit de la lumière dans la chambre de Flora. Passant la tête par la porte, il trouva sa fille assise sur son lit avec son livre du *Roi Lion*, en train de se raconter l'histoire. Il sourit, puis soupira, sachant qu'il allait maintenant devoir la lever et l'emmener avec lui dans les champs. D'ordinaire, il se glissait dehors sans bruit et rentrait bien avant qu'elle ne se réveille. Là, c'était différent. Flora avait besoin de son attention.

— Bonjour, chérie. Tu t'es réveillée tôt, ce matin.

— Bonjour, papa. Je lis mon livre.

— Oui, je vois. Il va falloir t'habiller. Je veux que tu m'aides sur le tracteur.

— Pourquoi ?

— Pourquoi ?

Eddy hésita. Il ne se sentait guère l'énergie de se lancer dans une longue explication, mais il savait que Flora ne le lâcherait pas avant d'avoir obtenu ce qu'elle voulait.

— Il faut que je laboure le champ du haut, parce que… Tu connais Mick ? Eh bien, il est malade, et il ne peut pas s'en charger.

— Pourquoi ?

Eddy soupira.

— Pourquoi quoi ? demanda-t-il en entrant dans la chambre.

Il ramassa par terre ses habits de la veille et les inspecta, espérant qu'elle pourrait les remettre aujourd'hui.

— Pourquoi est-il malade ?

— Il a attrapé un rhume.

Ce n'était pas vrai, mais expliquer ce qu'était une vasectomie était au-dessus de ses forces.

— Oh, d'accord ! fit Flora en levant les yeux au plafond.

Elle referma son livre et se tourna pour laisser pendre ses jambes le long du lit.

— Bien, tu vas t'habiller, puis aller te laver les dents…

— Mais, papa, je ne peux pas porter ça ! se récria-t-elle en voyant les vêtements qu'il lui tendait. Je les ai déjà mis hier, ils sont sales. Beurk !

Saisissant les affaires, elle les jeta par terre avec dégoût.

— Hep !

Docile, Flora ramassa les habits et alla les déposer dans le panier de linge sale, avant de s'essuyer les mains. Puis elle alla fouiller la pile de linge fraîchement repassé posée sur l'appui de la fenêtre.

— Si je porte un haut rouge, il faut que le bas soit rouge aussi, fit-elle remarquer en attrapant une paire de collants de laine rouge.

Elle dénicha également un gilet rouge et une salopette rouge.

— Voilà, c'est très bien, décréta-t-elle.

Amadoué, Eddy prit les habits, les plia sur son bras et entraîna sa fille vers la salle de bains.

Kate arriva à Tonsbry alors que le soleil se levait. À la mi-novembre, les jours étaient courts et froids. Elle bifurqua dans la longue allée bordée d'arbres et gara la voiture quelques dizaines de mètres plus loin. En ouvrant la portière, elle huma l'air vif et humide, sentit une odeur de bois fumé qui lui évoqua son enfance, les feux de jardin, les longues promenades, les après-midi d'hiver passés devant la cheminée. À cette époque, elle regardait Leo monter à cheval et restait dehors jusqu'à la tombée de la nuit, puis venait réclamer un dîner chaud à Mme Able.

Ces temps-là étaient synonymes de sécurité et de bonheur. Kate ferma les yeux et souhaita de tout son cœur que Leo soit là, bien vivant auprès d'elle. Le tendre, le gentil Leo… Puis elle remonta dans la voiture, enclencha la vitesse et roula vers la maison.

Flora était assise au bord du champ et regardait son père juché sur le tracteur, silhouette minuscule sur l'horizon. À l'extrémité droite du terrain dissimulée par un bosquet d'arbres, Eddy fit demi-tour. Flora aurait dû se trouver avec lui, mais elle n'aimait ni le bruit ni les vibrations, et elle avait tellement gémi lorsqu'il avait tracé le premier sillon qu'il avait fini par la déposer au bord du champ, en lui intimant l'ordre de ne bouger sous aucun prétexte.

De temps en temps, il tendait le bras hors de la cabine et lui faisait signe. Et comme il le lui avait demandé, elle se mettait debout sur le mur, de façon qu'il puisse la voir, et elle lui répondait par de grands gestes.

À présent, Flora s'ennuyait ferme. Elle avait froid, assise sur son mur contre lequel elle tapait des talons de façon répétée pour voir si la pierre allait bouger. Tout ce qu'elle voulait, c'était retourner voir Mme Able à la maison et manger un gâteau tout juste sorti du four. Elle s'embêtait tellement que, jetant un regard autour d'elle en quête d'une distraction, elle repéra une silhouette qui venait dans sa direction.

Elle se leva, agita les bras, et la silhouette fit de même sans cesser d'avancer.

Flora sauta à bas du mur.

— Bonjour! lança-t-elle.

— Bonjour, répondit la dame en souriant.

— Qu'est-ce que tu fais? Comment tu t'appelles?

— Je m'appelle Kate et je me promène. Et toi, quel est ton nom, et que diable fais-tu ici toute seule?

— Je m'appelle Flora. Tu as pleuré?

Kate rougit et s'agenouilla pour se mettre à la hauteur de la fillette.

— Euh, oui. Tu n'as pas répondu à ma question. Tu ne devrais pas être accompagnée?

Deux familles vivaient sur la propriété, et Kate en avait déduit que Flora appartenait à l'une d'elles.

— Je ne suis pas toute seule, mon papa est là-bas, en train de labourer le champ. Il m'a laissée ici pendant qu'il travaillait. Tu veux voir ma cachette secrète?

Kate se leva et mit la main devant ses yeux pour tenter de distinguer le tracteur. Le champ était à moitié labouré. Elle aurait voulu faire signe au conducteur afin qu'il sache qu'elle était avec la petite fille, mais elle ne voyait personne. Ce n'était guère inquiétant au demeurant, Flora était en sécurité dans le domaine.

— Où est ton père?

— Je viens de te le dire!

Kate sourit. La fillette était décidément drôle.

— Peux-tu répéter? Il est dans le champ, c'est ça?

— Oui, là-bas, sur le tracteur. Viens, tu veux voir ma cachette secrète?

Flora avait déjà agrippé la manche de Kate. La jeune femme ne résista pas plus longtemps.

— Avec plaisir, dit-elle, mais nous devrions peut-être prévenir ton papa d'abord, non?

— C'est pas la peine, il sait bien où je suis. Il sait toujours où je suis.

— Tu en es sûre?

— Mais oui!

Kate aimait beaucoup les enfants, mais n'avait pas

l'habitude de leur compagnie. Il ne lui vint pas à l'esprit que cette petite fille d'allure si raisonnable n'avait que trois ans et que son père pouvait ignorer totalement l'endroit où elle se trouvait.

— D'accord, Flora. Montre-moi ta cachette. J'espère qu'elle n'est pas trop loin.

— Oh non, c'est juste de l'autre côté de la barrière, derrière les arbres ! Viens !

Flora entraîna Kate qui se laissa faire. Elle se doutait bien de l'endroit qu'avait choisi la fillette et avait presque autant envie qu'elle de le revoir. Sauf erreur, il devait s'agir de la cabane construite au sommet d'un arbre par Leo.

Main dans la main, Flora et Kate traversèrent les champs et sautèrent par-dessus le petit ruisseau, avant d'entrer dans le bois.

— C'est ici ! clama Flora. Là-haut.

Levant les yeux, Kate sourit. Elle ne s'était pas trompée.

— C'est magnifique, affirma-t-elle. Elle est à toi, cette cabane ?

— Oui.

— Super !

— Tu veux monter dedans ?

— Oui, si cela ne te dérange pas.

— Pas du tout, du moment que tu fais très attention.

Kate faillit éclater de rire.

— Ne t'inquiète pas, je ne dérangerai rien, assura-t-elle d'un air solennel.

— Je vais grimper en premier, et tu vas rester derrière moi au cas où je tomberais.

— Très raisonnable ! acquiesça Kate en obtempérant.

Eddy sauta du tracteur, lança un grand coup de pied dans la roue et jura longuement. Ce fichu moteur avait calé et il n'avait labouré que la moitié du champ ! Bon sang, il détestait la mécanique, et avait tout juste compris les rudiments du labourage que Mick lui avait inculqués avant d'aller se faire opérer. Il ne savait absolument pas comment réparer un moteur diesel.

De nouveau, il jura, en se rendant compte que ça allait lui prendre plusieurs heures. Il allait devoir demander l'aide d'un mécanicien, et le payer pour ses services avec de l'argent qu'il n'avait pas. Et puis, il y avait Flora. Il fallait lui donner à manger et l'emmener à la maternelle avant de pouvoir s'occuper de tout ça.

— Et zut!

Peut-être Mme Able pourrait-elle s'en charger?

Il se tourna, regarda au loin. Il pouvait la ramener à la maison tout de suite. D'où il se tenait, derrière le bosquet d'arbres, il ne pouvait la voir. Aussi marcha-t-il jusqu'au milieu du champ pour lever les bras en direction du mur.

— Flora!

Le vent emporta sa voix. Nulle trace de Flora. Satanée gamine! Où diable…

Il agita encore les bras en l'appelant. Puis il émit un puissant sifflement qui se répercuta dans le champ alentour. Toujours pas de Flora.

— On peut lui faire confiance pour jouer quelque part, au lieu de rester assise comme je le lui ai demandé! grommela-t-il.

Il remonta sur le tracteur pour prendre les clés, avant de s'éloigner d'un pas vif. Les journées étaient tellement courtes, il n'avait pas de temps à perdre.

Près du mur, Eddy s'arrêta. Il inspecta la bordure du champ, puis le terrain qui s'étendait au-delà du mur. Soudain l'appréhension l'envahit.

— Flora! Flora, où es-tu? cria-t-il, les mains en porte-voix devant la bouche.

Pas de réponse.

— Bon sang!

Il enjamba le mur, traversa le champ suivant. Il n'aurait jamais dû la laisser seule, c'était stupide. Il aurait dû la garder avec lui.

Sans cesser de l'appeler, il se mit à courir. Elle avait

dû rentrer à la maison, bien qu'il n'ait aucune idée de la façon dont elle avait pu retrouver son chemin seule.

— Mon Dieu, faites qu'elle soit à la maison, faites qu'elle soit à la maison ! pria-t-il en se mettant soudain à courir.

Kate regarda sa montre. Il était presque 8 heures, cela faisait une demi-heure qu'elles jouaient maintenant. Un laps de temps suffisant, car quelqu'un pouvait se demander où était passée la fillette.

— Je crois qu'il va falloir aller chercher ton papa et ta maman, Flora.

— Pourquoi ?

— Parce qu'il faut que tu rentres. Tu n'as pas envie de prendre ton petit déjeuner ?

— Encore une minute ! plaida Flora en levant trois doigts en l'air.

Kate sourit, car la petite avait déjà usé de ce stratagème par deux fois.

— Non, c'est fini, désolée. Nous jouerons un autre jour, si tu veux.

Elle se pencha pour embrasser le front de l'enfant, puis, avec précaution, entreprit de descendre l'échelle posée contre l'arbre.

— Je descends en premier et tu me suis. Quand je serai en bas, tu pourras sauter dans mes bras.

— D'accord ! cria Flora.

Une fois sur la terre ferme, Kate tendit les bras et n'eut que le temps de saisir au vol le petit corps lancé tel un bolide.

— Bien, dis-moi où tu habites, je vais te reconduire chez toi.

— À Gully Cottage, répondit Flora, comme Kate la juchait sur ses épaules.

— Gully Cottage, d'accord.

Et elle se mit en route.

Eddy regagna le cottage par la route, le trajet le plus direct, convaincu qu'il y trouverait sa fille. Ce ne fut pas le cas. L'endroit était désert. Il alluma toutes les lumières, visita chaque pièce en l'appelant, puis quitta précipitamment la maison en laissant la porte ouverte et toutes les lumières allumées, pour courir vers Tonsbry House. Il devait demander à John Able de l'aider dans ses recherches, et peut-être à quelques autres employés de la ferme. Le domaine était vaste, il ne pouvait l'arpenter tout seul. Flora avait dû se perdre en se promenant, elle se trouvait forcément quelque part, sans doute en train de jouer toute seule dans un coin…

Il se répétait ces paroles rassurantes dans sa tête, et cependant la terreur le submergeait. L'idée que sa fille était peut-être perdue, seule et effrayée, le mettait au supplice.

Comme il atteignait Tonsbry, il grimpa les marches du perron et fit irruption dans la maison.

Parvenue devant Gully Cottage, Kate déposa doucement Flora par terre, puis appela. La porte était ouverte, les lumières allumées. Prenant la main de Flora dans la sienne, elle continua d'appeler tout en se dirigeant vers la maison.

À son grand étonnement, elle trouva le rez-de-chaussée désert.

— Il y a quelqu'un ? cria-t-elle.

Se tournant vers Flora, elle lui demanda :

— Tu sais où est ta maman ?

Flora secoua la tête.

— Dans ce cas, nous devrions peut-être retourner voir ton papa, suggéra Kate.

De nouveau, Flora fit un mouvement de dénégation.

— J'ai faim ! déclara-t-elle. Je n'ai rien mangé ce matin.

— Bien, bien…

Kate commençait à se sentir nerveuse. Elle ne savait que faire.

— Ton père saura que tu es rentrée à la maison ?

Comme Flora haussait les épaules, Kate jeta un regard autour d'elle, espérant trouver un sac, des photos, quelque chose qui lui aurait indiqué qui vivait là. Mais elle ne vit rien, excepté des jouets qui traînaient, des dessins enfantins, et des vêtements d'extérieur pendus à la patère près de la porte d'entrée. Cette maison n'avait décidément aucun caractère personnel. Peut-être la famille venait-elle tout juste d'emménager ?

— Écoute, Flora, sais-tu si ton papa a un téléphone portable, je pourrais le prévenir que tu es à la maison ?

— Quoi ?

— Ton papa, est-ce qu'il a l'un de ces petits téléphones qu'on glisse dans sa poche ?

— Non. J'ai faim, moi ! Tu peux me donner du lait, s'il te plaît ?

— D'accord…

En dépit de son malaise, Kate sourit en voyant le visage sérieux de la fillette.

— Puisque tu le demandes si poliment…

Elle trouva une tasse dans le placard de la cuisine.

— Non, pas celle-là, c'est celle de papa ! protesta Flora.

Prenant les choses en main, l'enfant tira une chaise jusque devant l'évier, puis grimpa dessus pour atteindre une petite tasse en plastique posée sur l'étagère. Elle vacilla dangereusement, mais parvint à redescendre et confia le récipient à Kate. Cette dernière découvrit une bouteille de lait dans le réfrigérateur et servit Flora.

— Tu devrais t'asseoir, lui conseilla-t-elle. Je vais appeler Mme Able et lui dire que je suis ici avec toi.

— O.K., répondit Flora en s'installant à la table pour boire son lait.

Mme Able s'empressa de gagner le bureau de Leo où le téléphone sonnait avec insistance. Elle essayait de ne pas courir à cause de son arthrite qui s'était réveillée, pourtant elle ne pouvait s'en empêcher. Elle était si inquiète ! Flora n'avait que trois ans et, à cet âge, on est capable de tout. Elle avait pu suivre n'importe qui, n'importe où.

— Allô ?

— Madame Able ? fit une voix soulagée. Bonjour, c'est Kate à l'appareil.

— Oh, bonjour, chérie ! Écoute, je ne peux pas te parler, il faut que je libère la ligne. Il s'est passé quelque chose, Flora Gall...

Mme Able s'interrompit soudain en se rendant compte que Kate ne savait même pas qu'Eddy vivait sur le domaine. Sur la demande pressante de Leo qui voulait ménager les sentiments de sa nièce, tout le monde s'était évertué à lui dissimuler le fait.

— Flora ? Vous avez dit Flora ?

— Oui, chérie, elle...

— C'est précisément la raison de mon appel. Je suis à Gully Cottage avec une petite fille appelée Flora. Je l'ai trouvée sur la propriété et je me demandais où étaient ses parents. Nous avons...

— Flora est avec toi ?

Mme Able posa la main sur sa poitrine.

— Ô Dieu merci ! Attends une seconde, Kate.

La gouvernante lâcha le téléphone et se précipita vers la fenêtre pour interpeller son mari.

— John ! John ! Flora va bien, elle est chez elle. Oui, à Gully Cottage. Elle est avec... John, reviens ! cria-t-elle, exaspérée, en voyant son mari s'éloigner en courant.

Une scène se préparait, elle en était sûre.

Elle revint dans le bureau reprendre le téléphone.

— Kate, tu es toujours là ? Écoute, chérie, il faut que je te dise quelque chose...

— Flora, descends tout de suite ! intima Kate, la main posée sur le combiné, en voyant Flora grimper de nouveau sur la chaise près de l'évier pour saisir un petit bol décoré comme la tasse. Attendez une seconde, madame Able... Flora, s'il te plaît, je...

Kate lâcha soudain le téléphone et s'élança, juste à

temps pour rattraper au vol Flora qui venait de basculer en arrière.

Déséquilibrée, elle recula et heurta le mur.

— Eh bien, tu n'es pas passée loin ! s'exclama-t-elle en baissant les yeux sur le minois choqué de l'enfant.

— On a bien failli tomber, hein ?

— Oui, tu peux le dire !

Kate sourit, en dépit de son épaule douloureuse.

— Reste tranquille une minute, le temps que je dise au revoir à Mme Able, pria-t-elle en reprenant le combiné. Madame Able, désolée. Vous disiez… ?

Elle s'interrompit en constatant que le cordon s'était arraché de la prise et que la communication était coupée.

— Zut !

Elle raccrocha, hésita à rappeler. Puis, baissant les yeux sur le carnet posé près du téléphone, elle lut le numéro de son appartement écrit sur le papier. Intriguée, elle feuilleta quelques pages. C'était de la curiosité déplacée, mais elle ne pouvait résister à la tentation. Elle aperçut un message rédigé dans l'écriture élégante et surannée de Mme Able. Comme elle le parcourait, un sinistre pressentiment s'empara d'elle.

Elle releva la tête en entendant un bruit de pas précipités dans la cour. La porte d'entrée s'ouvrit à la volée et Kate se tourna pour faire face à l'homme qui faisait irruption dans la cuisine.

Une expression horrifiée s'inscrivit sur son visage.

— Kate !

— Eddy !

— Flora ?

— Papa !

Dans la seconde, Eddy traversa la pièce pour prendre sa fille dans ses bras.

— Mais où diable étais-tu ? s'écria-t-il en s'efforçant de ne pas perdre son calme.

Il avait envie de hurler, de la gronder, de la secouer comme un prunier. Ne comprenait-elle pas quels instants horribles il venait de vivre ?

La serrant contre lui, il ravala sa colère et céda au soulagement qui l'envahissait. Elle était saine et sauve, c'est tout ce qui comptait.

Un moment, il demeura immobile dans cette position, puis Flora gigota pour se libérer et, finalement, il la posa par terre.

— Où étais-tu, espèce de chipie ? Papa t'a cherchée partout !

Silencieuse, Kate se raidit.

— J'étais partie jouer avec Kate, répondit Flora. C'est ma nouvelle copine. Nous avons été dans la cabane.

Comme Eddy reportait son attention sur Kate, celle-ci se sentit rougir violemment. Elle soutint son regard ulcéré, puis baissa les yeux.

— Je suis désolée, je ne…

— Désolée ! répéta Eddy avec incrédulité. Tu emmènes ma fille sans prévenir quiconque, une enfant que tu ne connais même pas et, pendant ce temps, je me fais un sang d'encre, je mobilise tout le domaine pour la chercher, j'alerte la police, je…

Il s'interrompit, leva les bras au ciel.

— Bon sang, Kate ! Tu es inconsciente ou quoi ?

— Papa ? tenta d'intervenir Flora.

— Qu'as-tu à me répondre, Kate ?

— Papa ! papa !

— Pas maintenant, Flora. Réponds, Kate. À quoi joues-tu ? Est-ce une façon perverse de te venger ?

— Me venger !

Kate articula ces mots sans en comprendre la signification, puis soudain elle explosa.

— Me venger ? Mais pour qui me prends-tu, Eddy ? J'ignorais totalement que Flora était ta fille ! Comment l'aurais-je su ? Je ne savais même pas que tu habitais ici. D'ailleurs, comment cela se fait-il ? C'est très pratique pour toi et Alice, hein ? Dis-moi, comment as-tu réussi à convaincre Leo ? Tu as toujours espéré vivre à Tonsbry, c'est ça ? Et tu es parvenu à t'y introduire autrement qu'en m'épousant !

— Mon Dieu, Kate, tu délires !

— Papa !

— J'ai dit, pas maintenant, Flora.

— Mais, papa…

— Flora, arrête ! Je parle !

Flora jeta un regard implorant à son père, et Kate surprit la lueur de panique dans le regard de la fillette.

— Qu'y a-t-il, Flora ? demanda-t-elle.

— Elle n'a rien du tout ! s'emporta Eddy. Elle mérite juste une bonne fessée pour avoir suivi une inconnue !

— Eddy, tu es injuste…

— Oh, je vois, tu es devenue experte avec les enfants, c'est ça ?

— Non, mais je crois qu'elle…

— Papa ! cria Flora. J'ai envie de…

Elle n'eut pas le temps de finir sa phrase. Baissant les yeux, elle regarda d'un air penaud la flaque d'urine qui se formait à ses pieds, puis éclata en sanglots.

— Ô Seigneur ! Il ne manquait plus que ça ! grommela Eddy.

— Ne sois pas méchant ! le supplia Kate.

— Je serai méchant si je veux !

Il perdait patience. La peur de perdre Flora, la présence inattendue de Kate, son chagrin, le travail qu'il faisait sur le domaine… Tout cela se mélangea en un cocktail détonant qui explosa brusquement.

— Fiche-moi le camp, Kate ! Cesse de me dire quoi faire et va-t'en !

— Tu es un vrai tyran ! lui reprocha Kate sur le même ton furieux.

— Alors félicite-toi de ne pas m'avoir épousé !

Elle se pétrifia, les traits figés dans une expression si douloureuse qu'Eddy tressaillit.

— Mon Dieu, Kate, je ne voulais pas dire ça. Je suis désolé, je…

Mais Kate passa devant lui en courant et, avant qu'il puisse ajouter autre chose, elle franchit le seuil. Il lui courut après.

— Kate, reviens. Je t'en prie ! Kate !

Peine perdue, elle était déjà sortie.

— Oh Kate, quel gâchis!

Il se tourna pour voir Flora qui sanglotait dans ses habits trempés et il alla s'agenouiller devant elle.

— Chérie, je ne voulais pas te gronder, mais il ne faut jamais, jamais suivre les gens que tu ne connais pas. C'est très dangereux. Papa était très inquiet.

Il la serra dans ses bras le temps que les spasmes s'apaisent. Il avait vraiment honte de sa conduite. Lui qui n'élevait presque jamais la voix sur sa fille avait bien failli perdre son sang-froid.

— Écoute, dit-il gentiment en lui essuyant le visage à l'aide d'un mouchoir, tu vas te laver et changer de vêtements, d'accord?

Flora hocha la tête.

— Ensuite, nous prendrons notre petit déjeuner et tu iras à l'école, d'accord?

Nouveau hochement de tête.

— Bien, fit Eddy en l'embrassant. Viens, maintenant.

Il lui prit la main et l'entraîna dans l'escalier.

— Ça va mieux? demanda-t-il comme ils arrivaient sur le palier.

— Oui, souffla Flora.

Eddy soupira, regrettant que tous ses problèmes ne puissent se résoudre aussi aisément.

6

Il était 8 h 30 et, après une nuit blanche qui lui avait donné la migraine, Kate se trouvait dans sa voiture de location, arrêtée au feu rouge, dans la circulation dense de Chartwell aux heures de pointe.

La jeune femme se débattit avec le levier de vitesses pour passer la première. Elle conduisait si mal ce matin qu'elle n'aurait jamais dû prendre le volant. Derrière elle, plusieurs conducteurs impatients klaxonnèrent, et elle se sentit proche du désespoir. Elle avait beau manier le levier dans tous les sens, rien n'y faisait. Finalement, elle réussit et la voiture fit un bond, avant de caler. Le feu repassa au rouge, alors que son capot dépassa de deux mètres la ligne de stop.

— Oh, merde !

Elle était coincée, au bord des larmes, et sa voiture gênait le passage des voitures qui venaient de la rue perpendiculaire. Plusieurs coups de klaxon retentirent encore et, incapable de se dominer, elle ouvrit la portière et hurla :

— O.K., O.K. ! Je fais de mon mieux, alors un peu de patience !

Lorsqu'elle démarra, son désespoir s'était mué en colère. Le feu passa au vert et, au moment où elle enclenchait la première, quelqu'un frappa à la vitre du côté passager.

— Quoi encore ? s'exclama-t-elle, avant de tourner la tête.

Elle le reconnut, son pied dérapa de la pédale d'embrayage et, pour la seconde fois, elle cala au milieu du carrefour. Avec un juron, elle baissa la vitre.

— Qu'est-ce que tu veux, Eddy ?

— Tu as peut-être besoin d'un coup de main ? cria-t-il pour couvrir le concert de klaxons, tout en désignant la file de voitures qui s'allongeait derrière elle.

— Va-t'en ! Je... Fiche le camp, Eddy !

Les larmes menaçaient de déborder. Elle remit le contact, démarra sur les chapeaux de roues au moment où le feu passait de l'orange au rouge, et passa juste devant le capot de la voiture qui arrivait de la gauche.

Dix minutes plus tard, elle se gara et consulta sa montre. Elle avait presque une heure de retard à son rendez-vous avec Me David Lowther, le notaire de Leo, et elle était d'une humeur massacrante.

D'un pas vif, elle se dirigea vers l'un des plus vieux immeubles de la ville et poussa la porte vert foncé derrière laquelle se trouvaient les bureaux de Lowther & Crest.

— Bonjour, je suis Kate Dowie, je viens voir Me Lowther. Je suis très en retard...

— Ne vous inquiétez pas, mademoiselle Dowie, la rassura la réceptionniste. Me Lowther n'est pas pressé, ce matin. Puis-je prendre votre manteau?

La femme, vêtue d'un sobre tailleur de tweed et de chaussures marron, se leva. Kate se sentit aussitôt mal à l'aise dans son long manteau de velours noir orné d'un large col de fourrure.

— Non, merci, je préfère le garder.

— Très bien. Je vais vous montrer le chemin.

Elle la guida aussitôt dans un couloir. Devant la porte d'un bureau, la réceptionniste frappa discrètement. Comme une voix répondait «Entrez!», elle ouvrit et s'effaça devant Kate.

Me Lowther se leva à l'entrée de la jeune femme qui lui sourit d'un air crispé. Comme elle s'avançait, elle entrevit alors une silhouette masculine qui se levait à son tour. Elle se figea en poussant une petite exclamation de surprise, et son sourire s'évanouit.

— Ah, Kate! la salua David Lowther.

C'était un petit homme chauve et bedonnant qui devait avoir l'âge de sa mère. Il lui tendit une main tachée de nicotine.

— Ravi de vous revoir, ma chère. Vous connaissez déjà Eddy Gallagher, j'imagine?

Me Lowther souriait, mais Kate restait paralysée, incapable de lui rendre son sourire ou de lui répondre. Pendant un moment, elle demeura pétrifiée, comme engourdie.

Comme elle gardait le silence, trop stupéfaite pour articuler le moindre mot, Me Lowther toussota et proposa:

— Voulez-vous prendre un siège?

Kate acquiesça, et Eddy se rassit. Elle s'installa sur la chaise voisine qui faisait face au bureau. Les mains crispées sur son chapeau, elle se mit à tordre le velours entre ses doigts.

— Pourriez-vous m'expliquer ce qui se passe, maître? dit-elle enfin avec raideur. Je croyais que nous devions discuter des affaires de mon oncle. Je ne vois pas le rapport avec Eddy Gallagher, et…

Dans un geste solennel censé souligner son importance, Me Lowther leva la main.

— Ma chère Kate, je vais tout vous expliquer en temps voulu. Mais tout d'abord, puis-je vous proposer une tasse de thé ou de café ?

Kate secoua la tête, tandis qu'Eddy répondait :

— Non, merci. En ce qui me concerne, je n'ai pas beaucoup de temps.

Quel culot ! pensa Kate, excédée.

Me Lowther parut lui aussi agacé. Un brin cynique, il répondit :

— Dans ce cas, je vais m'efforcer de ne pas gaspiller votre temps, monsieur Gallagher.

Eddy sourit. D'emblée, il avait éprouvé de l'antipathie pour ce petit notaire pompeux.

— C'est très gentil de votre part, dit-il sans relever le sarcasme.

Me Lowther toussota de nouveau, rassembla les papiers épars sur son bureau.

— Bien, allons-y. Si je vous ai demandé à tous deux d'assister aujourd'hui à la lecture du testament de M. Leo Alder, alors que l'enterrement doit avoir lieu vendredi, c'est parce que feu M. Alder avait émis des souhaits très précis concernant les funérailles et qu'il voulait vous en confier l'organisation.

— À nous deux ? s'exclama Kate d'une voix incrédule.

Cela n'avait aucun sens. Pourquoi Leo l'aurait-il obligée à côtoyer Eddy ? Comment aurait-il pu agir ainsi ?

Me Lowther la considéra un moment avant de demander :

— Cela vous pose-t-il un problème ?

— Oui, évidemment ! M. Gallagher et moi ne nous entendons pas du tout. Leo le savait, et…

— Kate ! l'interrompit Eddy avec un regard menaçant. Tu devrais laisser Me Lowther nous expliquer ce que désirait Leo avant de…

— Avant de quoi ?

— Rien, répliqua Eddy tranquillement. Arrête, tu veux ?

— Que j'arrête ? Que veux-tu dire ? J'ai le droit de savoir, tu ne peux pas...

— *Kate !*

Soudain silencieuse, elle regarda Eddy. L'espace d'un instant, elle avait oublié l'endroit où elle se trouvait, et la raison de sa présence. Les circonstances lui revinrent en mémoire avec une clarté douloureuse. Embarrassée, elle baissa les yeux.

— Désolée. Veuillez poursuivre, maître, je vous en prie.

Imperturbable, Me Lowther inclina la tête et entama la lecture du document :

— Voici les dernières volontés de Leo Campbell Alder, de Tonsbry House, datées du 3 octobre 1994. Il affirme par la présente être sain de corps et d'esprit, et demande que Kate Dowie et Eddy Gallagher assistent à la lecture de ce testament, ainsi qu'aux obsèques qu'il m'a laissé le soin d'organiser. Il souhaiterait que vous, Kate, hébergiez les amis qui voudraient rester à Tonsbry après la cérémonie.

Kate hocha la tête.

— Et il souhaiterait que M. Gallagher vous assiste dans cette tâche, acheva le notaire.

— Qu'il m'assiste ? Mais que...

Le regard dur d'Eddy l'arrêta au beau milieu de sa phrase. De nouveau, elle baissa les yeux et se mordilla un ongle.

— Maintenant, passons au testament lui-même, poursuivit le notaire en regardant directement Kate. Cela vous dérange-t-il de sauter les formalités d'usage ? Je crois que ce serait plus facile pour nous tous.

Kate haussa les épaules. Elle n'avait pas d'avis sur la question, elle voulait juste quitter cette pièce et s'éloigner d'Eddy. Sa proximité la mettait hors d'elle.

— Parfait, déclara Me Lowther. Kate, cela va peut-être vous causer un choc, mais il se trouve que vous héritez de tout le domaine.

— Qui, moi ?

Kate s'était dressée. Elle secoua la tête.

— Non, c'est impossible ! protesta-t-elle. Il devait le léguer à ma mère, j'en suis certaine. Il doit y avoir erreur…

— Pas du tout, ma chère, rétorqua le notaire qui, décidément, prisait les formules affectueuses. Leo désirait vous laisser la maison ainsi que le domaine, et cela depuis des années, puisque le premier testament le stipulait également.

— Le premier testament ? Des années ? répéta Kate, abasourdie. Je ne comprends pas… Pourquoi ? À quoi donc pensait-il ?

Il y eut un silence gêné, que Me Lowther finit par briser :

— C'était sa décision personnelle.

— Mais…

— Ma chère Kate, nous n'en avons pas encore fini, et M. Gallagher est apparemment pressé.

Kate ne réagit pas au ton paternaliste du notaire. Elle hocha la tête, et ce dernier enchaîna :

— Le testament comporte plusieurs alinéas concernant le couple qui entretient la maison et, bien sûr, M. Gallagher.

— M. Gallagher ? répéta Kate avec un regain de colère.

Eddy lui décocha un regard en biais, tandis que le notaire expliquait :

— Oui, M. Alder demande dans son testament que M. Gallagher reste employé sur le domaine durant une période d'un an minimum.

— Un an !

— C'est cela, du moins tant que cette décision agrée M. Gallagher.

Eddy hocha la tête sans piper mot. Il savait en quelle estime le tenait Leo, pourtant cette stipulation l'intriguait. Leo adorait Kate, il n'aurait jamais sciemment cherché à la contrarier.

— Il demande également que M. Gallagher soit consulté pour chaque décision se rapportant au domaine et à la maison, et qu'il soit cosignataire sur tous les comptes bancaires.

— Cosignataire ? C'est impossible ! explosa Kate. Je suis sûre que cela ne se fait jamais !

Lowther haussa les épaules et répliqua :

— Je crains que la situation elle-même ne soit guère habituelle. M. Gallagher était justement en train de remettre de l'ordre dans les affaires du domaine, n'est-ce pas, monsieur Gallagher ?

— Oui, j'essayais.

— J'ai cru comprendre que vous étiez sur la bonne voie et que M. Alder souhaitait vous voir poursuivre vos efforts.

— Mettre de l'ordre dans les affaires du domaine ? Qu'est-ce que cela veut dire ? intervint Kate.

Elle avait l'impression d'avoir un métro de retard sur les deux hommes.

Mᵉ Lowther soupira.

— J'ai peur que ceci ne vous choque également, Kate. En bref, le domaine de Tonsbry est lourdement endetté.

Kate digéra cette nouvelle pendant quelques secondes, avant de demander :

— De quel genre de dettes s'agit-il ?

— Au cours des dernières années, afin d'éviter que la propriété ne perde de sa valeur, que les marges bénéficiaires dégagées par l'exploitation des terres et la vente du bétail ne baissent pas, M. Alder a souscrit un emprunt auprès d'un établissement financier, Ingram Lawd.

Lowther saisit un document dans la pile de papiers posée devant lui et ajouta :

— Il a accepté d'hypothéquer la propriété il y a quatre ans. Le marché de l'immobilier était au plus bas à l'époque, les taux d'intérêt susceptibles de monter, et cet emprunt a été souscrit à taux variable. Vous comprenez ce que cela signifie, n'est-ce pas ?

Non, bien sûr que non! C'est pour cette raison que je gère une entreprise florissante! eut-elle envie de rétorquer.

Mais elle se contint et hasarda :

— Cela signifie que l'emprunt est soumis aux variations du taux d'intérêt, c'est cela ?

— Exactement! approuva Me Lowther. Selon que le taux d'intérêt grimpe ou chute, vos remboursements augmentent ou baissent. Malheureusement pour M. Alder, le taux d'intérêt a augmenté de 6 % en l'espace d'un an, ce qui a bien failli provoquer sa ruine. Il a pris plusieurs mois de retard dans ses remboursements, a fini par souscrire un autre emprunt auprès d'une banque afin de payer, et s'est retrouvé pris dans l'engrenage du surendettement.

Me Lowther marqua une pause, le temps de consulter ses papiers.

— Aujourd'hui, la situation s'est légèrement améliorée, poursuivit-il. Le taux d'intérêt a chuté. M. Gallagher a réussi à rétablir un équilibre, et la dette a été réduite, mais pas de beaucoup. Le domaine parvient à peine à fournir de quoi payer les remboursements. Et il reste encore 350 000 livres à régler...

— 350 000 livres! s'exclama Kate. Mon Dieu, mais c'est impossible!

— Je crains que cela ne soit pas tout.

Elle pivota vers Eddy.

— Tu étais au courant, n'est-ce pas ?

Comme il acquiesçait, elle enchaîna :

— Et qu'as-tu fait à ce propos ?

Elle laissait clairement entendre qu'il était d'une manière ou d'une autre responsable de ce désastre. Ignorant l'accusation, il répondit d'un ton patient :

— J'ai essayé de sauver ce que j'ai pu, de louer les métairies et de vendre des têtes de bétail. Leo était déjà très malade, il...

Il s'interrompit. Ni elle ni lui n'avait besoin de se remémorer combien Leo avait souffert.

— Il a fait ce qu'il pouvait, conclut-il.

Me Lowther leur tendit à chacun des documents comptables.

— Si je peux me permettre, voici la situation actuelle. Comme vous le constatez, j'ai fait expertiser la propriété, et voilà à quoi correspond sa valeur marchande, le chiffre au bas de la colonne de droite.

— Mais c'est très peu! Êtes-vous certain de ce que vous avancez?

Me Lowther hocha la tête, et Kate se tourna vers Eddy en quête d'une approbation. Il acquiesça à son tour.

— En ce moment, il n'y a aucun marché pour ce type de biens, déclara l'avocat. Le domaine n'est pas assez luxueux pour ce que j'appellerai le «marché des millionnaires», et cependant trop cher pour les investisseurs classiques. Sans compter qu'il n'y a aucun espoir de développement dans cette région exclusivement rurale.

— Vous êtes en train de me dire que la somme que je dois à Ingram Lawd est beaucoup plus élevée que la valeur de la propriété?

— En l'état actuel des choses, oui.

— Je ne peux donc pas vendre afin de rembourser la dette. Tout ce que je peux faire, c'est économiser, augmenter les profits si possible, tout en remboursant les deux emprunts avec chaque penny gagné?

— Voilà, vous avez compris. Evidemment, nous pouvons discuter certains points de détail, mais…

— Mais dans l'ensemble, j'ai pigé, c'est cela?

L'agressivité dont elle faisait preuve fit tiquer le notaire.

— On peut le dire en ces termes, en effet.

— Je ne vois pas comment le dire autrement!

Kate n'était pas seulement choquée, elle était furieuse. Que Leo, son cher Leo qui l'avait toujours fait passer, elle, Kate, avant tout, lui ait fait un coup pareil, qu'il la plonge dans les dettes jusqu'au cou, avec pour seuls atouts une maison en ruine et un comptable qu'elle détestait… C'était si affreux qu'elle avait peine à y croire!

Rageusement, elle serra ses mains l'une contre l'autre pour les empêcher de trembler. Tout cela était une farce!

Pendant toutes ces années, elle s'était bercée d'illusions en croyant que Leo la chérissait. Au bout du compte, il était aussi égoïste que sa sœur, voire pire, car Adriana n'avait jamais nié ses défauts.

Kate eut soudain envie de hurler. Le cri monta dans sa gorge, l'empêchant de respirer.

— Kate, ça va ? s'inquiéta Eddy en lui frôlant le bras.

Dans un sursaut, elle se dégagea.

— Ne me touche pas ! cria-t-elle en se tenant le bras comme s'il l'avait brûlée.

Le silence retomba. Me Lowther feignit de consulter ses papiers pour laisser à la jeune femme le temps de se reprendre. Finalement, Kate le regarda droit dans les yeux.

— Que se passera-t-il si jamais je renonce à lutter et si je préfère me débarrasser de Tonsbry ?

— Vous pouvez choisir cette solution, mais je dois vous prévenir que vous risquez alors d'être mise en faillite personnelle et de perdre votre entreprise de traiteur. Tout ce qui est à votre nom sera vendu afin de rembourser la dette.

— Mon appartement ?

— Egalement, j'en ai peur.

Soudain, Kate prit sa tête entre ses mains. Eddy, qui l'observait, se demanda si elle pleurait ou si elle réfléchissait simplement. Il n'osait la réconforter. De toute façon, elle le repousserait.

Mais Kate ne pleurait pas, elle était trop en colère pour cela. Elle avait l'impression d'avoir été brusquement arrachée au monde réel. Elle entendit Me Lowther tousser, perçut un bruissement de papiers, et la sonnerie du téléphone dans un bureau voisin. Ces sons n'avaient aucune signification pour elle. Elle restait silencieuse, assommée de stupeur.

— Kate, ma chère, je suis navré, mais j'ai un autre rendez-vous. Nous devons poursuivre...

— Poursuivre ? Qu'y a-t-il à ajouter ? Désolée, mais j'ai besoin de prendre l'air. Pouvons-nous reprendre cet entretien après l'enterrement ?

Eddy remarqua le soulagement manifeste du notaire. Il surprit également une lueur étrange dans le regard de celui-ci, sans parvenir à définir ce qu'elle trahissait.

— Le reste n'est que pure formalité, je vous le consignerai par écrit, proposa Lowther.

Kate se leva. Ses jambes se dérobaient sous elle et elle s'appuya au dossier de la chaise. Comme Me Lowther se dressait à son tour pour l'aider, elle recula.

— Merci, je vais bien, affirma-t-elle.

Et, sans un mot de plus, elle sortit du bureau, laissant la porte ouverte derrière elle.

Eddy attendit un instant avant de se lever.

— Vous n'avez plus besoin de moi? demanda-t-il au notaire.

— Non. De toute façon, je peux vous joindre à Tonsbry House, n'est-ce pas? Vous n'allez pas déménager?

— Non, en tout cas pas maintenant.

Eddy jeta un coup d'œil en direction du couloir. Il était inquiet pour Kate. S'il se dépêchait, il pouvait encore la rattraper, même s'il n'avait pas la moindre idée de ce qu'il allait lui dire.

— Merci, maître. Vous nous ferez connaître les dispositions à prendre pour l'enterrement, n'est-ce pas?

— Je puis vous donner la liste des gens qu'on m'a demandé de contacter, mais j'ignore combien de personnes décideront d'assister à la cérémonie.

— Je vois.

Me Lowther avait beau être imbu de lui-même et grandiloquent, en tant que notaire de la famille, il n'était pas d'une grande aide.

— Merci encore, dit Eddy, avant de prendre congé et de quitter le bureau.

Il longea le couloir à grandes enjambées, sourit au passage à la réceptionniste, puis déboucha sur la rue. Il regarda à droite, puis à gauche. Nulle trace de Kate.

Enfilant son manteau, il se dirigea lentement vers l'endroit où il avait garé la Land-Rover.

Dès qu'Eddy Gallagher eut franchi le seuil de son bureau, David Lowther referma la porte et alla décrocher le téléphone. Il sortit son agenda, trouva le numéro qu'il cherchait, puis s'assit pour le composer.

— Bonjour, David Lowther à l'appareil, annonça-t-il en baissant sa voix d'une octave. Oui, très bien, en fait. Bien sûr, je n'y ai pris aucun plaisir, ajouta-t-il vivement en se rembrunissant. Tout cela était très perturbant… Oui, elle a été très surprise, elle ne s'y attendait pas du tout… Certainement, je lui ai bien fait comprendre que la dette s'étendrait à tous ses biens personnels. C'est cela, et son entreprise aussi… Oh, assez choquée, et angoissée, évidemment… Non, non, je pense au contraire qu'elle sera ravie de s'en laver les mains, d'autant plus que Gallagher fait partie de l'héritage.

Lowther alluma une cigarette tout en écoutant la réponse. Il aspira une longue bouffée.

— Non, cela n'a pas été facile de le convaincre. Leo y était opposé au départ. Il insistait sur le fait que Gallagher et Kate ne se réconcilieraient jamais et que… Je n'en sais rien, je crois qu'il ne voulait pas laisser un tel fardeau sur les épaules de Kate. (Lowther sourit.) Merci, oui, j'ai fait de mon mieux pour le persuader. À la fin, bien sûr, il m'a demandé mon avis, et je le lui ai donné… Non, je suis certain qu'il n'y aura aucune réconciliation. Leo avait raison, elle est furieuse. Il n'y a plus une once d'affection entre ces deux-là… Non, bien entendu, je ne suis pas surpris, je voulais juste dire que…

Il s'interrompit, se pencha en avant. Pourquoi ces conversations dérapaient-elles toujours ? Mâchonnant sa cigarette, il continua :

— Je suis sûr que le jeu en vaut la chandelle. Elle est coincée, de toute façon. Oui, je garde le contact et je vous appelle dès que j'ai du nouveau.

Gagné par l'irritation, il se mit à gribouiller sur le bloc de papier posé sur le bureau.

— L'enterrement a lieu vendredi… Oui, je l'ai fait, mais ça ne marchera pas, ils ont déjà du mal à se parler poliment… D'accord, merci. Et je…

Il ne finit pas sa phrase, car la communication venait d'être coupée.

— Zut! jeta-t-il, avant de raccrocher d'un geste nerveux.

Aussitôt, il appuya sur l'interphone et demanda à sa secrétaire de le rejoindre pour noter un message.

— Oui, tout de suite! aboya-t-il. Si ce n'est pas trop vous demander!

Il soupira. Rien ne le divertissait tant que de rudoyer la charmante jeune femme qui avait l'infortune de tenir son secrétariat.

Duncan Lawd s'entretenait au téléphone avec Carol-Anne. Bien que la matinée soit bien avancée, elle était encore au lit et lui décrivait par le menu ce qu'elle lui ferait quand il serait de retour ce soir.

Excité, le visage empourpré, il avait repoussé la pile de documents qu'il était censé consulter pour mieux se concentrer sur les paroles de Carol-Anne. Le scénario allait crescendo, et Duncan fut tenté un instant de glisser sa main sous le bureau, quand son regard tomba sur le signal d'appel qui clignotait sur le téléphone. Tout d'abord, il l'ignora, puis il se souvint que sa secrétaire avait reçu l'ordre de ne passer que les communications urgentes.

— Carol-Anne, je…

Elle poussa un petit gémissement lascif et il soupira. Elle était bien lancée.

— Carol-Anne, insista-t-il, je suis désolé, chérie, mais je…

Le gémissement s'intensifia. Il se demanda si cela valait la peine de l'interrompre, puis prit sa décision et coupa la communication avant de passer sur la ligne n° 2.

— Duncan Lawd à l'appareil.

La seconde suivante, il oublia complètement Carol-Anne.

— Oui, je l'ai fait. J'ai lancé la machine il y a quelques jours… Non, pas encore, ces choses prennent du temps.

L'enterrement doit avoir lieu vendredi, et l'usage veut que nous laissions quelques jours pour... Oui, c'est possible. Je ne le conseillerais pas, toutefois si c'est ce que vous désirez...

Le voyant lumineux clignotait de nouveau. Ce devait être Carol-Anne qui rappelait.

— Je peux peut-être envoyer quelqu'un pour le week-end, si vous jugez vraiment que... Oh, mais c'est beaucoup plus que ce dont nous étions convenus ! s'exclama-t-il soudain avec un large sourire. Non, bien entendu, c'est possible... D'accord, samedi alors... Dès que nous le pourrons, je comprends. Je vous tiens au courant et...

Un déclic, et la ligne fut coupée.

— Merci, acheva-t-il, souriant, avant de reprendre Carol-Anne en ligne.

— Chéri, que s'est-il passé ? Nous avons été coupés et depuis, j'essaie en vain de te joindre !

Duncan l'écouta minauder et glousser à l'autre bout du fil.

— Une minute, mon chou, dit-il avant de se lever.

Rapidement, il alla tirer le verrou de la porte, puis retourna s'asseoir. Il ouvrit sa braguette et s'adossa confortablement au dossier de sa chaise.

— Alors, où en étions-nous, coquine ?

Il y eut un autre gloussement, suivi d'un long murmure. Duncan fit glisser sa main sous le bureau.

— Oh oui, c'est tellement bon... chuchota-t-il.

Rien ne l'excitait plus que l'odeur de l'argent.

7

On était vendredi soir, le crépuscule tombait, la cérémonie des funérailles était finie et la veillée s'achevait. Eddy se tenait près de la porte, loin de Kate, et observait les gens qui sortaient de la pièce après avoir fait leurs

condoléances à la jeune femme. Il n'avait aucune envie
de rester, mais Leo avait exigé sa présence et Eddy était
un homme d'honneur. Quoi qu'il lui en coûte, il ne partirait pas. Mais quel effort cela lui demandait !

Depuis qu'il avait revu Kate à Gully Cottage, depuis
qu'il lui avait lancé à la figure ces paroles horribles, il
savait que leur relation était vouée au désastre. Leurs
émotions étaient encore à vif, la douleur ne s'était pas
évanouie, ni même apaisée, et leurs souvenirs étaient
encore trop vivaces. Inutile d'espérer nouer une amitié,
ou de conserver un semblant de politesse entre eux.
C'était stupide de sa part d'y avoir cru. Et cette cruelle
déception le faisait souffrir.

Durant les quelques années qui venaient de s'écouler,
Eddy s'était, en dépit de son sentiment d'échec et de ses
regrets, cramponné à l'infime espoir qu'un jour Kate lui
pardonnerait et qu'au moins, il pourrait devenir son
ami.

Mais quand il la regardait maintenant, il mesurait à
quel point il s'était trompé. Chacun de ses regards,
chaque mot qu'elle prononçait lui rappelait douloureu-
sement qu'il l'avait perdue à jamais.

Quant à Kate, elle supportait à peine la vue d'Eddy. Et
elle était encore plus ulcérée par le fait que Leo lui ait imposé la présence de cet homme. Chaque fois qu'elle posait
le regard sur lui, la désillusion qu'elle avait éprouvée des
années plus tôt l'assaillait, menaçait de la submerger. Sa
rancœur souillait son chagrin, ternissait la mémoire du
défunt, ainsi que le souvenir des moments passés à Tonsbry. Tout cela était balayé par la rage qui brûlait en elle.

Kate conservait sa dignité par miracle. Elle ne comprenait pas la requête de Leo, ne saisissait pas la raison
de la présence d'Eddy à Tonsbry, qui lui semblait déplacée, injuste, aberrante.

À présent, il ne restait plus dans le salon que quelques
amis. Mme Able circulait d'une personne à l'autre,
ramassant les assiettes et les verres sales, tandis que
Kate écoutait patiemment le discours d'une personne
âgée. Pourtant elle avait à peine capté un mot de tout ce

qu'on lui avait dit aujourd'hui. Son regard anxieux revenait sans cesse sur Eddy, comme si elle surveillait son pire ennemi.

De son côté, il l'étudiait avec attention et constatait qu'au fil des ans, Kate avait gagné en assurance. Elle avait changé, se tenait plus droite, souriait de façon plus naturelle, et s'habillait aussi différemment. Elle avait toujours eu du style mais, désormais, ses tenues semblaient vraiment choisies pour elle-même.

Lors des obsèques, elle portait son long manteau de velours noir ainsi qu'un chapeau sombre ; de retour à la maison, elle s'était changée pour passer une longue jupe droite de soie bleu foncé imprimée de coquelicots rouges, et un pull noir. Un foulard rouge écarlate était posé sur ses épaules. Parmi tous ces gens vêtus de tweed noir ou bleu marine, de bas gris terne et de chapeaux bruns, elle ressemblait à un oiseau exotique.

— Eddy, il est déjà 17 heures, fit remarquer Mme Able qui se rendait à la cuisine.

Il tressaillit, et vit que la gouvernante le considérait d'un air gentiment réprobateur qui lui donna l'impression d'avoir de nouveau 15 ans.

— Vous devriez appeler le presbytère et prévenir votre mère que vous arriverez tard, ajouta-t-elle. Dites-lui aussi que, si elle a besoin d'aide pour faire manger Flora et la mettre au lit, je suis à sa disposition.

Eddy hocha la tête en guise de réponse. La gouvernante s'éloigna, s'arrêta, et lui lança un coup d'œil par-dessus son épaule.

— Il ne sert à rien de pleurer sur le passé, mon jeune monsieur ! dit-elle vivement. Ce qui est fait est fait, vous devez en prendre votre parti.

Comme il feignait l'étonnement, Mme Able émit un petit gloussement.

— Dites la vérité à Kate. Elle a le droit de savoir, et il n'y a que vous qui puissiez le faire. C'est ce que Leo a toujours prétendu.

Sa voix chevrota comme elle évoquait son défunt employeur, et elle toussota pour masquer son trouble.

Eddy songea qu'en dépit de ce que Kate et lui endu-
raient, ce n'était rien comparé aux Able qui avaient travaillé dans cette demeure presque toute leur vie.

Comme la gouvernante s'éloignait, il la rattrapa pour
saisir son plateau.

— Laissez-moi m'occuper de ça, madame Able.

Il lui vint à l'esprit qu'il ne connaissait même pas son
prénom. Son mari, qui bricolait sur la propriété pendant qu'elle tenait la maison, était «John» pour tout le
monde. Mais elle, elle avait toujours été «Mme Able».

— Je pose tout dans la cuisine?

— Oui. Et n'oubliez pas d'appeler votre mère, insista-
t-elle en passant devant lui pour lui ouvrir la porte.

Eddy regagna le salon au moment où les derniers visi-
teurs prenaient congé. Ces derniers embrassèrent Kate
avant d'aller prendre leurs manteaux que John avait été
chercher dans le vestibule. Eddy les escorta ensuite jusqu'à leur voiture. La nuit tombait déjà, froide et humide.
Il frissonna. Il avait toujours aimé les longues nuits, et le
cycle des saisons le rassurait. La vie continuait. C'est
déjà ce qu'il s'était dit à propos d'Alice, et il avait réussi
à prendre du recul pour considérer ses problèmes.

Fourrant les mains dans ses poches, il leva les yeux
vers le ciel déjà parsemé d'étoiles. Où était Alice à présent? La dernière fois qu'il avait eu de ses nouvelles,
elle se trouvait en Australie, où elle ne comptait séjour-
ner que peu de temps. Peut-être avait-elle changé
d'avis, peut-être pas. En vérité, cela ne le préoccupait
guère, tant qu'elle les laissait tranquilles, Flora et lui.

Il leva la main vers la voiture qui s'éloignait dans l'allée, puis retourna dans la maison. Kate n'avait certainement aucune envie de le voir traîner dans les parages,
mais il devait téléphoner à sa mère pour lui annoncer
qu'il rentrait. Si furieuse soit-elle, Kate ne l'empêche-
rait tout de même pas d'utiliser son téléphone.

En pénétrant dans le hall, le souvenir de Leo l'assaillit, et le chagrin le heurta de plein fouet. La mort de

Leo n'avait pourtant pas été une surprise. Somme toute, il s'y était préparé depuis des mois. Pourtant, la vue de la cheminée vide et froide suffisait à le bouleverser. Leo était son ami, un ami généreux et inattendu. Il lui manquait tellement !

Eddy s'agenouilla devant la cheminée pour vérifier que l'âtre avait bien été balayé. Rassuré, il se releva et gagna la cuisine, avant de passer dans le débarras. Là, il trouva ce qu'il était venu chercher : un panier plein de bûches, du petit bois, du papier journal, et quelques galets de charbon. Puis il retourna faire du feu dans le hall, songeant combien Leo appréciait une bonne flambée dans cette pièce. Cela faisait partie de la maison.

À l'aide de son briquet, il alluma le papier journal et, agenouillé sur les dalles de pierre froides, le regarda s'enflammer. Satisfait, il se redressait quand la voix glaciale de Kate retentit dans son dos :

— Qu'est-ce que tu fabriques ?

— Oh, Kate ! Désolé, je… Je faisais juste du feu.

— Oui, je le vois bien !

— J'ai pensé que…

Il s'interrompit. Qu'avait-il pensé ? Qu'allumer un feu pourrait, dans un certain sens, ramener Leo à la vie ? C'était stupide.

— J'ai trouvé qu'il faisait un peu froid, acheva-t-il gauchement.

— Comme c'est attentionné de ta part. Eh bien, si tu as terminé…

Elle désigna la porte d'un geste raide.

— Oui, bien sûr, désolé. Écoute… Puis-je me servir de ton téléphone ?

Kate serra les dents. Non, tu ne peux pas ! avait-elle envie de répondre. Mais elle se contint.

— Je voudrais dire à ma mère que j'arrive tout de suite et qu'elle attende avant de donner son bain à Flora.

Kate haussa les épaules. L'allusion à Flora l'amadoua un peu, sans qu'elle sache vraiment pourquoi. Elle aurait dû détester cette enfant par principe.

— Tu n'as qu'à téléphoner du bureau de Leo, j'y vais justement, déclara-t-elle.

Eddy la suivit jusque dans la pièce percée de trois fenêtres située sur la façade de la maison. En y pénétrant, il sentit l'odeur de la cire et le parfum des freesias. Disposées dans un haut vase rectangulaire, les fleurs à longues tiges épanouissaient leurs corolles rouge foncé avec juste une pointe d'orange dans leur cœur.

— Leo les adorait, fit remarquer Kate en voyant qu'il contemplait le vase.

Aussitôt, elle regretta de lui avoir adressé la parole sans raison. Elle se dirigea vers la fenêtre, lui tournant le dos tandis qu'il s'asseyait au bureau. Elle s'efforçait de rester polie, même si ce n'était sans doute pas une bonne idée étant donné les circonstances. La vision de la vaste pelouse la coupait de la réalité, lui remémorait ce jour terrible où elle avait failli devenir Mme Gallagher.

Se détournant brusquement, elle écouta un instant Eddy qui parlait au téléphone. Une conversation banale, des petits tracas familiaux... Et soudain, une immense rancune grandit en elle, si violente qu'elle eut envie de traverser la pièce en courant pour lui arracher le combiné des mains.

— C'est vrai ? disait Eddy. Non, cela ne pose pas de problème. Oui, c'est bien mieux qu'elle reste là-bas... J'y serai vers 8 heures, 8 heures et demie. Fais-lui un gros bisou de ma part. Merci, maman.

Il raccrocha, se tourna vers Kate.

— Flora s'est endormie, expliqua-t-il. Ma mère l'a couchée. Elle lui a aménagé une petite chambre au presbytère, et...

Il s'arrêta. Ses mots semblaient ricocher sur les murs et retomber sur le sol, vides de sens. La tension dans la pièce était si palpable qu'il en demeura coi un instant. Puis, timidement, il appela :

— Kate ? Est-ce que ça va ?

Grave erreur. Il aurait dû ignorer cette désagréable impression et rentrer tout droit chez lui.

— Moi ? Oh, je vais très bien, Eddy. Très bien ! Je t'en

prie, continue à distribuer tes coups de fil. Appelle Alice, tant que tu y es, pour lui dire que tu seras en retard pour le dîner, et que finalement la journée n'a pas été si dure que ça, qu'elle aurait pu se présenter à Tonsbry si elle en avait eu le courage !

— Kate, je t'en prie...

— Quoi ? Je ne dois pas mentionner Alice ?

— Kate, tu es injuste, tu...

Il s'apprêtait à dire qu'elle parlait sans savoir, mais Kate ricana et coupa :

— Injuste ? *Injuste ?* Où vois-tu de la justice dans tout ça, Eddy ? As-tu été juste quand tu m'as larguée il y a quatre ans ? Juste en revenant ici ? Leo l'a-t-il été en te donnant ce cottage ? Il savait que je serais obligée de vous croiser, toi et Alice, si jamais je revenais ! De la justice, non vraiment !

Elle leva les mains au ciel, proche des larmes.

— Je n'en sais rien, Kate. Je ne sais rien du tout, je...

— Je ne sais rien ! le singea-t-elle avec une mimique moqueuse. Kate, ne me demande pas de t'expliquer, je suis bien trop nul pour trouver mes mots ! Je vais juste vivre heureux avec Alice, mais ne me demande pas de m'excuser pour avoir gâché ta vie, pour avoir coûté des milliers de livres à Leo, pour t'avoir humiliée devant des centaines de gens, pour... pour avoir sauté Alice et l'avoir mise...

— Arrête, Kate ! Ça suffit !

Elle s'avança vers lui, tel un animal prêt à fondre sur sa proie.

— Ça suffit ? Tu en as assez ? Oh, c'est très courageux, si typique de toi ! Tu mords, et puis tu te défiles avant d'entendre les cris. Tu laisses Harry...

— Harry ? Que vient-il faire là-dedans ?

— Oh, je t'en prie, Eddy ! Tu avais un rendez-vous urgent, c'est ça ? Non, tu étais trop lâche pour affronter Leo et tous les invités. Tout comme aujourd'hui, tu es trop lâche pour amener Alice ici, devant moi...

— Je ne vis pas avec Alice ! cria soudain Eddy. Elle n'est pas ici ! Elle... nous...

Il se tut en voyant l'expression qui se peignait sur les traits de Kate. Elle vacilla et se retint à la chaise la plus proche. Eddy baissa la tête et, quand il la releva un moment plus tard, Kate avait surmonté le choc. Sa colère semblait avoir fondu comme par enchantement. Elle le fixait, silencieuse.

— Alice et moi sommes restés ensemble très peu de temps. Elle...

Il déglutit avec difficulté. Il avait déjà imaginé cette scène, mais très différemment. Il pensait pouvoir un jour expliquer la situation à Kate dans une ambiance de réconciliation, de pardon. Lourde erreur, encore une fois ! Kate le regardait sans le voir vraiment, froide, indifférente.

— Alice et moi, nous n'étions pas faits l'un pour l'autre, poursuivit-il. Elle m'a quitté il y a dix-huit mois, ce qui explique que je sois revenu à Tonsbry. J'étais désemparé, je me débattais pour travailler tout en élevant mon enfant. Mes parents n'arrêtaient pas de faire la navette entre ici et Londres pour m'aider... Alors j'ai déménagé, je suis revenu ici il y a environ un an, et puis Leo m'a offert le cottage. Je voulais prendre un nouveau départ. Il m'a demandé de l'aider à gérer le domaine, et le cottage faisait partie du marché. C'était une proposition très généreuse de sa part, il savait que cela te blesserait, et cependant... Il m'a sauvé la mise. Ma vie et celle de Flora ont changé. Non, je ne suis pas un lâche, Kate. T'affronter ce jour-là, te parler d'Alice, a été l'épreuve la plus terrible de toute mon existence. Puis...

— Arrête, Eddy ! Je ne veux pas savoir, je ne veux rien entendre à propos de cette journée, ni maintenant ni jamais.

Eddy se tut. Un silence tendu retomba, et enfin Kate demanda :

— Alors que s'est-il passé ensuite ? Entre toi et Alice ?

— Tu veux vraiment le savoir ?

— Ne va pas y chercher autre chose que de la curiosité.

— Alice était malade. Elle a fait une grave dépression

postnatale, et les choses n'ont jamais été bien entre nous. Dès que Flora est née, elle s'est… effondrée.

— Oh, la pauvre !

Kate regretta immédiatement son sarcasme et s'excusa :

— Désolée, je n'aurais pas dû dire ça.

— Non.

Mais bien sûr, une partie d'elle-même souhaitait vivement qu'Alice et Eddy aient souffert. Juste retour des choses.

— Je suis désolée, répéta-t-elle, avec sincérité cette fois, sa véritable nature reprenant le dessus. Que s'est-il passé ? Vous avez divorcé ?

— Nous n'avons jamais été mariés. Mon père m'a conseillé d'attendre jusqu'à la naissance du bébé. Je crois… je crois que mes parents se doutaient de la façon dont la situation allait tourner. Moi, j'étais encore en état de choc et malheureux. J'avais perdu la seule chose qui comptait à mes yeux…

— Ne commence pas !

Elle n'allait pas le laisser s'épancher sur son épaule, se décharger du fardeau de sa culpabilité. Il avait pris sa décision à l'époque, qu'il l'assume maintenant. Elle avait bien assumé, elle.

— Je suis navré, marmonna-t-il.

Ce n'était pas vrai. Il tenait à lui dire la vérité, une bonne fois pour toutes.

Quand il releva les yeux quelques secondes plus tard, Kate ne le regardait plus. Elle s'était assise près de la fenêtre et avait allumé la lampe posée sur le bureau. La lumière avait envahi la pièce, avalant les ombres dans sa clarté.

— Ainsi, tu ne t'es jamais marié ?

— Non, nous n'avons jamais évoqué cette possibilité. Quand Flora est née, Alice est tombée malade, elle n'arrivait pas à faire face à ses responsabilités, aussi la question ne s'est jamais posée. Nous n'en avions ni le temps ni l'énergie.

— Où est-elle, maintenant ?

Kate ne savait même pas pourquoi elle posait toutes ces questions. Était-ce pour éclaircir la situation, ou éprouvait-elle un plaisir macabre à l'entendre narrer les déboires d'Alice ?

— Écoute, dit-elle brusquement, si tu préfères partir tout de suite, je comprendrai.

— Non, non, ça va. Au début, Alice se faisait toute une idée de la maternité, elle désirait si fort cet enfant… Et quand Flora est née, ce n'était pas du tout ce à quoi elle s'attendait. Tu sais, les pleurs la nuit, l'épuisement, les biberons, les couches… Elle ne savait pas comment s'y prendre, elle avait l'impression de tout louper. À partir de là, les choses n'ont cessé d'empirer. Elle a sombré dans la dépression. Nous avons découvert plus tard qu'il s'agissait d'un déséquilibre hormonal mais, à l'époque, nous la voyions juste s'enfoncer un peu plus chaque jour. J'ai dû prendre plusieurs semaines de congé pour m'occuper de Flora. Alice essayait de s'en sortir, mais elle laissait pleurer Flora, elle oubliait de la changer, de la baigner, et parfois même de lui donner à manger. Je ne pouvais pas la laisser seule avec le bébé, alors ma mère est intervenue, mais cela n'a fait qu'enfoncer Alice. Quelque chose la rongeait, quelque chose qu'elle ne parvenait pas à vaincre…

Il s'interrompit brusquement. Il avait failli dire que c'était la culpabilité, mais il ne pouvait tout raconter à Kate, pas maintenant, c'était trop tôt.

Il se souvenait de ce qu'il avait ressenti le jour où Alice lui avait tout avoué. Il avait tout simplement eu envie de la tuer.

— Je ne sais pas pourquoi tu radotes tellement avec cette gamine ! lui avait-elle lâché un matin. Elle n'est même pas de toi !

Il n'avait jamais été aussi près de s'en prendre physiquement à quelqu'un.

Il ferma les yeux un instant, se revit avec Alice, revécut cette scène horrible : il avait crié, hurlé et, durant quelques secondes terrifiantes, il avait été sur le point de la frapper.

Rouvrant les yeux, il vit Kate qui le considérait.

— Alors, qu'est devenue Alice ? insista-t-elle.

Elle savait bien, à l'expression d'Eddy, qu'elle n'aurait pas dû l'interroger, mais elle ne pouvait s'en empêcher.

— Alice est partie. Elle a fait sa valise un jour et elle nous a quittés. Elle m'a appelé une semaine plus tard pour me dire qu'elle ne voulait pas de Flora et que je pouvais obtenir la garde exclusive si je le souhaitais.

— Tu en as fait la demande ?

— Evidemment !

C'était un comble qu'Alice ait menti et fomenté un plan sournois pour garder son enfant, puis qu'elle l'ait abandonnée sans un regard. Un comble que lui, Eddy, le père dupé, se soit mis à aimer cette fillette avec passion. Car il l'aimait, même si elle n'était pas la chair de sa chair. Il la considérait vraiment comme sa fille.

— Cette petite fille est irrésistible, avoua-t-il avec un sourire.

Impulsivement, Kate sourit aussi.

— Je sais, et je m'en suis même mordu les doigts ! opina-t-elle.

Il y eut un instant, si fugace qu'Eddy faillit ne pas le remarquer, de détente et de complicité qui le poussa à dire :

— Alors ?

Il regretta aussitôt d'avoir ouvert la bouche. Kate s'était figée.

Au volant de sa MG orange vif, Harry Drummond écrasa la pédale de frein, puis jeta un coup d'œil à la pancarte apposée sur la grille, à l'entrée d'une allée. Il jura, enclencha la marche arrière et, tout en faisant demi-tour, attrapa la carte routière sur le siège passager. Pourquoi diable n'arrivait-il pas à retrouver Tonsbry House ?

Pourtant, il y avait été souvent, adolescent, et plusieurs fois en compagnie de Kate durant les dernières années. Néanmoins, il n'avait pas la moindre idée de l'endroit où se trouvait la propriété. C'était, selon la carte, quelque part sur cette route.

Malmenant la boîte de vitesses, il repartit d'où il venait à toute allure. Environ deux kilomètres plus loin, il ralentit en apercevant une grille de fer forgé rouillée qu'il n'avait pas vue lors de son premier passage. Il s'arrêta, prit dans la boîte à gants sa lampe torche et éclaira la grille.

— Eh bien, il était temps ! maugréa-t-il en lisant les mots «Tonsbry House» gravés dans la pierre. La première chose que je ferai ici sera de clouer une pancarte digne de ce nom !

Il bifurqua dans l'allée et accéléra en direction de la maison.

Eddy et Kate traversèrent côte à côte le hall dallé, le bruit de leurs pas se répercutant dans le silence qui les enveloppait. Kate s'arrêta devant la cheminée. Finalement, ce feu était une bonne idée, il conférait un peu de chaleur à une journée qui en avait singulièrement manqué.

Elle tendit les mains vers les flammes, et Eddy vit son visage s'adoucir. Sautant sur l'occasion, il déclara :

— Je n'aurais jamais dû te parler comme je l'ai fait l'autre jour, quand je croyais que Flora avait disparu.

— C'est vrai.

— Je te prie de m'excuser, c'était très grossier de ma part, impardonnable.

Comme hypnotisée, Kate fixait les flammes. Impardonnable. Bizarre qu'il emploie ce mot. Où était le pardon là-dedans ? Il s'excusait, point final. Elle n'y accordait pas suffisamment d'importance pour ressentir le besoin de lui pardonner.

— Kate ? Je…

Eddy n'eut pas le temps de finir sa phrase : un crissement de pneus dans la cour attira son attention, suivi du claquement d'une portière. Un bruit de pas sonores — provoqué par de lourdes chaussures ferrées — se fit entendre sur les marches du perron. Puis quelqu'un frappa au battant de la porte d'entrée restée entrouverte, et une voix appela :

— Kate ? Tu es là ?

Eddy sursauta comme si on l'avait frappé. Il retint son souffle tandis que la voix s'élevait de nouveau. Son regard alla de la porte à Kate, puis revint se fixer sur la porte. Il avait reconnu la voix, mais il n'arrivait pas à y croire !

Une main impatiente poussa le battant, et Eddy se retrouva face à l'homme qu'il n'avait pas revu depuis quatre ans.

— Harry Drummond ! s'exclama-t-il d'une voix sourde.

— Eddy Gallagher ?

Harry resta figé un instant par la surprise, puis il se précipita vers Kate comme si Eddy n'existait pas.

— Kate chérie !

Avant même qu'elle puisse prononcer son nom, il la serra dans ses bras, puis la relâcha pour prendre sa main dans la sienne.

— Kate, ma chérie, pourquoi ne m'as-tu pas dit que l'enterrement avait lieu aujourd'hui ? fit-il en lui embrassant la paume. J'étais si inquiet ! J'ai appelé à l'appartement et Stefan m'a appris que tu te trouvais ici. Il m'a parlé de la cérémonie et...

De nouveau, il porta la main de la jeune femme à ses lèvres, très conscient de la présence d'Eddy. Puis, lentement, il se tourna pour suivre la direction du regard de Kate.

— Ah... je vois, dit-il.

— Vraiment ? rétorqua Eddy aussi calmement qu'il le put. Dans ce cas, tu pourrais peut-être éclairer ma lanterne ?

Harry reporta son attention sur Kate.

— Est-ce qu'il t'importune ?

Elle secoua la tête. Les voir ainsi, tous les deux, lui était insupportable. Harry était ridicule, il se comportait comme un macho paternaliste ; quant à Eddy, il jouait les éplorés comme s'il s'attendait qu'elle n'ait pas refait sa vie après lui !

— Non, il ne m'importune pas, répliqua-t-elle, alors que c'était tout le contraire.

Eddy l'importunait bel et bien, mais pas de la façon dont Harry l'entendait. C'était le fait de se trouver dans la même pièce que lui qui la perturbait.

— Il n'a rien à faire ici ! déclara Harry, qui cherchait visiblement la bagarre. À mon avis, il devrait partir.

— C'est ton opinion, riposta Eddy.

Il dévisagea celui qui avait été autrefois son meilleur ami et sentit la colère monter en lui. Bien sûr, il savait pourquoi Harry l'avait laissé tomber. Pendant quelque temps au moins, il avait admis que son camarade demeure auprès de Kate, celle qu'il considérait comme la victime, celle qui avait été blessée. Et il avait accepté que son ami soutienne la femme qu'il aimait, qu'il veille sur elle. Mais ensuite, quand lui, Eddy, avait eu à son tour besoin d'aide, lorsqu'il était lui-même devenu une victime, Harry s'était montré intraitable. Il était trop occupé, trop pris par Kate pour gaspiller son temps ou son énergie pour son vieil ami.

— Qui es-tu pour me dire ce que je dois faire ou pas ? ajouta Eddy.

Sa voix résonna dans le hall. Harry se raidit et pointa le menton en avant, l'air belliqueux. Puis, regardant Kate, il sourit. Toutes ces années, il avait vécu dans l'ombre d'Eddy Gallagher, il avait été le second choix, l'alternative, celui qui se contentait de ce qu'Eddy avait rejeté. Aujourd'hui, c'était lui qui possédait ce que voulait Eddy. En dépit des années qui s'étaient écoulées, il était flagrant qu'Eddy était toujours amoureux de Kate.

— Kate et moi sommes ensemble depuis un moment déjà, annonça-t-il, toujours souriant. Aussi je m'estime en droit de la protéger et de prendre soin d'elle. En fait, depuis un certain temps, je compte lui demander de devenir ma femme, conclut-il en reportant son regard sur Kate.

Celle-ci sursauta.

— Ta femme ? répéta-t-elle, avant de rester bouche bée.

Une expression de totale incrédulité se peignit sur le visage d'Eddy qui saisit la jeune femme par le bras pour la faire pivoter face à lui.

— Kate, ce n'est pas sérieux ? C'est impossible !

D'un mouvement sec, elle se libéra.

— Et pourquoi pas ? Il ne t'est pas venu à l'esprit que j'avais une vie privée, que quelqu'un d'autre que toi pourrait avoir envie de m'épouser ? Seigneur, Eddy ! Tu crois que personne ne voudra de moi parce que tu m'as larguée jadis ? Tu es si imbu de toi-même, si arrogant...

— Non, ce n'est pas du tout ce que je veux dire ! protesta-t-il en la prenant par les épaules.

De nouveau, elle se dégagea et se rapprocha de Harry dont elle saisit la main.

— Que veux-tu dire, alors ? Epouser Harry ne me paraît pas une idée grotesque, bien au contraire. Je lui fais confiance, et il a toujours répondu présent quand j'avais besoin de lui. Il est...

Elle hésita, cherchant ses mots. Harry était Harry, voilà tout. Elle ne l'avait jamais défini autrement. Et en cet instant, elle oubliait qu'elle n'avait jamais été réellement attirée par lui. Elle n'éprouvait pas pour lui une passion torride, mais elle n'allait pas le dire à Eddy, cela aurait été déplacé.

Harry l'aimait, il venait de lui demander sa main en présence d'un homme qui la mettait hors d'elle. Elle n'allait pas le laisser tomber, comme elle-même avait été abandonnée des années plus tôt. Non, jamais.

— Harry est quelqu'un que j'admire et que je respecte, poursuivit-elle, ravalant les larmes qui menaçaient soudain de déborder.

— Oh, vraiment ?

Eddy dévisagea Kate. Il aurait aimé qu'elle soutienne son regard, simplement pour voir si elle était sincère. Kate pouvait bien lui en vouloir, le haïr même, cela n'avait pas d'importance. Mais, si elle en aimait un autre, Harry de surcroît, cela changeait tout.

Kate gardait la tête baissée et se cramponnait toujours à la main de Harry. Comment Eddy osait-il douter de ses paroles? Pourquoi lui aurait-elle menti, d'ailleurs? Elle avait envie de passer sa colère sur lui, mais Harry lui lâcha soudain la main pour avancer d'un pas.

— Ça suffit, Eddy. Tu ferais mieux de t'en aller.

— Kate?

Elle refusa de croiser son regard.

— Bon sang, Kate! Pourquoi ne m'as-tu rien dit? Tu aurais pu au moins…

— En quel honneur? s'écria-t-elle. Tu ne fais plus partie de ma vie, je ne t'ai pas vu depuis des années. Je ne te dois rien! Je ne supporte même pas ta vue, je…

Elle n'acheva pas. Eddy venait de tourner les talons. Il sortit, claquant la porte derrière lui. Le silence retomba, seulement troublé par les craquements et les sifflements des bûches qui se consumaient dans la cheminée. Puis Harry lâcha:

— Bon débarras!

Et Kate éclata en sanglots.

8

Harry était au lit — celui de Kate —, un lit à baldaquin dont quelques années plus tôt elle avait remplacé le lourd brocart sombre par une fine mousseline blanche. Elle avait également recouvert le matelas de drap blanc et ajouté une montagne d'oreillers protégés de taies en coton crissant. Leo avait tout d'abord été choqué, puis il avait vendu le brocart à un antiquaire pour une somme qu'il jugeait dérisoire et, par la suite, il avait accueilli favorablement toute suggestion de changement.

Harry s'adossa contre une pile d'oreillers et posa un coussin brodé à la main par Kate derrière sa nuque. Il oublia qu'il portait du gel capillaire à l'odeur divine, mais qui laissait des traces huileuses sur tout ce qu'il touchait, oublia tout, excepté l'instant présent. Il se sentait satisfait, heureux en fait, en dépit de l'humeur bizarre de Kate. Il avait dormi à poings fermés, s'était rarement senti aussi bien, et n'avait jamais pris autant de plaisir à faire l'amour à Kate.

D'ordinaire, c'était plutôt ennuyeux. Il cajolait, persuadait, et Kate finissait docilement par se laisser faire. Elle restait toujours distante, détachée, c'était sa façon d'être.

Mais la nuit passée, pour la première fois, elle s'était donnée à lui avec une passion qu'il ne lui connaissait pas. Elle s'était comportée comme une Kate différente et, pendant quelques moments intenses, il avait cru comprendre ce qu'Eddy voyait en elle.

À présent, étendu sur le lit qu'il n'avait jamais eu l'honneur de partager avec elle auparavant, il regardait la femme qui, tacitement du moins, avait accepté de l'épouser. Une femme superbe, dont la dot comprenait une immense propriété.

Donc Harry trouvait la vie belle. Il trouvait Kate magnifique, et il était très content de lui. En réalité, il n'avait pas envisagé d'épouser la jeune femme aussi vite mais, après tout, Kate avait des atouts certains — sa beauté, son charme, sa fortune —, et Harry se sentait prêt à se caser. Le mariage donnerait de la consistance à sa vie, et un coup de pouce à sa carrière.

Bien sûr, il devrait mettre un terme à sa liaison avec la sœur de Tully. Curieusement, cette idée le déprima légèrement, aussi décida-t-il qu'il valait mieux attendre un peu, le temps de voir comment tournaient les choses. Après tout, Sasha Tully était un sacré canon, il n'allait pas rompre avec elle sur un coup de tête.

Harry arrangea les oreillers, tout en se demandant s'il avait envie d'un café. Assise près de la fenêtre, enveloppée dans une couverture, Kate regardait au-dehors. Harry aperçut une de ses longues jambes, mais il ne s'en émut pas. Il faisait froid dans la chambre, et il n'avait pas envie de sortir du lit.

— Kate ?

— Mmmm ?

Elle ne tourna même pas la tête dans sa direction.

— Tu n'as pas envie d'un café ?

— Bof...

Irrité par son indifférence, il ramena la couette jusque sur son menton.

— À quoi penses-tu ?

— Je pensais à la maison, répondit-elle en le regardant.

— Vraiment ? Je croyais que tu t'imaginais ce qui allait changer une fois que nous serions mariés.

— En fait...

— Il y a sûrement une chambre d'apparat ici, non ? Nous pourrions nous y installer, la faire redécorer. Est-ce qu'il y a une salle de bains adjacente ? Tu sais, cette maison est superbe, et pour peu qu'on dépense un peu pour la rénover, elle deviendrait vraiment fantastique. Je réfléchissais hier soir, et je me disais que ça vaudrait peut-être le coup que je quitte l'armée. Je pourrais rester ici et gérer le domaine. Quand nous voudrons des enfants, Tonsbry sera vraiment l'endroit idéal pour...

— Harry !

— Quoi ? fit-il en souriant. C'est un lieu génial pour les gosses, tu ne trouves pas ? Il y a de l'espace, et puis, nous pourrions recevoir un tas d'amis, organiser des fêtes...

— Harry !

— Désolé, je vais trop vite, peut-être ?

Il éclata de rire et sortit du lit, nu, pour saisir les mains de Kate et l'obliger à se mettre debout.

— Je ne veux pas précipiter les choses, ma chérie. Tu ne m'en veux pas, n'est-ce pas ? dit-il avant de l'embrasser sur la bouche.

— Non, je... Écoute, je dois te dire quelque chose à propos de Tonsbry.

Kate détourna les yeux. Elle ne lui avait pas encore parlé des dettes, ni du cottage où vivait Eddy, tout près d'ici. Les rares fois où elle en avait eu l'occasion, elle ne s'en était pas senti le courage.

Elle lui tourna le dos pour faire face à la fenêtre. Harry jeta un coup d'œil par-dessus son épaule.

— La vue est superbe, commenta-t-il. C'est quoi, cette petite maison de l'autre côté de la vallée, avec la cheminée qui fume ?

— L'un des cottages, Gully Cottage, je pense.

— J'ignorais qu'il y avait des cottages sur le domaine. Sont-ils loués à l'année ? Sinon, nous pourrions les transformer en gîtes de vacances…

— Ils sont loués ! répliqua vivement Kate.

— Ah, je vois ! En tout cas, cela mérite d'y réfléchir, à long terme je veux dire. J'irai peut-être y faire un tour tout à l'heure pour jeter un coup d'œil… de l'extérieur, bien sûr ! précisa-t-il en la voyant changer d'expression.

— Bien sûr.

Voilà ta chance, saisis-la ! songea-t-elle.

Elle devait lui expliquer à propos d'Eddy et de la maison. Mais Harry posa ses mains sur ses épaules et l'embrassa dans le cou. En sentant ses lèvres, elle se dégagea.

— Qu'est-ce qu'il y a ? demanda-t-il doucement. Où est passée la diablesse de la nuit dernière ? Cette insatiable…

— Harry, arrête !

Serrant la couverture contre elle, elle retourna vers le lit et ramassa ses vêtements. Était-ce vraiment du désir qu'elle avait éprouvé cette nuit-là ? Ou avait-elle désespérément cherché à oublier le passé, à bannir la tristesse de sa vie ? Elle avait été prise d'une frénésie sexuelle, mais était-ce parce qu'elle se trouvait dans les bras de Harry ou bien s'imaginait-elle… Non, c'était absurde, insupportable.

Rapidement, elle enfila son pantalon.

— Tu te lèves pour de bon ? s'enquit Harry en se glissant sous la couette.

— Je vais chercher des habits propres et prendre un bain, pourquoi ? répliqua-t-elle en tâchant de masquer l'irritation qui la gagnait.

— Tu ne pourrais pas m'apporter un café ?

Il tendit la main vers son paquet de cigarettes posé

sur la table de chevet, croisa le regard réprobateur de Kate et laissa retomber son bras.

— Avec du lait et deux sucres, s'il te plaît.

Kate soupira.

— D'accord.

Elle prit dans sa valise un jean et un T-shirt à manches longues, des sous-vêtements propres, puis saisit une serviette sur le vieux radiateur en fonte. Le tissu était encore humide : le radiateur ne fonctionnait pas.

Avant de sortir, elle jeta un regard à Harry. Il était en train de s'assoupir.

— Harry ?

— Mmmm ?

Mais le moment était mal choisi, elle le savait bien.

— Non, rien, murmura-t-elle, avant de quitter silencieusement la chambre.

Stefan courut vers le quai n° 12, son vieux sac de l'armée sur l'épaule, son blouson d'aviateur usé solidement serré à la main. Il était en retard. Il entendit le contrôleur donner un coup de sifflet et vit le portillon se refermer. En trois enjambées, il l'atteignit et sauta avec souplesse par-dessus avant de se ruer vers le quai.

Chemin faisant, il faillit bousculer une femme qui courait dans la même direction, gênée par sa jupe droite et ses hauts talons, son attaché-case et son volumineux bagage.

Stefan fit un écart, pila net. Tandis que le contrôleur fermait une à une les portières du train, il revint en arrière, saisit le sac de l'inconnue et, la prenant par le bras, la traîna littéralement vers la dernière portière restée ouverte.

Le train démarrait. Stefan sauta à bord, lança le sac à l'intérieur, puis se pencha pour hisser la femme. La portière claqua, et le contrôleur lança une obscénité. Le train s'éloignait déjà. Stefan se mit à rire.

— Mon Dieu, c'était incroyable ! s'exclama Jan Ingram. Elle était à bout de souffle, et tout émoustillée d'avoir été enlevée dans les airs par ce solide gaillard. Peut-être était-elle morte et se trouvait-elle au paradis ?

À son tour, elle éclata de rire.

— Vous avez l'habitude de sauver les femmes en détresse ?

Souriant, Stefan se pencha pour ramasser le sac de la dame.

— Toujours ! répondit-il. Je suis très doué pour ça, mais seulement dans les trains à l'ancienne. Les portes à fermeture automatique atténuent beaucoup mon esprit chevaleresque.

Jan avait envie de flirter. Pourquoi ne pas en profiter, cela faisait si longtemps que cela ne lui était pas arrivé ! Elle lui rendit son sourire, saisit le sac qu'il lui tendait.

— Pour vous remercier, je peux vous offrir un verre quand le bar sera ouvert, proposa-t-elle, sans penser une seconde qu'il allait accepter.

— C'est très gentil, merci, acquiesça Stefan.

Il ne refusait jamais de boire un verre en compagnie d'une dame. Cela faisait partie du boulot, il fallait être prêt à toute éventualité.

— Vraiment ? Oh, euh… C'est par là, en tête de train, bredouilla Jan, soudain gênée.

Elle n'en revenait pas d'avoir invité cet Adonis à prendre un verre !

— En première classe ? D'accord. Je vais me trouver une place, poser mes affaires, puis j'irai vous retrouver.

Comme il se baissait pour ramasser son sac, Jan admira ses fesses musclées moulées par le Levi's délavé.

— Seigneur, je n'arrive pas à croire que j'aie vraiment fait ça ! murmura-t-elle tandis qu'il s'éloignait.

Elle tritura une mèche de cheveux qui se défrisait déjà et retombait mollement sur son front. Cela faisait des années qu'elle ne s'était pas sentie un tant soi peu séduisante. Repoussant la mèche, elle sourit rêveusement. Puis elle se souvint pourquoi elle était là, et sa bonne humeur s'envola.

Avec un soupir, elle gagna sa place tout en traînant son gros sac.

Dix minutes plus tard, alors qu'elle feuilletait distraitement un magazine tout en jetant des regards mornes par la fenêtre, elle soupira de nouveau. Oui, pourquoi était-elle là ? Elle devait être folle ! Pourtant non, elle était juste désespérée et pathétique. Elle était là parce que Duncan le lui avait demandé ; parce que, même si elle s'efforçait de le haïr, même s'il l'avait blessée et humiliée, elle réagissait au premier claquement de doigts.

« Jan, le dossier Tonsbry compte beaucoup pour moi », lui avait-il dit. Et le samedi matin, elle avait pris ce train à destination de Winchester, afin de rencontrer la personne qui héritait du domaine de Tonsbry.

Jan détestait sa faiblesse, elle se méprisait pour avoir accédé à la requête de Duncan, mais on ne raye pas de sa vie vingt ans de mariage pour une simple aventure extra-conjugale.

Soupirant derechef, Jan referma son magazine, juste au moment où Stefan se dressait soudain à son côté.

— Alors, ce verre ?

Surprise, elle hocha la tête, sourit, puis rougit avant de détourner le regard. Elle se leva tant bien que mal.

— Le bar est de ce côté, il doit être ouvert maintenant, déclara-t-elle.

Elle le précéda dans le couloir, un peu affolée. Qu'était-elle en train de faire ? Pourquoi diable avait-elle invité ce type à prendre un verre ?

Parvenue devant le bar, elle se tourna pour lui demander ce qu'il voulait commander. Il lui adressa un sourire éclatant, qui lui donna le vertige.

— Que voulez-vous boire ?

— Une bière.

— Une bière, d'accord. Euh… Je vais prendre un gin-tonic…

Jan faillit se raviser, puis zut ! Elle allait au-devant d'une tâche déplaisante, un petit remontant ne lui ferait pas de mal.

Elle paya les consommations, demanda un reçu. Puis, comme elle se tournait, tenant à la main les deux gobelets en plastique, elle vit que Stefan la considérait avec attention.

— Le reçu… c'est pour le travail, expliqua-t-elle.

— Bien sûr.

Il fit sauter l'opercule de la canette et, ignorant le verre de plastique, se mit à boire sa bière. Ainsi, elle travaillait. Bonne perspective.

— À la vôtre ! dit-il, avant de s'essuyer la bouche d'un revers de main. Vous venez ?

Il l'entraîna vers un coin du wagon. Il n'y avait pas de sièges dans le bar, mais Stefan savait d'expérience que ce genre d'endroit était encore plus intime qu'une alcôve pour deux.

Tandis que Jan s'adossait à la cloison, il se plaça face à elle, position qu'il affectionnait.

— Je ne me suis même pas présentée, fit-elle soudain. Jan Ingram.

Stefan lui prit la main, la retint un peu plus longtemps que nécessaire.

— Stefan Vladimar. Ravi de vous rencontrer, Jan. Et merci pour la bière.

— De rien.

Jan chercha désespérément quelque chose d'intelligent à dire. En vain. Stefan perçut immédiatement son embarras.

— Alors, Jan, où allez-vous comme ça ? C'est plutôt injuste de travailler un samedi.

— Oui, totalement !

Jan but une longue gorgée de gin-tonic pour se donner du courage.

— D'ordinaire, je ne travaille pas le samedi, mais là… Il s'agit d'un dossier particulier et mon mari… Je veux dire, mon ex-mari, enfin, nous sommes séparés… Il m'a demandé de le faire et…

Elle s'interrompit en sentant les doigts de Stefan se poser sur son bras. C'était un simple geste dénué de provocation et réconfortant. Elle baissa les yeux sur sa main forte et mince, aux ongles soignés, et elle oublia d'un coup son chagrin, sa solitude, et le fait qu'elle était sans doute en train de se couvrir de ridicule en flirtant dans un wagon avec un homme de quinze ans son cadet.

Elle lui sourit, et tous deux se détendirent.

— Désolée, je bafouille, s'excusa-t-elle.

— C'est tout à fait charmant.

Elle pouffa.

— Êtes-vous bien réel ?

— Touchez, rétorqua-t-il en tendant son bras pour gonfler son biceps, c'est du vrai !

Jan se garda bien d'obtempérer et prit une autre gorgée de gin.

— Où allez-vous donc, sur l'ordre de votre ex-mari ?

— Je dois rencontrer un client, c'est pour ça que j'y vais un samedi. C'est un peu...

Elle s'interrompit. Elle avait failli lui dire que ce job était plutôt délicat, qu'elle s'apprêtait à notifier une saisie sur hypothèque, mais quelle idée se ferait-il alors d'elle ? Mieux valait rester discrète sur ce point.

— ... un peu déprimant de travailler un samedi, acheva-t-elle. Et vous, où allez-vous ?

— Je vais rendre une visite surprise à une amie. Son oncle vient de mourir, et je pense qu'elle a besoin de réconfort.

— C'est très attentionné de votre part.

Ce doit être sa petite amie, réfléchit-elle en se rembrunissant.

Stefan ajouta alors :

— Nous nous connaissons depuis des années, j'habite l'appartement au-dessus du sien. Elle a un copain assez puant et, à mon avis, il ne doit pas l'aider beaucoup à surmonter ce deuil. Il est plutôt du genre coincé.

— Et pas vous ?

— Mon Dieu, non ! Est-ce que j'en ai l'air ? dit-il en désignant sa tenue décontractée. Moi, je pleure quand je regarde *La petite maison dans la prairie* !

— Moi aussi ! avoua Jan dans un rire.

Une heure plus tard, le train arriva en gare de Chart-well à l'heure pile, au grand désappointement de Jan. Elle espérait un retard, un événement extraordinaire qui aurait arrêté le train mais, pour la première fois au cours de sa longue expérience avec les chemins de fer anglais, il n'y eut pas la moindre anicroche.

Elle dit au revoir à Stefan, sans qu'aucun d'eux n'ait mentionné sa destination finale, lui laissa sa carte professionnelle et regagna sa place. Mieux valait oublier ce type. De toute façon, il ne la rappellerait jamais. Pourquoi le ferait-il? Un bel homme comme lui devait avoir tout un parterre de femmes à ses pieds.

Elle se sentait un peu saoule. C'était idiot d'avoir pris un alcool fort aussi tôt dans la journée. Idiot aussi d'avoir laissé à cet homme son numéro de téléphone.

Son sac en bandoulière, elle descendit du train et longea le quai, résistant à l'envie de regarder par-dessus son épaule. Mais la tentation était trop forte. Arrivée devant le portillon, elle se tourna et le chercha des yeux parmi la foule de voyageurs.

Pouvait-elle lui proposer de partager son taxi?

Malheureusement, elle ne le vit nulle part. Il semblait s'être volatilisé. Pourtant, elle n'avait pas rêvé!

Anxieuse, elle scruta la cohue. Plusieurs personnes qui tentaient de se glisser par le portillon la bousculèrent, et elle renonça pour se diriger vers la station de taxis.

Après avoir indiqué l'adresse au chauffeur, elle se laissa tomber sur la banquette arrière, fourra un bonbon à la menthe dans sa bouche afin de masquer le goût du gin-tonic. En dépit de ce qui l'attendait et en dépit de Duncan, elle se sentait tout à coup plus sûre d'elle.

Jamais elle n'aurait pensé pouvoir attirer l'attention d'un homme comme Stefan!

— Sale temps, hein? jeta le chauffeur par-dessus son épaule.

— Vraiment? Non, je m'attendais à une journée bien pire! répliqua Jan avec un sourire.

9

L'heure du déjeuner approchait, et Mme Able s'affairait devant la longue table de chêne dans la cuisine de Tonsbry. Elle pétrissait une pâte à pain. Elle avait relevé ses manches, son tablier et ses bras étaient couverts de farine.

Face à elle, Harry Drummond était assis et bavardait, son discours ponctué de temps à autre par un claquement sec de la boule de pâte contre le bois.

— Ainsi, vous dites qu'il n'y a pas d'autres domestiques à Tonsbry, madame Able ?

— Oui, répondit-elle, laconique, tout en songeant Domestique ! Sapristi, personne ne m'a jamais appelée comme ça à Tonsbry !

Elle plaqua la boule de pâte sur le plateau, y plongea ses doigts avec irritation.

— Mais alors, comment faites-vous lors des réceptions, des soirées ? Vous faites venir des extra ?

— On ne reçoit pas beaucoup de visites par ici, vous savez.

Des réceptions ? Mais où se croyait-il donc ?

Mme Able saupoudra la table d'une poignée de farine avant de retourner la pâte. Un nuage blanc s'envola vers Harry. Il toussa, chercha vaguement un autre sujet de conversation, y renonça finalement. Cette bonne femme n'était guère causante, de toute façon.

— Vous voulez peut-être aller lire le journal dans le salon en attendant le retour de Kate ? fit la gouvernante. Il y a du feu dans la cheminée.

— Ah, bon !

Enfin une parole sensée, songea-t-il. Il faudrait parler de cette femme à Kate. Il ne la supporterait pas longtemps dans cette maison.

— Pourrez-vous m'apporter un café tout à l'heure ?

La pâte claqua de nouveau sur le bois, et Mme Able se remit à pétrir énergiquement.

— Eh bien, vous savez où me trouver, reprit Harry, agacé par ce mutisme obstiné.

Elle ne releva même pas la tête et il sortit.

En écoutant le bruit de ses pas décroître, Mme Able s'essuya les mains sur son tablier. Où Kate avait-elle dégoté cet énergumène ? Et que diable lui trouvait-elle ?

Elle ramassa la boule de pâte pour qu'elle puisse lever. À cet instant, la sonnette de la porte d'entrée retentit. Abandonnant sa pâte, Mme Able dénoua son tablier et s'engagea d'un pas vif dans le couloir.

— Bonjour, Eddy. Vous n'étiez pas obligé de sonner avant d'entrer, vous savez.

Embarrassé, Eddy se tenait sur les marches de pierre du perron.

— Désolé, je ne voulais pas me montrer importun…

— D'habitude, cela ne vous dérange pas.

— Kate ne serait peut-être pas d'accord.

— Ah… De toute façon, elle est partie se promener, alors ne vous inquiétez pas.

Mme Able rebroussa chemin vers la cuisine en lui lançant :

— Vous venez ?

— En fait… je suis venu m'assurer que tout va bien. Je vais l'attendre dans le salon, si vous n'y voyez pas d'inconvénient.

— Ô Seigneur ! s'exclama Mme Able en se souvenant brusquement de Harry Drummond. Non, non, il ne vaut mieux pas !

Eddy était-il au courant pour Harry ? Peut-être Kate désirait-elle garder le secret ? Mme Able ne savait que faire.

— Le salon est en désordre, se hâta-t-elle d'ajouter. Je n'ai pas encore ouvert les volets. Attendez plutôt dans le bureau de M. Leo, il y fait meilleur, et c'est plus lumineux à cette époque de l'année. Venez, je vais vous apporter une tasse de thé…

Eddy se retrouva à la porte du bureau de Leo avant d'avoir eu le temps de dire ouf.

— Madame Able, est-ce que vous vous sentez bien ?

— Moi ? Oh, parfaitement. Je me porte à merveille. À merveille.

Elle ouvrit la porte, poussa Eddy à l'intérieur du bureau et referma vivement le battant. La sueur perlait sur sa lèvre supérieure. Elle l'essuya, resta devant la porte un instant, indécise, puis se retourna en entendant un bruit de moteur au-dehors.

Jan descendit du taxi, prit la carte que lui tendait le chauffeur et convint de le retrouver un peu plus tard au village de Tonsbry. Elle ignorait combien de temps elle resterait au domaine, mais se souciait fort peu du prix à payer. En réalité, la perspective de rentrer à Londres avec une note de taxi exorbitante lui faisait presque plaisir.

Elle paya le trajet, fourra le reçu dans son sac et saisit son bagage.

C'était la deuxième fois qu'elle venait à Tonsbry. En levant les yeux sur la façade de la maison, elle comprit pourquoi un propriétaire pouvait parfois s'endetter jusqu'au cou pour conserver son bien. La demeure était splendide, avec sa pierre patinée qui avait abrité tant d'existences. Jan avait l'impression de percevoir l'influence de ces gens qui avaient aimé et façonné Tonsbry.

Je dois devenir sentimentale en vieillissant, se dit-elle.

Ou peut-être avait-elle toujours été ainsi, peut-être ce besoin de racines, d'un point d'ancrage, avait-il toujours été latent en elle ?

Son sac en bandoulière, son attaché-case à la main, elle gravit les marches du perron et frappa à la porte.

Mme Able lui ouvrit dans la seconde, et Jan sursauta.

— Bonjour, que désirez-vous ?

— Oh, euh… bonjour. Excusez-moi, je ne m'attendais pas qu'on réponde aussi vite.

— Oui, je vois ça, fit Mme Able en jetant un regard suspicieux à l'attaché-case.

Elle n'avait jamais fait confiance aux personnes qui se trimballaient avec ce genre de mallettes.

— Que puis-je faire pour vous ?

— Je suis Jan Ingram. J'aurais aimé avoir un entretien avec… Hum… Voilà, je représente la société de crédit Ingram Lawd, reprit-elle d'un ton plus assuré. Je souhaiterais m'entretenir avec la personne qui est désormais propriétaire du domaine.

— Puis-je voir votre attestation ?

Mme Able tenait fermement le battant. M. Leo lui avait toujours recommandé d'exiger des références. De nos jours, on n'était jamais trop prudent.

— Euh… bien sûr ! répondit Jan, prise de court. Je dois avoir une carte quelque part… Ah non, je viens de donner la dernière ! Mon permis de conduire, ça ira ?

Elle tendit le document à Mme Able. Elle se sentait un peu idiote, debout sur le perron, à subir l'inspection d'une domestique âgée. La tête lui tournait un peu à cause du gin-tonic.

Mme Able vérifia l'identité de la visiteuse puis, satisfaite, consentit à ouvrir plus largement la porte.

— Vous allez devoir patienter, annonça-t-elle. Mlle Dowie n'est pas encore rentrée.

La gouvernante pensa soudain à Harry et à Eddy, et elle sentit la panique la gagner. Elle ne pouvait faire attendre cette dame en compagnie du petit ami de Kate, ce serait déplacé. Mais si elle la mettait avec Eddy, Kate pourrait se fâcher. Elle était si susceptible à propos de tout ce qui touchait Eddy !

Alors ? Elle n'allait pas emmener cette dame dans la cuisine, ni l'abandonner dans le hall rempli de courants d'air…

La gouvernante tâcha de réfléchir à toute allure, ce qui n'était pas son point fort.

— Mon Dieu, marmonna-t-elle, je vais vous faire

attendre dans… dans la salle à manger, voilà ! C'est la seule pièce de libre… Je veux dire, la seule qui soit rangée.

— Ce sera parfait, je…

— Suivez-moi, lui intima Mme Able en prenant Jan par le bras.

Dans la salle à manger, Jan admira la pièce charmante. Avant qu'elle ait pu proférer le moindre commentaire, la porte s'était refermée dans son dos et le bruit des pas de Mme Able s'estompait dans le couloir.

Bizarre, songea Jan, restée seule dans la pièce silencieuse.

Puis elle se souvint de la raison qui l'amenait dans cette demeure, et elle se dit que c'était plutôt sa présence qui était incongrue.

Kate escalada la dernière barrière qui séparait les champs du parc, puis elle resta assise un moment, perchée sur le rondin de bois, pour observer le ruisseau qui scintillait. Enfin elle sauta à terre et se dirigea vers la maison. Ses mocassins de daim noir — une des seules paires à peu près présentables qu'elle possédât — étaient trempés. Elle aurait dû enfiler des bottes. Ses pieds étaient mouillés, mais elle ne sentait pas l'humidité tant ils étaient engourdis.

Elle s'imprégnait de Tonsbry, de ses paysages, de ses odeurs, de ses bruits. Pourtant chaque détail semblait s'ajouter au fardeau qui s'appesantissait sur ses épaules. Accablée, elle marchait, espérant vaguement que quelque chose allait se produire, qu'elle aurait une illumination. Mais rien ne se passait.

Ayant atteint l'allée, elle jeta un dernier regard en arrière, puis reporta son attention sur la maison. Elle repéra alors au milieu du chemin une silhouette identifiable entre mille : son sac sur l'épaule, c'était Stefan.

Lorsqu'elle l'appela, il se retourna et agita les bras au-dessus de sa tête dans un geste jubilatoire. Pour la première fois depuis des jours, Kate sourit. Elle se mit à courir.

— Kate !

— Stefan !

Ils tombèrent dans les bras l'un de l'autre, et Stefan la souleva de terre pour la serrer contre lui.

— Pourquoi ne m'as-tu pas prévenue de ta visite ? s'exclama-t-elle.

— J'ai agi sur un coup de tête.

— Tu aurais au moins pu téléphoner de la gare. J'aurais été te chercher.

— Bah ! J'ai voyagé gratis, aux frais de British Rail. J'ai sauté par-dessus le portillon à Chartwell pour éviter le contrôleur.

— Vraiment ? Je suis choquée !

— C'est juste pour le plaisir, Kate. Bien sûr, j'aurais payé si on me l'avais demandé, mais une fois arrivé à Chartwell, cela aurait été plutôt stupide de se livrer au contrôleur !

— Comment es-tu arrivé jusqu'à Tonsbry ?

— Un type en Land-Rover m'a pris sur le bord de la route.

Kate sourit.

— Qu'importe le moyen de transport, tu es là ! s'écria-t-elle en lui donnant une nouvelle accolade. Je suis vraiment contente de te voir !

— Moi aussi. Tu es trop maigre, tu as besoin que je m'occupe de toi.

— Oh, je n'ai pas les moyens de m'offrir tes services ! plaisanta-t-elle.

Elle passa le bras autour de lui et ils s'avancèrent en direction de la maison.

— Alors, quoi de neuf ? Comment vont les affaires ? s'enquit-elle.

— Kate, tu n'es partie que depuis mercredi ! Bon, tout va pour le mieux. Rebecca se débrouille très bien, quant à moi, je fais des miracles !

— Des commandes ?

— Deux. Je t'ai amené l'agenda pour que tu jettes un

coup d'œil. Tu voudras peut-être me donner des instructions si tu es obligée de rester ici plus longtemps
que prévu.

— Merci, mais je n'ai pas l'intention de m'attarder
dans le coin. Je veux retourner travailler et… En fait, je
ne me sens pas très à l'aise ici.

— Cela signifie-t-il que tu as revu Eddy Gallagher ?

— Oui.

— À propos, ta mère a appelé et m'a demandé si tu
l'avais vu.

Kate s'arrêta brusquement.

— Ma mère t'a demandé si j'avais vu Eddy ?

— Oui. Elle veut que tu la rappelles. J'ai voulu lui
donner le numéro de Tonsbry, mais elle a paru plutôt…
déconcertée.

— Elle ne me téléphone jamais ici. Ce n'est arrivé
qu'une fois depuis qu'elle est partie en 1963. Elle et Leo
ne s'entendaient pas très bien. Elle a toujours estimé, je
pense, que la maison aurait dû lui revenir de droit. Elle
était l'aînée, mais Leo était le garçon.

— Et il t'a légué la propriété, à toi, et pas à ta mère.

— Oui.

— Comment l'a-t-elle pris ?

Kate porta soudain la main à sa bouche.

— Ô mon Dieu ! Elle n'en sait rien ! Je n'ai pas eu de
contact avec elle depuis que je suis au courant, et…
(Elle fronça tout à coup les sourcils.) Mais tiens, elle ne
pouvait pas savoir non plus qu'Eddy travaille ici…

— Ton oncle l'a peut-être mise au courant ?

— J'en doute.

Kate avait du mal à réfléchir. Cela n'avait rien d'étonnant au demeurant, quand on songeait aux événements
des derniers jours.

— Elle a dû l'apprendre par la bande. Elle savait
bien que Leo était malade, non ? demanda Stefan.

— Oui, mais…

Elle haussa les épaules. Elle n'avait pas l'énergie de
s'occuper de cela maintenant.

— Viens, dit-elle. C'est la première fois que tu viens à Tonsbry, n'est-ce pas ?

— Oui.

— Je vais te faire faire le tour du propriétaire. Tu vas voir, c'est magnifique.

Pour la première fois depuis qu'elle avait pris connaissance du testament, elle prononçait ces paroles avec sincérité.

Vingt minutes plus tard, après une brève visite du parc, Kate et Stefan gravirent les marches du perron. Kate tira de sa poche la clé en cuivre qui ouvrait la porte.

Au moment où elle allait tourner la clé, le battant pivota pour découvrir la silhouette de Mme Able. On aurait dit qu'elle se tenait là, sur le qui-vive, depuis un bon moment.

— Madame Able ! Êtes-vous…

— Kate, Dieu merci !

À ces mots, la porte du bureau, celle du salon, et enfin celle de la salle à manger s'ouvrirent en même temps sur le hall.

— Kate ! appela Eddy.

— Eddy ?

— Stefan ? s'exclama Jan.

— Jan ? fit Stefan en se tournant vers Kate d'un air interrogateur.

— Kate ! lança Harry d'un ton réprobateur.

— Harry… murmura Kate, avant de se libérer de l'étreinte de Stefan.

— Ô Seigneur ! se lamenta Mme Able.

— Mais qu'est-ce que… commença Eddy.

Kate intervint :

— Stefan, je te présente Eddy Gallagher. Tu connais déjà Harry. Eddy, voici Stefan, un très bon ami de Londres.

Stefan s'avança vers la salle à manger.

— Jan ? Cette affaire dont vous me parliez, c'est donc… ?

Il la vit devenir livide et prendre appui contre le mur. Aussitôt il se précipita.

— Jan, asseyez-vous, vous êtes toute pâle ! Est-ce que ça va ?

Jan hocha la tête, le visage caché derrière sa main. Elle ne se sentait pas bien du tout, elle était ridicule. Pourtant, elle était une professionnelle, bon sang, elle aurait dû assumer la situation ! Mais à la pensée de révéler à Stefan les raisons exactes de sa visite à Tonsbry, elle avait la nausée.

Tous ces gens venaient d'être frappés par un deuil, et elle s'introduisait chez eux pour leur signifier qu'ils allaient également perdre leur maison. C'était intolérable. Pourquoi diable avait-elle obéi à Duncan ? Pourquoi n'avait-elle pas été plus forte ? Pourquoi n'avait-elle pas vu venir les choses ?

— C'est une de tes amies, Stefan ? s'enquit Kate.

— Oui.

— Non ! protesta Jan. Je veux dire, nous avons fait connaissance dans le train.

Elle aurait peut-être dû sortir, quitter ces lieux sans rien dire, prendre ses jambes à son cou. L'idée lui traversa l'esprit, quelques secondes seulement. Non, elle devait s'acquitter de sa tâche, si déplaisante soit-elle. Et puis, quand elle laissait ses sentiments prendre le dessus, cela se terminait toujours de façon catastrophique !

Prenant une profonde inspiration, elle se leva :

— Écoutez, je suis navrée, mais je ne vous apporte pas de bonnes nouvelles. Je dois m'entretenir avec le nouveau propriétaire de la maison.

— C'est moi, dit Kate. Je suis la nièce de Leo.

Jan s'efforça d'ignorer les cinq paires d'yeux braquées sur elle et poursuivit :

— Je représente la société Ingram Lawd. Je m'appelle Jan Ingram, et vous avez souscrit un emprunt...

— Oui, je suis au courant, coupa Kate, tout en songeant : Ça y est, les vautours sont lâchés !

— Un emprunt ? répéta Harry.

Kate l'ignora, et afficha une expression déterminée.

Jan prit son courage à deux mains. La situation était encore plus délicate qu'elle ne l'avait imaginé.

— Puis-je vous parler en privé, mademoiselle Dowie ?

Kate hésita une fraction de seconde. Un entretien en privé présageait d'autres mauvaises nouvelles.

— Allons dans le bureau de Leo, proposa-t-elle enfin. Suivez-moi…

Comme elle franchissait le seuil, Eddy lui demanda :

— Tu préfères que je reste avec toi ?

— Non, mais j'imagine que cela vaudrait mieux. Tu connais la situation aussi bien que moi.

— Quelle situation, Kate ? intervint Harry. Tu veux que je vienne avec toi ?

— Non, merci, Harry. Oh, tant que j'y pense, pourrais-tu faire du café pour Stefan ?

Elle ne remarqua même pas l'expression indignée qui s'inscrivait sur les traits de Harry, et elle referma aussitôt la porte du bureau sur elle, Eddy et Jan.

— Ça ira, je peux me débrouiller seul, intervint Stefan, avant de se tourner vers Mme Able : Si vous me montrez où se trouve la bouilloire, je vais nous préparer un bon café, d'accord ?

— C'est très gentil, Stefan, répondit-elle en lui adressant l'un de ses rares sourires. Suivez-moi.

Harry émit un reniflement aussi sonore que grossier avant de tourner les talons pour rejoindre le salon.

Jan posa son ordinateur portable sur le bureau et se pencha pour humer l'odeur des freesias, tout en jetant un coup d'œil à la pièce. Un endroit magnifique, à l'ambiance désordonnée et masculine, plein de lumière, de livres, de CD. Cela sentait la cire et les fleurs.

Se redressant, Jan vit que Kate la fixait. Elle se sentit rougir.

— C'est une très belle pièce, commenta-t-elle.

Elle regretta aussitôt cet accès de sensiblerie.

— Mademoiselle Dowie, commença-t-elle, j'aimerais

tout d'abord vous présenter mes condoléances pour le décès de votre oncle.

C'était un préambule classique destiné à arrondir les angles. Kate inclina la tête.

— Malheureusement, poursuivit Jan, sa mort a eu des répercussions sur l'hypothèque du domaine, et je crains que nous ne soyons obligés de reconsidérer notre accord.

Les mots paraissaient si vides de sens que Jan avait presque honte de les prononcer. C'était pourtant un procédé habituel chez Ingram Lawd, elle avait déjà débité ce discours des dizaines de fois et dans toutes sortes de situations. Seulement, à l'époque, elle était sûre d'elle, en position de force.

« Si les gens ne savent pas gérer leur patrimoine, ils le perdent, voilà tout ! » déclarait Duncan. Mais ce n'était pas si simple. Jan avait épaulé Duncan, géré leur quotidien, donné tout ce qu'elle avait à donner. Et un jour, tout son univers s'était écroulé sans qu'elle puisse rien faire.

Un instant, elle perdit le fil de ses idées, puis se reprit :

— En l'état actuel des choses, nous n'avons plus aucune garantie, étant donné que M. Alder a plusieurs fois pris du retard dans ses remboursements. Je crains donc que nous ne soyons obligés de refuser le transfert de l'emprunt à une autre partie. (Elle marqua une courte pause, puis continua :) Nous sommes par conséquent dans l'obligation de solder le prêt, ce qui, je le précise, est parfaitement légal.

Jan se tut, les yeux rivés au parquet. Quant à Kate, elle n'osait parler. Son cœur battait la chamade, ses paumes étaient moites de sueur.

— Vous comprenez ce que cela signifie, n'est-ce pas ? murmura enfin Jan.

Comme Kate secouait la tête, elle déclara :

— Eh bien, cela signifie que nous exigerons le remboursement de l'emprunt dans son intégralité d'ici trois mois.

— Dans son intégralité ? s'exclama Kate. Vous plaisantez ? C'est impossible ! Vous avez certainement bien appris votre leçon, vous savez ce que vaut la propriété à l'heure actuelle ?

— Oui. C'est un des éléments que nous avons dû prendre en compte.

— Alors comment suis-je censée rembourser un emprunt que la vente de la propriété ne couvrirait même pas ? Eddy, est-ce légal ?

Ce dernier fit une grimace.

— Je n'en suis pas certain, mais je pense qu'ils sont obligés de te donner une option.

— Une option ? Est-ce possible ? demanda Kate en se tournant vers Jan.

Cette dernière hésita et, sans bien comprendre ses propres motivations, elle acquiesça :

— Oui, c'est possible, bien que, de notre part, cela ne constitue pas du tout une obligation. Quand un souscripteur prend du retard dans ses remboursements, la garantie assurée par l'hypothèque ne fonctionne plus. Nous sommes tout à fait en droit d'exiger le remboursement intégral. Mais, bien sûr, vous pouvez faire appel par l'intermédiaire d'un avocat.

Mal à l'aise, elle toussota. D'ordinaire, cette information n'était pas criée sur les toits.

— Comment faut-il procéder pour faire appel ? s'enquit Eddy.

— Par le biais de votre avocat, comme je vous l'ai dit.

— En quoi consiste cette démarche ?

— Écoutez...

Jan hésita, se frotta le front avec lassitude. Les effets de l'alcool ne s'étaient pas encore dissipés.

— Ce n'est pas vraiment mon rayon, enchaîna-t-elle, mais vous devez demander à poursuivre les remboursements. Si vous apportez la preuve de votre solvabilité — par exemple, en trouvant le moyen d'augmenter les revenus du domaine —, alors nous serions susceptibles de trouver un terrain d'entente.

— Augmenter les revenus du domaine ? répéta Kate en lançant un regard interrogateur à Eddy.

— Comme, par exemple, ouvrir la maison au public ? hasarda celui-ci.

— Je n'en sais rien, c'est une éventualité, répondit Jan.

— Non ! trancha Kate.

Leo y avait pensé quelques années plus tôt. Mais le domaine ne correspondait pas aux critères du National Trust et, sans cet agrément, la démarche était sans espoir ; il y avait, entre autres, trop de lois à respecter concernant la sécurité publique.

— Bien, fit Jan en se levant, comme je vous l'ai dit, ce n'est pas mon rayon. D'ordinaire, je n'en divulgue pas autant à mes clients.

Kate la dévisagea fixement. Cette femme semblait triste et fatiguée et, en dépit de sa propre situation plus que précaire, elle eut soudain pitié d'elle.

— Alors, où en sommes-nous ? demanda-t-elle.

— Je viens de vous signifier l'annulation de l'emprunt. Notre contrat comporte une clause stipulant qu'il vous reste vingt et un jours pour faire appel. J'ai apporté quelques documents que je dois vous remettre.

Jan ouvrit son attaché-case et en sortit une chemise marron qu'elle tendit à Kate.

— Je dois aussi vous informer que, si vous êtes dans l'incapacité de rembourser le prêt dans son intégralité, nous saisirons la maison.

— Saisir la maison ! s'exclama Kate dans un sursaut.

— Oui, c'est la procédure normale. Ensuite, nous vendrons la propriété pour récupérer une partie de la dette, et nous vous intenterons un procès concernant le reste.

— Charmant ! commenta Eddy. Est-ce légal ?

— Mais tout à fait, monsieur… ?

— Gallagher. Dites-moi, que se passerait-il dans le cas où vous retireriez de la vente une somme plus importante que le montant de la dette ? En d'autres termes, si vous faisiez un bénéfice.

— Ce sont les affaires, monsieur Gallagher.

— Des affaires pas très propres, hein ?

Jan ne répondit pas. Il avait raison, bien entendu.

C'était de cette façon qu'ils avaient gagné autant d'argent, mais si Jan n'en était pas fière, elle n'allait pas l'avouer pour autant.

— Je suis désolée, commença-t-elle en saisissant son sac, je…

Elle s'interrompit. Elle avait failli dire qu'elle comprenait ce qu'ils éprouvaient mais, en vérité, elle n'en savait rien, et cela aurait sonné comme une platitude.

— Je vous rappellerai, acheva-t-elle gauchement.

— Oui, merci, répondit Kate.

— Je vous raccompagne, proposa Eddy.

Il alla ouvrir la porte. Jan le suivit et, sur un bref au revoir, elle sortit du bureau. Sur le perron, elle remercia Eddy et s'en alla sans un regard en arrière. Elle se demanda un instant où était Stefan, puis chassa cette pensée de son esprit.

Tu t'es assez ridiculisée pour aujourd'hui! songea-t-elle.

Et, vacillant sur ses talons hauts, elle s'éloigna dans l'allée.

Kate rejoignit Eddy dans le hall.

— Tu devrais boire quelque chose et manger un morceau, tu as l'air épuisée, lui dit-il.

Elle haussa les épaules. Il avait raison, mais la seule idée de manger la révulsait.

— Une tasse de café fera l'affaire, répondit-elle.

— Viens.

Il voulut lui prendre la main, mais elle se déroba et le précéda dans la cuisine.

Stefan y était assis, seul, Mme Able s'étant rendue au village pour faire des courses. Il lisait un magazine et releva la tête, l'air interrogateur, quand Eddy et Kate firent leur entrée.

— Mauvaises nouvelles?

Kate se laissa tomber sur une chaise. Derrière elle, Eddy se mit tranquillement à préparer du café.

— De très mauvaises nouvelles, renchérit-il. La

société de crédit veut solder l'emprunt dont la valeur dépasse largement celle de la maison. Quelle bande de salopards!

— Vous plaisantez?

— Non. Cette société va sans doute saisir le domaine, à moins que nous ne fassions appel. Puis ils nous enverront les huissiers quand ils seront prêts.

— Ils veulent saisir le domaine? En ont-ils le droit?

— Hélas oui!

— Vous savez, soupira Kate, je croyais que je ne voulais pas de Tonsbry. Mais, bon sang, quand je pense qu'on veut me l'arracher pour une poignée de livres, j'ai envie de me battre pour le garder!

— Tu penses ce que tu dis? demanda Eddy.

— Non, sans doute pas. Enfin, peut-être, si...

— Si quoi?

— Rien.

— Si je n'avais pas été impliqué, c'est ce que tu sous-entends? Si tu n'avais pas été obligée de me voir, tu en aurais eu le courage, c'est cela? dit-il d'une voix frémissante de colère.

— Oh, laisse tomber, Eddy!

— Puis-je faire quelque chose pour vous aider? demanda Stefan.

Kate lui sourit.

— C'est très gentil, Stef, mais je ne vois vraiment pas quoi. Ingram Lawd a décidé de solder le prêt consenti à Leo il y a plusieurs années. Même en vendant Tonsbry, je ne pourrai pas payer la dette. Actuellement, je dois environ 350 000 livres, et le domaine en vaut 200 000. C'est aussi simple que ça.

— Bon Dieu, Kate! Depuis quand sais-tu ça? s'exclama une voix près de la porte.

Kate se tourna vers Harry qui se tenait sur le seuil.

— Oh, Harry! fit-elle d'un ton détaché. Viens donc te joindre à la fête. Garçon, un autre café, s'il vous plaît! ajouta-t-elle à l'intention d'Eddy.

Harry prit place sur la chaise face à la jeune femme.

— Tu es en train de dire que le domaine est endetté, c'est ça ?

— Bravo pour ta perspicacité ! Oui, endetté, ruiné !

Elle eut un rire presque hystérique en voyant l'expression qui se peignait sur son visage, et ajouta :

— Tout comme moi, d'ailleurs. Et quand nous serons mariés, tu le seras aussi vraisemblablement. Il faudrait vérifier, mais j'imagine qu'on est responsable des dettes de son conjoint. La vie est drôle, non ? Qu'est-ce qu'on rigole !

Elle se claqua la cuisse avec un rire forcé.

— Kate, arrête, dit doucement Eddy.

Kate baissa soudain la tête.

— Je suis désolée, Harry, mais voilà mon héritage. Un cadeau empoisonné.

— Kate, mais c'est... affreux ! articula Harry.

— Oui, n'est-ce pas ?

Comme elle se levait, Stefan l'imita.

— Kate, je crois que je devrais m'en aller.

— Tu es le bienvenu, Stef. C'est-à-dire, si tu te sens capable d'endurer mon humeur de chien.

— Non, ce n'est pas ça...

En fait, il avait envie de courir après Jan. C'était un coup de tête, mais il ne pensait à rien d'autre et ne supportait pas de rester ainsi les bras croisés.

— J'ai l'impression de ne pas être à ma place. Vous avez des décisions à prendre...

— On peut le dire ! cracha Harry.

— Tu veux vraiment que je reste ?

— Non, tu as raison, dit Kate. Je dois réfléchir, et je crois que j'ai besoin de prendre l'air.

Stefan s'approcha de Kate debout près de la fenêtre et l'embrassa sur le front.

— Écoute, si je rattrape Jan, je peux peut-être la convaincre de patienter. Je te tiens au courant. Tu sais, les choses ne sont jamais aussi terribles qu'elles en ont l'air.

— Peut-être pas.

Mais Kate n'était pas convaincue. Elle ne supportait

pas l'idée de perdre Tonsbry. Elle aimait Leo et Leo avait aimé cette demeure.

— Merci ! lança-t-elle à Stefan comme celui-ci s'éloignait.

À son tour, Harry s'approcha.

— Kate ?

— Quoi ?

— Pourquoi ne m'as-tu rien dit ? Eddy le savait, lui, non ?

Elle ne répondit pas. Voyant Eddy sortir discrètement de la pièce, Harry pensa : Sale lâche ! Les rats quittent le navire, hein ?

— Je n'arrive pas à y croire, reprit-il. C'est… terrible ! Dieu merci, nous ne sommes pas encore mariés ! J'aurais pu tout perdre, mon appartement, foutre ma carrière en l'air…

— Harry !

— Hier et ce matin, tu m'as fait croire que tu venais d'hériter d'une grande maison et d'un domaine, ainsi que d'une somme d'argent substantielle…

— Je n'ai jamais dit ça !

— Et j'imagine que c'est la dernière fois que nous voyons ce rat qui vient de s'éclipser ! Seigneur, Kate, une faillite ! Il faut que tu t'inclines, tu n'as pas le choix.

— Vraiment ?

— Bien sûr ! Cela change tout. Je veux dire, nous n'allons pas prendre des dispositions légales tant que nous avons cette épée de Damoclès au-dessus de nos têtes. Ce serait stupide, voire dangereux.

— Bien sûr.

— Tu es bien d'accord avec moi ? À dire vrai, je ne m'attendais pas du tout à un tel coup de Jarnac. Toute cette histoire est très grave. Je ne sais pas si je peux me permettre de m'impliquer.

— Non, tu ne peux pas.

— Exactement ! Tu vas devoir procéder à tout un tas de formalités, de procédures juridiques. C'est un cauchemar ! Nous ne pouvons pas annoncer nos fiançailles en de telles circonstances !

Un silence gêné plana. Puis, curieusement indifférente, Kate acquiesça :

— Tu as raison.

Harry la considéra un moment, l'air dubitatif.

— J'ai besoin de réfléchir, Kate. Nous devons tous deux réfléchir, surtout toi.

— Bien entendu.

— Je t'en prie, essaie de comprendre. Je ne peux pas me retrouver englué dans une telle situation…

— Non.

— Cela n'a rien à voir avec toi, c'est juste… le contexte. Écoute…

Il prit soudain ses mains froides dans les siennes.

— Écoute, répéta-t-il, je pense qu'il vaut mieux que je retourne à la caserne sans attendre, que j'écourte le week-end pour te laisser le temps de faire le tri dans ta tête.

— Oui.

— Je vais faire ma valise et, d'ici une heure, je serai parti.

— D'accord.

— Tu comprends, n'est-ce pas ? dit-il encore d'un ton implorant.

— Tout à fait.

C'était parfaitement clair, et le pire, c'est que cela ne l'attristait pas vraiment.

— Tu dois faire ce qui te semble bien, Harry.

— Oui, voilà.

Il lâcha ses mains, gêné tout à coup par l'idée d'un contact physique. Soulagée, Kate demanda :

— Veux-tu que je te raccompagne ?

— Oh, eh bien, je…

Il ne savait pas trop comment gérer la situation. Sans doute était-il un peu déçu que Kate n'ait pas protesté plus que cela.

— Non, ne prends pas cette peine, je vais me débrouiller tout seul, assura-t-il. Je suis sûr que tu as beaucoup à faire.

— Non, pas vraiment.

Elle ne voyait pas l'intérêt de mentir par simple politesse.

Harry recula vers la porte.

— Ça va, Kate? demanda-t-il, plus par acquit de conscience que par sollicitude.

— Très bien.

Tout en se servant en sucre, elle entendit le bruit de ses pas dans le couloir.

— Je vais très bien, dit-elle à voix haute dans la cuisine déserte. Pourquoi n'irais-je pas bien?

Et, s'asseyant devant son café, elle mit la tête entre ses mains et éclata en sanglots.

Au bout de l'allée, Jan regarda à gauche et à droite de la route. Dans quelle direction se trouvait le village? Elle n'en avait pas la moindre idée. Une pluie fine s'était mise à tomber, elle avait une ampoule au talon et se sentait éreintée.

Sur son téléphone portable, elle composa le numéro que lui avait donné le chauffeur de taxi et demanda qu'il vienne la chercher. On lui répondit qu'elle devrait patienter une demi-heure.

— Certainement pas! répliqua-t-elle. Du village à Tonsbry House, il y a dix minutes de trajet et je paye pour attendre. Je veux qu'il soit là dans un quart d'heure.

Elle coupa la communication.

Elle avait désespérément envie de faire pipi. Les buissons alentour étaient trempés de pluie et elle n'aimait guère la campagne, mais bon, il y avait urgence.

Ayant repéré un endroit retiré de l'autre côté de la route, elle traversa la chaussée. Ses affaires déposées dans l'herbe mouillée, elle escalada péniblement la clôture, atterrit de l'autre côté et se tordit la cheville. Boitillant, elle longea le champ boueux en direction d'un bosquet d'arbres situé près d'une haie, puis jeta un coup d'œil autour d'elle pour s'assurer que personne ne l'épiait. Prestement, elle s'accroupit, sans cesser de surveiller les alentours.

Stefan remonta l'allée à petites foulées régulières. Parvenu devant l'entrée de la propriété, il ralentit l'allure, et comme il embrassait le paysage d'un regard circulaire, il aperçut les affaires de Jan posées par terre de l'autre côté de la route.

Il traversa et l'appela. Une exclamation étouffée lui parvint et, inquiet, il sauta par-dessus la clôture.

Le spectacle sur lequel il tomba le prit au dépourvu. D'instinct, il comprit que Jan serait morte de honte de se voir surprise dans une telle position. Aussi, sans un mot, il rebroussa chemin, passa de l'autre côté de la route et attendit. Il n'était pas du genre à humilier sciemment une dame.

Jan se releva et ajusta ses habits. Jetant un coup d'œil par-dessus la haie, elle vit Stefan debout devant un pilier de pierre. Dieu merci, elle n'avait pas répondu quand il l'avait appelée !

Une fois devant la clôture, elle chercha le moyen de s'en sortir avec dignité quand Stefan se matérialisa près d'elle.

— Puis-je vous aider ?

Elle acquiesça et accepta sa main tendue, avant de se hisser par-dessus le rondin de bois. Lorsqu'il la souleva pour la faire passer de l'autre côté, Jan se sentit légère comme une plume et émoustillée comme une adolescente. En réalité, elle pesait plus de soixante kilos, et elle n'avait rien d'une jeunesse. Pourtant, en dépit de la différence d'âge, elle avait l'impression de retrouver ses vingt ans en compagnie de Stefan.

— Merci, lui dit-elle.

Elle ramassa ses affaires, et ils retournèrent de l'autre côté de la route, où le sac de Stefan gisait par terre.

— Vous vous en allez aussi ? s'étonna-t-elle.

— Oui, Kate a besoin de réfléchir. J'aurais dû y penser avant de me précipiter ici bille en tête. Dites donc, ce n'est pas un boulot très sympa, ce que vous faites.

Jan baissa les yeux en rougissant.

— Je sais, murmura-t-elle, au bord des larmes. Je n'aurais jamais dû venir, je...

— Vous avez accepté à cause de votre mari ? Même si vous le détestez pour ce qu'il vous a fait, vous ne savez pas lui dire non, c'est ça ?

Jan sursauta.

— Comment diable... ?

— Je comprends ce que vous ressentez, c'est tout.

Il lui posa la main sur le bras dans un geste réconfortant. Jan ravala un sanglot et, ouvrant son sac à main, chercha un mouchoir. Celui qu'elle dénicha était chiffonné et maculé de taches de rouge à lèvres. Elle se moucha pourtant. La gentillesse de Stefan la bouleversait.

— Je n'aurais pas dû venir, répéta-t-elle d'une voix chevrotante. Je l'ai compris dès que j'ai mis les pieds dans cette maison. Kate Dowie... c'est votre amie, n'est-ce pas ? Elle semble très sympathique, c'est affreux, ce qui lui arrive. Je ne suis même pas sûre que solder le prêt soit la meilleure solution. Parfois, ces derniers temps, je me suis interrogée sur l'éthique de Duncan. Pas ouvertement, bien sûr...

Elle s'interrompit en bredouillant. Stefan prit un mouchoir propre dans sa poche et le lui offrit. Elle se tamponna les yeux et soupira :

— Pourquoi est-ce que je vous raconte tout ça ? Je n'en sais rien moi-même.

— Parce que vous m'aimez bien ?

Comme elle secouait la tête, il ajouta :

— Alors, c'est parce que vous sentez que je vous comprends et que vous avez besoin de parler à quelqu'un.

— Peut-être.

Jan se moucha dans le mouchoir avant de se rappeler qu'il appartenait à Stefan.

— Oh, désolée ! Je vais le laver...

— Ne soyez donc pas si coincée !

Elle s'essuya les yeux, prit une profonde inspiration.

— Comment se fait-il que vous soyez si compréhensif ? Êtes-vous éducateur ou pédagogue ?

— Quelque chose dans le genre, répondit-il avec un haussement d'épaules.

Ce n'était pas si éloigné de la réalité. Une partie de son charme tenait au fait qu'il comprenait d'emblée les problèmes des femmes qu'il escortait. Il savait les écouter, ce que leurs maris, amants ou collègues se révélaient incapables de faire.

— Écoutez, dit-il, maintenant que nous sommes ici, pourquoi ne pas partager le taxi jusqu'à la gare et rentrer ensemble à Londres ?

Jan le dévisagea un instant en se demandant s'il était sérieux. Elle ne vit que des traits bien ciselés et des yeux bleus très clairs. S'il se jouait d'elle, il était vraiment excellent comédien !

— Si vous voulez, acquiesça-t-elle.

Il s'agissait probablement d'une manœuvre destinée à aider son amie Kate, toutefois il y avait une petite chance pour qu'il apprécie simplement sa compagnie. Quoi qu'il en soit, elle avait décidé d'accepter sa proposition. De toute façon, elle n'avait rien à perdre.

— J'ai appelé la compagnie de taxis il y a dix minutes, la voiture ne devrait plus tarder, précisa-t-elle.

— Parfait ! fit Stefan.

Puis, souriant à Jan, il se baissa pour ramasser ses affaires.

10

— Papa, viens ! Mamie a dit de passer à table.

Eddy se détourna de la fenêtre de Gully Cottage qui faisait face à Tonsbry House pour regarder Flora. Sa serviette était coincée dans son col, et elle avait une trace de ketchup au coin de la bouche.

— Tu as mangé du ketchup ?

— Non, répondit-elle en secouant résolument la tête.

— Flora !

— Ouais…

Eddy la suivit dans la cuisine et aperçut une bouteille de ketchup sur la table.

— Elle est retombée dedans! dit-il à sa mère.

— Dans quoi?

— La bouteille de ketchup.

— Eddy, ce n'est pas grave, dit Faye Gallagher avec indulgence. Tous les enfants aiment le ketchup. Et moi aussi, surtout avec des bâtonnets de poisson.

— Tu n'es pas obligée de l'encourager! s'exclama Eddy en riant.

— Non, c'est vrai. Enfin, peux-tu me dire ce que tu trouves de si intéressant à Tonsbry ce soir? Tu n'as pas quitté la fenêtre depuis que tu es rentré.

— Kate.

Faye s'approcha de la table, deux assiettes pleines à la main. Elle s'assit.

— Flora, t'es-tu lavé les mains?

— Ouais.

— Qu'y a-t-il à propos de Kate? s'enquit Faye.

— Je n'en sais rien. Toute la journée, les lumières sont restées éteintes et, comme elle a reçu de mauvaises nouvelles ce matin, je…

— Flora, mange ce que tu as dans ton assiette. Oui, Eddy, tu quoi?

— J'espère simplement qu'elle n'est pas assise toute seule dans le noir.

— Étaient-elles si mauvaises que ça, ces nouvelles?

— Très mauvaises.

— Peut-être Kate est-elle repartie à Londres?

— Oui, peut-être.

— Où est Londres? demanda Flora.

— C'est une grande ville, chérie. Comme celle qui se trouve dans l'histoire du petit ours polaire, tu t'en souviens? répondit son père, tout en se demandant s'il allait réussir à s'entretenir sérieusement avec sa mère sans être interrompu toutes les cinq minutes.

— Oui. Je peux avoir d'autre ketchup?

— Finis d'abord tes pommes de terre, et on verra ensuite.

— Pourquoi ne vas-tu pas jeter un coup d'œil là-bas pour t'assurer qu'elle va bien ? suggéra Faye. Ça ne sert à rien de rester ici à te tracasser.

— Je ne me tracasse pas.

— C'est quoi, se tracasser ? demanda Flora.

— S'inquiéter.

Eddy regarda sa mère et sa fille pendant une minute, puis il posa ses couverts.

— Je crois que tu as raison.

— Comme toujours !

— Oui, comme toujours, admit-il avec un sourire. Je me tracasse vraiment. Je vais lui rendre une petite visite.

— Bonne idée.

— C'est quoi, une bonne idée ?

Faye leva les yeux au plafond et Eddy se mit à rire. Il se pencha pour embrasser Flora sur le front.

— Papa, c'est quoi, une bonne idée ?

— Allez, finis ton dîner.

— Où tu vas ?

— Je sors un peu. Je rentrerai pour te donner ton bain.

— Je peux venir avec toi ?

— Non, mange.

Eddy se leva et saisit son manteau.

— Pourquoi je ne peux pas venir ? protesta Flora.

— Parce que tu raterais la tarte aux pommes et la glace que mamie a prévues pour le dessert.

— De la tarte ? C'est vrai, mamie ?

— À tout à l'heure ! lança Eddy.

Il n'y eut pas de réponse. La dernière chose qu'il entendit fut sa mère qui disait :

— Non, seulement quand tu auras mangé toutes tes pommes de terre et ton poulet. Allez, dépêche-toi...

Souriant, Eddy alluma sa lampe torche et prit la direction de Tonsbry House.

Quand il arriva devant la maison, celle-ci était plongée dans l'obscurité, ce qui le mit mal à l'aise. Qu'allait-il faire s'il découvrait que Kate était repartie pour Londres ? Il ne pouvait supporter cette idée, tant que les problèmes de Tonsbry n'étaient pas résolus.

Puis, trouvant la porte de derrière ouverte, il sut qu'elle était toujours là. Il entra, alluma le plafonnier et se rendit dans la cuisine. C'était la pièce préférée de Kate, et il l'y trouverait sûrement si elle n'était pas couchée.

Doucement, il ouvrit la porte, balaya la pièce du faisceau lumineux de sa lampe, et il la vit, assise à la table, son manteau posé sur ses épaules, profondément endormie.

Eddy alla chercher une couverture, puis revint pour en envelopper la jeune femme. Il alluma une lampe, afin qu'elle ne se retrouve pas dans le noir si elle se réveillait, et il s'apprêta à quitter les lieux.

Comme il refermait la porte, Kate l'appela :

— Eddy, c'est toi ?

— Désolé, je ne voulais pas te réveiller.

— Oh, ça va, j'ai dormi pendant une éternité ! dit-elle en se frottant les yeux. Merci pour la couverture, je gelais.

C'était la première fois depuis des jours qu'elle le voyait sans éprouver de la colère.

Eddy demeura près de la porte, à bonne distance. Au réveil, Kate était exactement comme dans son souvenir, les cheveux en bataille, un peu hébétée, et si attendrissante qu'il sentit son cœur battre plus vite. Sa réaction le surprit et il eut envie de déguerpir au plus vite.

— Tu restes ? demanda-t-elle alors.

Il haussa les épaules, et proposa :

— Tu veux un peu de thé ?

— Je crois que je préfère quelque chose de plus fort. Je vais regarder dans le garde-manger.

Elle se leva et s'étira.

— Il y a du cognac, annonça-t-elle, et une espèce de bière maison qui m'a l'air plutôt éventée. Ah ! et aussi du Tonsbry Original ! ajouta-t-elle après quelques secondes. Je crois que c'est du gin, tu en veux ?

— Va pour du gin.

Comme elle refermait le garde-manger, Eddy hésita, ne sachant trop comment prendre ce brusque changement d'humeur chez Kate. Il y a peu, elle ne supportait pas sa vue, et maintenant voilà qu'elle lui offrait un verre !

— Je ne sais pas ce qu'il faut mettre dedans, dit-elle. On peut peut-être le boire pur ?

Elle se mit en quête de deux verres.

— Kate ?

— Mmm ?

— Pourquoi ce revirement ?

Elle s'immobilisa près de l'évier et, sans se retourner, répondit :

— C'est purement égoïste, je le crains. Je n'ai pas envie de rester seule ce soir.

Sans croiser son regard, elle lui fit face, les deux verres à la main. Après avoir déposé la bouteille de gin sur la table, elle se rassit.

— Je ne pense pas qu'il y ait de la glace. Bah, tant pis, buvons !

Elle ouvrit la bouteille et, sans faire de cérémonies, poussa un verre plein vers Eddy qui prenait place en face d'elle. Puis elle se servit.

— Mmm, pas mal, fit-elle en regardant la bouteille. Même plutôt excellent. Il y a un goût d'aromate, comme dans certaines liqueurs. En tout cas, il mérite d'être bu pur. Le nom sonne bien, je me demande d'où il...

— Kate ?

Un bref silence retomba, puis elle demanda :

— Tu veux savoir ce que j'ai l'intention de faire, c'est ça ?

— Nous devrions au moins en discuter. D'autres gens sont concernés, tu dois prendre rapidement une décision.

— Je sais.

Elle vida son verre, le remplit aussitôt et prit une gorgée avant de poursuivre :

— Tu vas devoir être patient. Je n'ai appris la nouvelle

qu'aujourd'hui, et je suis encore sous le choc. Pourtant, j'ai déjà un peu réfléchi, et je trouve que tout ceci, mon existence entière, est un véritable paradoxe !

Comme il la fixait sans mot dire, elle continua :

— Tu vois, tu es parti avec Alice parce qu'elle attendait ton enfant, qu'elle se raccrochait désespérément à ce bébé, même si cela devait ruiner notre bonheur ; puis elle t'a quitté en abandonnant cet enfant qu'elle désirait tant. Ensuite, il y a Tonsbry, mon héritage, qu'à dire vrai je n'étais pas sûre de vouloir. J'avais pratiquement décidé de vendre. À quelqu'un de correct, bien sûr, qui aurait pris soin d'entretenir le domaine. Et le jour où l'on m'apprend que je vais en être dépossédée, je n'en supporte pas cette idée !

Après avoir bu une longue gorgée, elle reposa son verre sur la table d'un bruit sec.

— Tu veux dire que tu souhaites garder Tonsbry ?

— Je n'en sais rien ! Mais je ne peux pas laisser cette Ingram débouler ici et prendre ce pour quoi Leo a tant lutté ! Ils obtiendraient le domaine pour une bouchée de pain, ensuite ils le transformeraient sans doute en appartements de luxe, ou quelque chose d'aussi affreux. Et moi, je serais toujours couverte de dettes. Bon sang, Eddy, tu imagines !

Elle attrapa la bouteille, versa une bonne rasade dans chaque verre.

— Mais comment puis-je me débrouiller pour garder Tonsbry ? C'est impossible ! Tu as entendu ce qu'elle a dit, il faudrait augmenter les profits, créer une nouvelle source de revenus... Tu as déjà exploré toutes les possibilités !

— Je n'en sais trop rien, Kate. Pour le moment, je n'ai pas de solution miracle mais, si tu veux te battre, alors il faut le faire.

— Et prendre par la même occasion un sacré risque personnel !

Silencieux un moment, il demanda soudain :

— Et Harry ? Il va t'aider, non ?

Kate haussa les épaules.

— Harry est parti. Il ne veut pas d'ennuis.

— Oh, je vois. Et... tu tiens le coup ?

— Voilà, classique ! C'est celui qui m'a jetée en premier qui me réconforte le jour où le second me largue aussi ! Mais bon, je tiens le coup, et même plutôt bien. Tu sais, je commence à avoir l'habitude des fiançailles brisées.

— Kate, je t'en prie !

Eddy se sentait gagné par la colère. Il avait cru que Kate s'était amadouée et, au bout de deux minutes de conversation, voilà qu'elle ressortait ses griffes et recommençait à ressasser le passé.

— Vas-tu enfin tirer un trait sur tout ça ? s'exclamat-il, exaspéré. Il faut vivre ta vie.

— Et que crois-tu que j'aie fait durant les quatre dernières années ? Je ne les ai pas passées à pleurer !

Ils se dévisagèrent, furieux, puis Eddy remarqua qu'elle frissonnait en dépit de son manteau et de la couverture.

— Tu as froid, commenta-t-il.

— J'ai les pieds gelés, avoua-t-elle, soudain calmée. J'ai trempé mes chaussures en marchant et, maintenant, j'ai l'impression d'avoir deux blocs de glace au bout de chaque jambe.

— Fais voir...

Il se pencha et souleva l'un de ses pieds pour le poser sur son genou. Kate faillit se dégager, mais la chaleur de ses mains la surprit agréablement.

— Eh, c'est vrai ! Tes chaussettes sont à tordre !

Il lui ôta sa chaussure, puis sa chaussette, et entreprit de lui frictionner le pied. Ce contact était si intime que Kate tressaillit.

Eddy avait agi sans arrière-pensée. Ce geste lui semblait naturel mais, tout à coup, il le trouva si érotique qu'il retint son souffle.

— L'autre pied, s'il te plaît, lui enjoignit-il.

Kate changea de jambe et il reprit son massage.

— Ça va mieux ?

— Oui.

144

— Je vais te chercher des chaussettes sèches, dit-il en se levant. Il doit y en avoir dans le placard à chaussures.

— Non, ne pars pas...

Il la regarda et, lentement, se rassit. Puis, rapidement, il entreprit d'ôter ses propres chaussettes.

— Tiens, prends les miennes alors...

— Les vieilles habitudes ne se perdent jamais ! murmura-t-elle en souriant.

Elle avait un tiroir plein de chaussettes empruntées à Eddy chez elle, à Londres. Elle n'avait jamais eu le cœur de les jeter.

— Merci, dit-elle encore en enfilant les chaussettes.

Puis elle jeta la tête en arrière et ferma les yeux. L'alcool la grisait.

— Je crois que nous devrions diluer ce gin, fit remarquer Eddy en renfilant ses pieds nus dans ses bottes. Sinon, nous allons rouler sous la table.

— J'y vais, dit Kate en se redressant brusquement.

— Non, non, inutile, je...

Ils se levèrent en même temps, Kate les jambes flageolantes, Eddy ses bottes à moitié enfilées et, inévitablement, ils se cognèrent. Eddy perdit l'équilibre et se rattrapa à Kate pour ne pas tomber. Tels des danseurs de tango maladroits, ils se heurtèrent.

Kate sentit le corps dur d'Eddy contre le sien. Elle ferma les yeux. L'instant d'après, elle sentit ses lèvres se poser sur les siennes. Elle n'en fut pas surprise outre mesure, elle attendait presque ce baiser. Mais l'effet qu'il produisit sur elle la stupéfia. L'espace d'une seconde, elle demeura pétrifiée par le plaisir qui la transperçait. Puis ses yeux s'ouvrirent et son regard plongea dans celui d'Eddy.

Enfin, la réalité reprit ses droits. S'arrachant à son étreinte, elle le repoussa si fort qu'il heurta la table.

— Mais qu'est-ce que tu fais ? cria-t-elle.

Il poussa une exclamation sourde en se frottant la hanche, puis tourna un regard furibond vers elle.

— Comme si tu ne le savais pas ! Je t'embrasse, voilà

ce que je fais, et il me semble que tu ne m'offres pas beaucoup de résistance!

— Je viens de te repousser! Va-t'en, fiche-moi le camp, Eddy!

— Qu'ai-je fait, encore? Tu as provoqué ce baiser, tu m'as fait croire que...

— Quoi? Je n'ai rien fait de tel! C'est vraiment typique de ta part, ça! Tu détournes la vérité à ton avantage. Bon sang, tu me dégoûtes!

En proie à la plus intense confusion, Kate recula vers le mur. Pourquoi diable s'imaginait-il qu'elle avait désiré ce baiser? Comment osait-il? Après tout ce qu'il lui avait fait?

— Va-t'en, quitte le domaine! cria-t-elle encore.

— Le domaine?

— Oui! Dès que possible. Je me fiche de ce que voulait Leo, je ne veux plus jamais te revoir, compris? Va-t'en!

Soudain muet, Eddy la dévisagea. Puis il articula:

— Tu ne penses pas ce que tu dis, n'est-ce pas, Kate?

— Bien sûr que si!

Elle était tellement hors d'elle qu'il lui était impossible de rester lucide. Le sang pulsait à ses tempes. Elle avait le vertige.

Eddy demeurait immobile, les yeux écarquillés.

— Va-t'en! Mais va-t'en! hurla-t-elle.

La puissance de sa voix parut l'arracher à sa transe. Il ajusta ses bottes, saisit son manteau, calmement, sans se presser. Il ne voulait pas que ses gestes trahissent le désarroi dans lequel il était plongé. La porte était toujours ouverte. Il longea le couloir obscur sans se retourner. Il aurait voulu voir le visage de Kate, se convaincre qu'elle ne plaisantait pas, mais sa fierté l'en empêcha.

Un silence sinistre retomba sur la maison. Tremblante, Kate se recroquevilla par terre, contre le mur. Puis tout à coup, une sonnerie stridente retentit. Kate releva la tête. Tel un automate, elle gagna le bureau et, sans prendre la peine d'allumer la lumière, décrocha le téléphone.

146

— Kate chérie ? C'est maman !

Comme Kate ne répondait pas, Adriana poursuivit :

— Kate, tu vas bien ?

— Non ! éclata Kate. Tout va mal ! C'est affreux, et je ne sais pas quoi faire !

Sa fureur se changea en larmes qui se mirent à ruisseler le long de ses joues.

— Calme-toi, Kate.

À l'autre bout du fil, Adriana alluma une cigarette et saisit son verre de vin. Elle n'avait pas appelé à Tonsbry depuis une éternité mais, maintenant, elle ne regrettait pas de l'avoir fait.

— Respire, chérie. Assieds-toi et raconte-moi tout. Je connais le domaine depuis très longtemps, et je suis sûre que je vais trouver une solution.

Une heure plus tard, dans son appartement de la rue Raynouard, Adriana se résolut à faire sa valise. Elle détestait préparer ses bagages pour Londres. On ne s'y habillait pas du tout comme à Paris, et elle n'avait presque rien qui convenait. Dès son arrivée, il lui faudrait faire un saut chez Simpson et Harvey Nick. Tout cela était fort ennuyeux, pourtant elle n'était que vaguement irritée tant elle avait envie d'être auprès de Kate pour s'assurer que sa fille n'allait pas prendre la mauvaise décision.

Tout en étalant ses tenues sur le lit, Adriana les rayait une à une de sa liste. Elle était d'une nature très méticuleuse. Chaque détail comptait à ses yeux, et quand elle faisait quelque chose, quoi que ce soit, elle le faisait correctement. Quand elle voyageait, elle dressait la liste de ce qu'elle avait besoin d'emporter dans sa valise, son sac de voyage, son vanity-case, son sac à main. Tous les objets étaient empilés avec soin, revérifiés, puis rangés méticuleusement. Bien sûr, d'habitude c'était une domestique qui se chargeait de la besogne sous l'œil vigilant d'Adriana. Mais ce soir, elle avait décidé de partir sur un coup de tête, et n'avait personne sous la main.

Comme elle déposait sur le lit sa tenue de voyage, une paire de bas, des chaussures et des sous-vêtements, elle entendit la porte d'entrée se refermer et traversa précipitamment la pièce pour appeler Pierre.

— Chéri ! Je suis dans la chambre.

Elle l'entendit échanger quelques mots avec la bonne et retourna à sa valise en l'attendant.

— Pierre chéri, te voilà ! s'écria-t-elle en le voyant apparaître dans l'embrasure. J'ai essayé de t'appeler plusieurs fois pour te prévenir de…

— Où vas-tu cette fois, Adriana ?

Elle eut l'élégance de rougir et s'assit brusquement sur le lit.

— Kate m'a appelée tout à l'heure, dit-elle en ne déformant que légèrement la réalité. Elle ne va pas bien du tout, et elle a besoin de moi. Bien entendu, il n'est pas question que je séjourne dans cette horrible vieille bicoque, mais je ne peux pas non plus rester à Paris. Je vais aller à Londres. Au moins, là-bas, je pourrai faire un saut à Tonsbry en voiture. Tu comprends, n'est-ce pas ?

Pierre retira sa veste.

— Ton instinct maternel se réveille ? Je suis impressionné.

— Oh, pas la peine de te moquer ! Je ne suis peut-être pas la mère la plus attentionnée du monde, mais je ne refuse jamais d'aider ma fille quand elle a besoin de moi.

— Adriana, je viens tout juste d'arriver à Paris. J'ai renoncé à mes vacances pour te rejoindre. Tu vas peut-être me demander de t'accompagner à Londres, maintenant ?

Elle haussa les épaules.

— Que se passe-t-il avec Kate ? Elle m'a toujours semblé être une jeune femme raisonnable.

— C'est cette satanée maison ! Leo lui a légué Tonsbry, avec Eddy Gallagher par-dessus le marché, et il s'avère que le domaine est criblé de dettes ! Maudit Leo ! De toute façon, il n'aurait jamais dû hériter du domaine. Il n'a jamais eu la moindre idée de la façon dont il fallait le gérer. Toutes ses tentatives ont échoué lamentablement, je le précise. Et pour couronner le tout, il a loué un cottage à Eddy Gallagher ! Comme si Kate n'avait pas assez de soucis !

Se tournant vers sa coiffeuse, Adriana entreprit de se brosser les cheveux avec vigueur.

— Je lui ai dit de se débarrasser de ce type ! poursuivit-elle. Et de vendre cette fichue propriété. Je lui ai promis d'éponger toutes ses dettes si elle suivait mes conseils.

Avec calme, Pierre se leva et lui confisqua la brosse avant qu'elle ne commette des dégâts. Comme il retournait s'asseoir, elle enchaîna :

— Mais elle me parle d'une source de revenus supplémentaire qu'il lui faudrait trouver afin de remettre le domaine à flot. J'ai aussitôt décidé d'aller la rejoindre. Je ne peux pas la laisser s'enliser dans une situation impossible, elle s'en mordrait les doigts toute sa vie. Je lui ai dit : « Kate, je ne te prêterai pas un sou pour te couvrir de ridicule comme Leo l'a fait ! Tire-toi d'affaire tant que tu en as encore l'occasion ! » Et je lui ai dit…

— Adriana ?

Elle s'interrompit, et le regarda.

— Adriana, tu ne m'avais pas dit que c'était Kate qui avait hérité de la maison.

— Cela ne m'a pas paru si important que ça ! prétendit-elle avec un petit geste désinvolte, mais en se tournant pour qu'il ne voie pas son visage.

Pierre connaissait sa femme mieux qu'elle ne le pensait et il se promit dorénavant de surveiller son épouse plus attentivement.

— Oui, c'est tout à fait secondaire, répliqua-t-il.

— Exactement !

Elle lui fit face, les traits détendus, mais il détecta un soupçon de colère dans ses yeux.

— Quand dois-tu partir ?

— Oh, je savais que tu comprendrais ! s'exclama-t-elle en souriant.

— Ne suis-je pas toujours très compréhensif ?

Elle s'approcha de lui pour l'embrasser sur la joue, et

posa ses belles mains douces et lisses de chaque côté de son visage.

— C'est vrai, convint-elle. Alors, tu m'accompagnes ?

— Pas pour le moment, chérie. Mais peut-être dans une semaine ou deux ?

Adriana était plus facile à surveiller de loin que de près.

— Bon, comme tu veux, répondit-elle.

11

Jan Ingram pénétra dans l'immeuble où se situaient les bureaux d'Ingram Lawd et traversa le hall de marbre. Elle était en retard, et ce maudit ascenseur mettait un temps fou à monter. À une certaine époque, elle aurait gravi quatre à quatre les cinq étages afin de gagner quelques précieuses minutes. Plus maintenant.

Elle sortit de son sac le magazine *Vogue* et termina l'article qu'elle avait commencé à lire dans le taxi qui l'avait amenée. Elle ne prit même pas la peine de consulter sa montre. Elle était plus qu'en retard, la matinée était déjà à moitié passée, mais Jan pouvait se le permettre. C'était sa société.

Lorsque l'ascenseur atteignit enfin le cinquième étage, Jan avait refermé son magazine, recoiffé ses cheveux malmenés par le vent, et retouché son maquillage. Elle sourit à la réceptionniste — encore une de ces gamines impeccables de la tête au pied —, et décida qu'elle allait avant toute chose appeler le bureau de recrutement. Ils pouvaient sûrement dénicher des employées pubères sur leurs listings, non ?

Le couloir était désert, ce qui était normal étant donné que la réunion matinale devait se dérouler en ce moment même. Parvenue dans son bureau, Jan inspecta rapidement son courrier, puis appela sa secrétaire par l'interphone.

— Bonjour, Molly. Pourriez-vous m'apporter une tasse de café, s'il vous plaît ? Oui, je sais que j'ai raté la réunion, mais Duncan me fera un topo sur les points importants. Merci.

Elle s'assit, décacheta machinalement deux ou trois lettres, puis son regard tomba sur le dossier Tonsbry posé sur le bureau. À cet instant, le téléphone sonna.

— Oui, Molly ? Oh, vraiment ? Oui, bien sûr, passez-le-moi.

Souriant, Jan attendit que sa secrétaire lui passe la communication. Puis elle dit :

— Stefan, bonjour ! Comment allez-vous ? Oui, bien, merci. Non, je n'ai pas encore eu le temps, je viens juste d'arriver au bureau. Je comptais y jeter un coup d'œil tout à l'heure. Non, nous n'avons pas encore pris de décisions. (Elle rit.) Bien sûr que je fais exprès de vous laisser sur le gril ! Oui, bien entendu, je vous tiens au courant. Puis-je vous joindre sur le numéro de portable que vous m'avez donné ? Parfait. Je ne pense pas avoir besoin de vingt-quatre heures, mais merci quand même. Et merci d'avoir appelé. Au revoir !

Raccrochant, elle se pencha pour prendre dans son sac ses cigarettes et son poudrier. Elle inspecta son visage dans le miroir, effleura du doigt la commissure de ses lèvres où le rouge avait un peu coulé, puis alluma une cigarette.

Pour la première fois depuis longtemps, elle se sentait enfin maîtresse de la situation. Oui, elle allait s'occuper du dossier Tonsbry. Oui, elle allait sans doute intervenir, mais seulement parce qu'elle en avait envie, parce que Kate Dowie l'avait impressionnée favorablement, et sans doute aussi parce qu'elle avait ainsi le sentiment de gommer ses désillusions professionnelles. Bien entendu, elle voulait aussi aider Stefan, et également doubler Duncan, mais ce n'étaient pas les raisons essentielles. Une petite heure en train avait suffi à lui prouver qu'elle était capable de retenir l'attention d'un jeune homme, de lui plaire, de l'amuser, et elle avait recouvré son assurance.

En entendant dans le couloir la voix familière de

Duncan aux intonations coléreuses, Jan sourit, ce qu'elle n'aurait pas fait une semaine plus tôt.

La porte s'ouvrit et Duncan Lawd pénétra dans le bureau.

— Qu'est-ce que tu trafiquais ? s'écria-t-il.

Jan arqua ses sourcils récemment épilés.

— Ça ne te regarde pas, rétorqua-t-elle. Néanmoins, par pure courtoisie, je vais te le dire. Je...

— Tu as été chez le coiffeur !

— Comme c'est gentil de le remarquer.

Jan effleura ses cheveux brillants que, pour la première fois de sa vie, elle avait confiés à un coiffeur-visagiste dont les tarifs étaient absolument hors de prix. Vu le résultat, elle ne regrettait pas la dépense.

— Ils sont très courts, fit remarquer Duncan.

— Je sais.

Fini les cheveux frisés ! Elle arborait désormais une coiffure courte et moderne qui la rajeunissait de plusieurs années, ce dont elle avait parfaitement conscience.

Loin de s'arrêter là, elle avait dépensé une fortune en maquillage de luxe, ainsi qu'en toilettes : des tenues de créateurs et de la lingerie sexy. En ce moment même, elle portait un soutien-gorge de soie noire frangé de dentelle et un slip assorti. Elle se sentait irrésistible.

Qu'avait dit la vendeuse à ce propos ? Ah oui : « Porter de la lingerie fine, il n'y a rien de tel pour avoir confiance en soi ! » Comme elle avait raison !

— Qu'y a-t-il de drôle ? s'enquit Duncan en la voyant sourire.

— Rien. Tiens, tu boites ? Que s'est-il passé ?

— Euh... une sorte de claquage musculaire, marmonna-t-il en feignant de s'intéresser au courrier qu'elle n'avait pas encore ouvert.

— Un claquage ? Comment diable t'es-tu fait un claquage, Duncan ? Le seul sport que tu pratiques correctement est le Baby-foot.

Elle le vit rougir, ce qui l'aurait déprimée la veille encore. Aujourd'hui, elle était seulement intriguée.

— Allez, dis-le-moi !

152

— J'ai fait… de l'aérobic, répondit-il sans la regarder.

— De l'aérobic ?

Jan éclata de rire. Duncan se redressa brusquement en jetant les lettres sur le bureau.

— Vas-y, rigole ! Rigole parce que je ne veux pas finir comme un vieux sac avachi, comme la plupart des hommes de mon âge, parce que je tiens à entretenir ma forme, à être bien dans ma peau !

Jan étouffait de rire. Elle hoquetait, et ne parvint à se maîtriser qu'au bout d'une bonne minute.

— Duncan, de l'aérobic ! Comme tous ces gens qui gigotent vêtus de collants en peau de léopard, franchement ! Est-ce que ça te ressemble ?

Renfrogné, Duncan se dandinait d'un pied sur l'autre. Mais son muscle froissé lui faisait si mal qu'il finit par s'asseoir. Jan venait de marquer un point. En fait, il détestait l'aérobic. Il avait vingt ans de plus que le prof — un jeune Australien à la musculature impressionnante — et les autres élèves du cours avaient une forme olympique à côté de la sienne. Le pire, c'était qu'il s'était blessé au bout d'une demi-heure à peine et qu'il avait dû sortir de la salle en claudiquant, rougeaud et suant comme un bœuf, alors que les autres continuaient leurs exercices en rythme. Goguenard, l'Adonis baraqué, lui avait lancé :

— Eh, la prochaine fois, tentez plutôt votre chance dans le cours des débutants !

Duncan s'était senti grotesque. S'il avait eu voix au chapitre, jamais il n'aurait recommencé l'expérience. Mais devant Jan, il répliqua :

— C'était vraiment bien, tu sais.

Puis, pour éviter qu'elle ne le questionne davantage, il ramassa le numéro de *Vogue*.

— Qu'est-ce que c'est que ce truc ? Tu changes de style, toi aussi ?

— Bah, j'en avais assez de lire le *Financial Times* ! À propos, que s'est-il passé au cours de la réunion ?

L'humeur de Duncan changea aussitôt.

— Nous avons discuté du domaine de Tonsbry. Comment ça s'est passé, samedi ?

— Oh, bien ! Je t'apporterai un rapport à la fin de la semaine.

— À la fin de la semaine ? Enfin, Jan, tu peux bien m'en parler maintenant.

— Je n'ai pas terminé, il y a encore des chiffres à consulter, ce genre de…

— Je connais les chiffres par cœur, tu n'en tireras rien de plus. Je veux l'annulation de ce prêt, et…

— Tu veux ?

— Tu sais bien ce que je veux dire ! Nous devons conclure cette affaire, ça ferait bizarre si on laissait traîner les choses…

Duncan s'interrompit comme la secrétaire de Jan entrait dans le bureau sans frapper.

— Votre café, Jan.

— Merci, Molly.

Molly passa devant Duncan pour déposer la tasse et la soucoupe sur le bureau. Cela faisait des années qu'elle travaillait pour Jan, à qui elle était très dévouée. Elle estimait que Duncan s'était conduit comme le dernier des salauds, et maintenant elle avait enfin l'occasion de le lui faire savoir.

— M. Vladimir a rappelé, Jan, dit-elle en fixant Duncan. Je lui ai dit que vous étiez en réunion, mais que vous seriez disponible d'ici quelques minutes.

— M. Vladi*mar*, corrigea Jan.

Duncan lui jeta un regard surpris. Elle avait prononcé le patronyme étranger en roulant le « r » avec aisance.

— Stefan Vladimar, insista-t-elle en articulant. S'il rappelle, passez-le-moi directement, voulez-vous ?

Molly acquiesça et, avec un petit sourire, quitta le bureau.

— Si tu attends un appel, je ne te dérange pas plus longtemps, déclara Duncan d'un ton sec qui enchanta Jan. Mais ne tarde pas sur l'affaire Tonsbry, s'il te plaît. Je veux régler ça au plus vite.

— Pourquoi ? Il n'y a pas urgence, que je sache ?

C'était une vraie question, non une objection destinée à le contrarier par pur plaisir. D'accord, le prêt concernant Tonsbry était important, mais la société marchait bien, il n'y avait pas lieu de paniquer.

— Contente-toi de faire ce que je te dis ! aboya Duncan.

Jan n'était pas du genre à se rebeller. Pourtant, elle se leva.

— Eh, une seconde ! À qui crois-tu parler ? Je ne suis pas...

La sonnerie du téléphone la stoppa net au milieu de sa phrase. Après une hésitation, elle décrocha :

— Stefan ! Oui, j'ai eu le message. Que puis-je faire pour vous ? Nous venons de nous parler il y a à peine... À déjeuner, aujourd'hui ? Mmm, attendez... (Rapidement, elle feuilleta son agenda.) Oui, c'est parfait. À quelle heure ?

Duncan demeurait immobile, stupéfait par le brusque changement d'humeur de sa femme. Peu désireux d'en savoir plus, il se dirigea vers la porte.

Comme il regagnait son propre bureau, irrité par l'attitude étrange de Jan, il se dit que son muscle froissé lui faisait décidément un mal de chien.

Eddy gara la vieille Land-Rover dans la cour arrière de Tonsbry House et coupa le contact.

— Flora, tu m'attends ici un instant, d'accord ? dit-il en ouvrant la portière.

— Non, je veux aller voir Mme Able !

— Je n'en ai que pour deux minutes. S'il te plaît, Flora...

— Papaaaaaa !

Avec un soupir d'agacement, Eddy alla ouvrir la portière côté passager pour détacher la ceinture de sécurité de sa fille.

— Tu peux me dire pourquoi je me fais avoir à chaque fois ?

Mais Flora l'ignora pour courir vers la maison en appelant à tue-tête :

— Madame Able! Madame Able!

L'instant d'après, elle débouchait dans la cuisine. Kate, qui était occupée à faire la vaisselle, se tourna à son entrée. Elle avait encore un peu la gueule de bois, un début de rhume. Elle se sentait épuisée et paumée.

— Flora, ma chérie! fit Mme Able, soulagée que quelqu'un vienne détendre l'atmosphère lugubre. Comme tu es jolie dans cette robe!

— C'est une robe-chasuble, précisa Flora.

— Oh, pardon! De toute façon, elle est très belle. Tu ne devrais pas être à l'école?

— Non. Papa et moi, nous faisons les valises.

— Vos valises?

La gouvernante se tourna vers Kate qui haussa les épaules.

— Oui, poursuivit Flora, sans se rendre compte du désarroi de Mme Able. Il a fallu que je range tous mes jouets dans des cartons. Papa dit que je peux emporter trois livres et mon ours en peluche rose dans ma valise, mais que tout le reste, et aussi mes habits, ira dans les cartons. On en a... des tonnes! ajouta-t-elle en écartant les bras. Plein! Est-ce qu'il y a des gâteaux?

— Bien sûr, chérie. Je vais chercher la boîte.

Mme Able se rapprocha du placard près duquel se tenait Kate, et chuchota:

— Leurs valises? Que se passe-t-il?

Kate rougit. Elle s'apprêtait à invoquer une piètre excuse quand Flora tira une chaise jusque devant l'évier.

— Je peux t'aider?

— Euh... oui, bien sûr.

Elle retroussa les manches de la fillette. Puis celle-ci s'empara de l'éponge et plongea les mains dans l'eau mousseuse.

— Où est ton père? demanda Mme Able en jetant un coup d'œil inquiet à Kate.

— Sais pas. Il est de mauvaise humeur aujourd'hui, et il porte les mêmes habits qu'hier. Beurk! Ses pieds sentent mauvais! Il dit que nous partons à l'aventure, et moi j'aime les aventures. Pas toi?

156

Flora tourna son petit visage vers Kate qui se revit soudain au même âge. Elle aussi partait souvent à l'aventure avec son père. Ils déménageaient, séjournaient chez des amis, recevaient des tas de filles étrangères qui ne parlaient pas leur langue et n'affichaient aucun intérêt pour la gamine qu'elle était.

— J'ai vécu beaucoup d'aventures quand j'étais petite, acquiesça-t-elle, le cœur lourd.

Sur ces entrefaites, Eddy fit son apparition.

— Bonjour, Eddy, le salua Mme Able. Voulez-vous une tasse de thé ?

— Non, merci, je suis juste passé voir Kate.

Derechef, Kate rougit. Flora n'avait pas menti : Eddy portait toujours ses vêtements de la veille et, apparemment, il avait dormi dedans. Enfin, s'il avait dormi…

— Kate, je voudrais te parler en privé. Madame Able, pouvez-vous garder Flora un instant ?

— Bien sûr.

Kate s'essuya les mains à l'aide d'un torchon.

— Allons dans le bureau, proposa-t-elle.

Eddy ouvrit la porte, attendit que Kate franchisse le seuil, puis lui emboîta le pas.

Kate s'approcha du bureau de Leo. Sa colère de la veille avait fondu miraculeusement pour se muer en désespoir et en tristesse. En voyant Eddy s'avancer vers elle, elle pensa aussitôt à Flora.

— Kate, je voulais t'avertir que j'ai fait mes cartons hier soir et que j'ai tout organisé pour partir dès aujourd'hui.

— Oh, mais je…

— Je t'ai apporté tous les comptes et les documents légaux concernant le domaine. Si tu me permets d'utiliser la Land-Rover pour déménager, je te renverrai les clés ainsi que celles du cottage un peu plus tard dans l'après-midi, d'accord ?

Kate hocha la tête, l'air hagard.

— Toutefois, avant de partir, je dois te dire quelque

chose, continua-t-il. Je voudrais que tu m'écoutes et que tu réfléchisses ensuite, O.K. ?

Kate avait très froid tout à coup. Elle acquiesça de nouveau.

— Kate, la nuit dernière, j'ai eu une idée pour Tonsbry. Voilà, je sais que tu ne veux pas de moi dans ta vie, tu as été très claire à ce sujet, et je comprends parfaitement. Mais cette idée, si elle est réalisable, j'aimerais vraiment y participer.

Kate ouvrit la bouche pour parler, mais Eddy l'interrompit.

— Je sais ce que tu vas dire, mais j'ai beaucoup cogité. Tu ne serais pas obligée de me voir, tu pourrais rentrer à Londres et me laisser m'en occuper. Je ne vivrais plus ici, je pourrais trouver deux chambres au village pour Flora et moi, ou peut-être retourner au presbytère pour quelque temps.

Il fit un pas en avant et, d'instinct, Kate recula.

— Kate, je ne te fais pas cette proposition pour m'immiscer dans ta vie, je te le jure. Je le fais pour Leo, parce qu'il aimait cette maison, et parce qu'il s'est montré très bon envers moi quand j'étais dans la mélasse et... Et enfin, parce que je pense que c'est une idée géniale qui a des chances de réussir.

Kate tâtonna derrière elle pour approcher la chaise, et s'y laissa tomber.

— Parle-moi de cette idée.

— Avant tout, je dois aller voir certaines personnes qui pourront me dire si elle est réalisable. Ensuite, nous en discuterons. Veux-tu m'accorder cette chance, Kate ?

— Oui, bien sûr.

Eddy fourra les mains dans ses poches, prêt à s'en aller, mais elle lui fit signe de l'écouter.

— Tu sais, je me suis longtemps demandé pourquoi Leo m'avait légué cette maison à moi, plutôt qu'à ma mère. Depuis quelques jours, cette question me trotte dans la tête, et je viens enfin de trouver la réponse. Quand j'étais petite, après le départ de ma mère, mon père et moi n'arrêtions pas de bouger, surtout pendant les vacances scolaires. Nous allions chez des amis et des connaissances de papa. L'appartement de mon père à l'université n'était pas un endroit susceptible d'accueillir une petite fille, aussi cherchait-il à m'héberger ailleurs. Il appelait ces voyages des «aventures». Nous n'avions pas vraiment de foyer. Et puis, Leo nous a accueillis. J'avais six ans et, dès le premier week-end passé à Tonsbry, j'ai eu ma chambre à moi. C'est devenu ma maison. Leo ne s'en allait jamais, il restait ici, il savait ce que cela représentait pour moi.

Kate sourit un instant, avant de reprendre :

— Bien sûr, en grandissant, j'ai vu ma mère plus souvent, et Tonsbry a pris moins d'importance à mes yeux, mais j'imagine que Leo l'a toujours considéré comme ma maison.

Elle releva la tête, regarda Eddy droit dans les yeux.

— Comment pourrais-je ne pas lutter pour Tonsbry ? Ma maison, et celle de Flora aussi, ajouta-t-elle sur un ton d'excuse. Écoute, Eddy, même si ton idée ne marche pas, n'emmène pas ta fille au loin, laisse-la vivre dans son environnement familier, jusqu'à ce que nous sachions quoi faire de la maison. D'accord ?

Elle se leva et, cette fois, toute trace d'émotion avait disparu de son visage.

— D'accord, répondit Eddy. Et merci. Je reviendrai à l'heure du thé.

Il n'ajouta rien, jugeant les mots superflus. Sans un mot, il tourna les talons et laissa Kate seule dans le bureau.

Pour le déjeuner, Stefan choisit un restaurant dans lequel il n'avait encore jamais mangé. Cela lui semblait important de démarrer sur de nouvelles bases. Il arriva tôt et s'installa près de la fenêtre pour attendre Jan.

Cela faisait maintenant deux ans et demi qu'il était escort-boy. Il en avait vu de toutes les couleurs, et plus rien ne l'étonnait vraiment. Pourtant, aujourd'hui, il se sentait nerveux. C'était son deuxième rendez-vous avec

Jan en vingt-quatre heures. Le fait était plutôt rare, et il ressentait une impatience un peu puérile. Et puis, il ne lui avait pas encore parlé de sa profession, il n'en avait pas eu le temps. De toute façon, il n'était pas certain d'en avoir le cran. Jan était davantage qu'une simple cliente potentielle et, en toute franchise, aider Kate n'était qu'un prétexte pour la revoir.

Cherchant le serveur des yeux, il décida de commander une bouteille de vin, quand il repéra soudain Jan qui poussait la porte du restaurant. Il se leva, agita la main et la vit sourire. Immédiatement, un vif soulagement l'envahit.

— Eh, vous êtes superbe ! s'exclama-t-il tandis qu'elle s'installait.

— C'est aussi ce que je me dis ! répliqua-t-elle en riant. C'est incroyable comme dépenser sans compter améliore le moral !

Le serveur se pencha vers eux.

— Souhaiterez-vous du vin, monsieur ?

— Oui. Un chardonnay blanc, s'il vous plaît.

Stefan était devenu un expert dans le choix des vins. Normal, cela faisait partie de son métier. Les femmes adoraient qu'on commande pour elle.

— Alors, vous êtes bien rentrée, samedi ? lui demanda-t-il.

— Sans problème.

— Vous savez, en dépit de ce qui est arrivé à Kate, j'ai vraiment passé une bonne journée.

C'était la pure vérité. En descendant du train, ils avaient été dîner quelque part, et ces quelques heures en compagnie de Jan lui avaient laissé un excellent souvenir.

— Moi aussi, avoua Jan.

Le silence retomba, mais ils n'en furent pas gênés. Jan alluma une cigarette et souffla la fumée par le coin de la bouche, une attitude ordinaire que Stefan trouva incroyablement érotique.

Le serveur vint leur apporter la bouteille de vin qu'il déposa dans le seau à glace après les avoir servis. Puis

160

il leur tendit les menus. Ignorant le sien, Jan but une gorgée de chardonnay.

— Bon. À propos du prêt accordé à Tonsbry..., commença-t-elle.

Stefan fut surpris. Il n'avait pas oublié ce problème, cependant le moment lui semblait mal choisi pour l'évoquer.

— Oui? fit-il.

— Quelque chose cloche dans tout ça. Je crois que Duncan manigance un truc. Il tient absolument à ce que l'affaire soit réglée au plus vite. Quand j'ai émis quelques réserves, il s'est vraiment énervé. À mon avis, il prépare un coup fourré.

— Du genre?

— Oh, je n'en sais rien, un acheteur potentiel, un projet de développement! N'importe quoi. Duncan est un malin.

— Pas si malin que ça, murmura Stefan en frôlant le poignet de Jan.

— Merci. Quoi qu'il en soit, j'ai décidé de rester au point mort tant que je n'aurai pas compris de quoi il retourne.

— Vraiment? Comment allez-vous vous y prendre?

— Je vais égarer le dossier temporairement, au moins pendant quelques semaines. Cela donnera à Kate Dowie une chance de s'en sortir. C'est ce que vous vouliez, non?

Stefan ne put s'empêcher de rougir.

— Eh bien, oui, admit-il, mais...

— C'est bien ce que je me disais.

Jan s'était préparée à cet instant et, de toute façon, elle ne s'était jamais bercée d'illusions. Pourtant, elle était déçue.

Evitant le regard de Stefan, elle baissa les yeux sur le menu. Maintenant, il allait la remercier chaleureusement, et voilà tout.

— Jan, j'ai dit «mais», objecta-t-il. Mais tout ceci n'a rien à voir avec ce déjeuner, ni avec la soirée géniale que nous avons passée samedi.

Comme elle était toujours apparemment plongée dans son menu, il insista :

— Jan, voulez-vous bien me regarder ?

Elle obéit à contrecœur.

— Bien. Écoutez, vous avez vraiment faim ? Sinon, nous pouvons nous échapper d'ici et aller faire l'amour.

Durant une seconde, Jan demeura pétrifiée de surprise et d'excitation. Puis elle réalisa qu'il lui proposait un marché : un service contre un autre service, ce qui faisait d'elle une vieille femme pathétique. Il l'insultait.

— Merci de votre offre, Stefan, mais le déjeuner aurait suffi, répliqua-t-elle sèchement en fourrant son paquet de cigarettes dans son sac.

Elle se leva, saisit son manteau et, avant qu'il puisse ajouter un mot, s'éloigna vers la sortie.

— Jan ! Jan ! appela-t-il en réagissant enfin.

Mais elle avait déjà quitté le restaurant.

Il demeura assis quelques minutes, un peu abasourdi, puis, laissant un billet de 20 livres sur la table, il sortit à son tour. Une fois dehors, il scruta la rue dans l'espoir d'apercevoir Jan, en vain. Les mains dans les poches, il se dirigea vers la station de métro la plus proche, aperçut un taxi libre en chemin et agita la main.

— Pimlico, s'il vous plaît, dit-il au chauffeur.

Pour la première fois de sa vie, rentrer seul chez lui le déprimait.

Kate se trouvait dans le bureau quand Eddy revint à Tonsbry tard dans l'après-midi. Elle avait essayé de lire, sans succès, afin de ne pas ressasser la terrible situation dans laquelle elle se trouvait. Elle ne savait pas trop où elle en était et avait une sensation curieuse au creux de l'estomac qui ressemblait à de l'excitation. Bien sûr, c'était forcément autre chose.

Elle entendit Eddy entrer et discuter avec Mme Able quelques minutes. Impossible de savoir de quelle humeur il était! Il s'exprimait d'un ton tranquille, comme d'habitude. Puis un bruit de pas se rapprocha du bureau.

— Kate?

En le voyant apparaître dans l'encadrement de la porte, elle retint son souffle, tant cette vision lui semblait familière.

— Désolé, je suis en retard. J'ai été retenu, mais je n'ai pas perdu mon temps.

Il s'avança et déposa deux lourds sacs sur le bureau. Puis il ouvrit l'un des sacs et en tira quatre bouteilles qu'il aligna, l'étiquette tournée vers Kate.

— J'ai trouvé un alambic sur le domaine, déclara-t-il.

— Un alambic?

— Oui. On s'en servait pour la fabrication du gin il y a environ quarante ans.

— Où l'as-tu trouvé?

— Dans l'une des dépendances, près d'un vieil entrepôt. Ce n'est pas très loin de la maison, ce serait l'endroit idéal.

— Idéal pour quoi?

— Je vais te le dire dans une minute.

Il alla chercher des verres à whisky dans le bar, puis déboucha les bouteilles.

— Eddy, de quoi s'agit-il?

— Bon, il va nous falloir un crachoir, sinon nous allons nous enivrer…

Il retourna prendre un pichet à bière dans le bar.

— Ça fera l'affaire, dit-il en remplissant le premier verre. Tiens, goûte. C'est un gin de marque standard.

Kate renifla le verre, avant de pousser un profond soupir.

— Eddy, bonté divine! Dis-moi ce que tu as en tête! Est-ce une plaisanterie?

— Non, non, pas du tout. Mais chaque chose en son temps. Goûtons d'abord le gin.

Kate se résigna. Elle prit une gorgée de gin, la savoura quelques secondes, avant de la recracher.

— C'est du gin, constata-t-elle. Et après?

Eddy versa alors un peu du contenu d'une autre bouteille dans le deuxième verre.

— Goûte celui-ci.

Kate recommença l'opération.

— Celui-ci est meilleur, remarqua-t-elle. Qu'est-ce que c'est ?

— Du Bombay Shappire. Une marque de luxe, très chère.

Il versa une troisième mesure dans un troisième verre.

— Et voilà du gin de supermarché.

Kate goûta, et recracha presque aussitôt.

— C'est médiocre !

Enfin, Eddy versa une dernière rasade dans le verre restant.

— Du Tonsbry Original, annonça-t-il.

Kate prit une gorgée, roula sa langue pour mieux capter la saveur, puis déglutit.

— Excellent ! Je peux en avoir d'autre ?

Eddy s'exécuta, avant de se servir lui-même, et tous deux sirotèrent leur gin.

— Il a vraiment un goût différent, plus rond, plus typé, commenta-t-elle.

— Kate, je crois que nous tenons notre idée. Je crois vraiment… Bon, passons directement aux faits !

Lâchant son verre, il tira une grande enveloppe brune du deuxième sac, et en sortit des papiers qu'il étala sur le bureau.

— Ce gin, le Tonsbry Original, a été fabriqué et mis en bouteille ici, sur le domaine, jusqu'en 1959. Au début du siècle, apparemment, il était courant que les domaines agricoles distillent leur propre gin, et Tonsbry ne faisait pas exception à la règle. Le domaine avait développé une industrie rentable. Selon les archives retrouvées par mon père, nous produisions ici en 1947 plus de 5 000 bouteilles par an.

— C'est tout ?

— C'est tout ? Voyons, c'est énorme ! N'oublie pas que nous parlons d'une distillerie locale, et qu'on était juste après la guerre. Bref, j'en ai discuté avec mon père, qui était petit garçon à l'époque, mais qui s'en souvient très bien. Le gin était une boisson très populaire, on en vendait partout et quelques bouteilles étaient même expédiées à Londres. Il semble que ton grand-père, quand il s'est lancé dans ce business, ait débauché un maître distilleur qui travaillait pour une entreprise d'alcools très réputée. La légende au village veut que ce type ait découvert un ingrédient secret qui a rendu le gin de Tonsbry vraiment incomparable. Il…

— Eddy, tout cela est très intéressant, mais où veux-tu en venir ?

Eddy prit les deux mains de la jeune femme dans les siennes.

— Kate, cela va te paraître bizarre, mais écoute-moi, d'accord ?

— D'accord, dit-elle en dégageant doucement ses mains.

— Bon, ce matin, j'ai trouvé un alambic, pas vrai ?

— Oui, mais…

— Non, écoute ! D'après mon père, cet alambic fonctionne encore aujourd'hui. Ces appareils étaient solides et, de toute façon, à part le démonter, on ne peut pas vraiment le détruire. Donc, nous possédons ici à Tonsbry les outils essentiels pour remettre sur pied la distillerie de Tonsbry.

Tout excité, il brandit la bouteille de Tonsbry Original.

— Kate, ce truc est phénoménal ! Il se boit comme du petit-lait, il a un goût raffiné, et nous possédons la licence pour le fabriquer !

— Eddy, es-tu en train de suggérer que nous nous lancions dans la production de gin ?

— Oui ! Que crois-tu donc que…

— Quand tu as parlé de distillerie, au départ, je croyais que tu pensais à une sorte de musée, mais pas à une foutue usine ! explosa Kate. Eddy, ce n'est pas sérieux ! Tu avais raison, c'est le projet le plus dingue dont j'aie jamais entendu parler ! Que sais-tu de la fabrication du gin, bon sang ?

— Mais justement !

— Justement quoi ?

— Je n'ai pas besoin d'années d'expérience ou d'études. J'ai mon père !

Kate avait l'impression de nager en plein surréalisme.

— Peux-tu m'expliquer le rapport entre l'industrie du gin et le révérend Gallagher ?

— L'industrie du gin, n'exagérons pas. Mais il s'y connaît en fabrication maison. C'est d'ailleurs la raison de mon retard. Il est capable de discourir des heures sur le sujet. Il a fait cela pendant des années.

— Eddy, tout cela est ridicule !

Kate, qui s'était mise à arpenter nerveusement le bureau, s'immobilisa près de la fenêtre, dos tourné, et s'efforça de recouvrer son calme.

— Non, Kate, ce n'est pas ridicule, pas ridicule du tout. Tu penses que je t'aurais entretenue de ce projet si je n'y croyais pas ? Bon sang, c'est exactement ce genre d'idées que nous cherchions, Leo et moi ! Et si nous n'avions pas découvert cette vieille bouteille l'autre soir, je serais toujours en train de chercher !

Kate se tourna pour le fixer. Elle n'était pas du tout convaincue.

— Tu ne comprends pas ? poursuivit-il. C'est presque le destin qui nous a fait tomber sur cette bouteille. C'est comme si cet événement était prédestiné, pour que nous...

— Eddy, arrête ! Tu es fou !

Kate rejoignit le bureau et ramassa les documents qu'il avait sortis du sac.

— Bon, dit-elle, admettons que tu aies eu une idée de génie. Écoute-moi. Primo, si cet alambic était toujours opérationnel, et même si tu réussissais à dénicher un entrepreneur capable de fabriquer ce genre de bouteilles en verre, même si ton père en connaît un rayon sur la fabrication du gin, que fais-tu de la recette initiale ? Quel ingrédient mystérieux entrait dans la composition du Tonsbry Original ?

Elle marqua une courte pause, puis enchaîna :

— Secundo, si tu découvrais cet ingrédient et si tu

parvenais à fabriquer du gin, où irais-tu le vendre, et comment ? Où trouverais-tu l'argent pour le marketing, la publicité ? Et que sais-tu à propos du marché de l'alcool ? Et enfin tertio — ce qui, à mon avis, est le plus important —, combien de temps prendrait toute l'opération ? Le gin doit parvenir à maturation dans des tonneaux, comme le whisky, j'imagine ? Cela prendrait plusieurs années. Et moi, je ne dispose pas de tout ce temps, Eddy ! Je n'ai même pas quelques mois devant moi. J'ai besoin d'un projet réalisable en l'espace de quelques semaines. Je...

— Voilà de quoi tu as besoin ! coupa Eddy en lui arrachant les papiers pour les plaquer sur le bureau. Sache que le gin n'a pas besoin de vieillir en fûts, il est prêt à consommer dès sa sortie de l'alambic. Si le nôtre fonctionne, je vais le nettoyer et acheter une réserve de combustible. Mon père pense que l'alambic marche au charbon. Ensuite, j'achète les ingrédients...

— Et quels sont-ils ?

Vivement, Eddy saisit les papiers et les feuilleta avant de s'arrêter sur une page.

— Les suivants : de l'alcool à 90 %, du genièvre, de la coriandre, des racines d'angélique, du zeste d'orange, du zeste de citron ou de la cannelle et, bien sûr, ce truc qui donne au Tonsbry Original son goût unique. Il faut ajouter les frais de chauffage, de mise en bouteilles, de packaging, que je m'efforcerai de limiter au minimum, mais...

Il saisit une autre feuille couverte de chiffres.

— J'ai calculé que nous pourrions produire du gin pour un coût d'environ 1 livre à 1 livre et demie par litre, sans compter l'emballage ni la publicité. Mais j'estime que nous pourrions vendre entre 20 et 30 livres chaque bouteille de 70 cl.

— 30 livres pour une simple bouteille de gnôle ? C'est grotesque !

— Peut-être, mais ce sont les prix pratiqués par les grandes marques de prestige. Tout est une question d'image, Kate. Si nous nous débrouillons bien sur ce point, qui sait ?

— Tu as bien appris ta leçon, n'est-ce pas ?

Eddy la considéra, en se demandant si elle se moquait de lui. Mais Kate souriait, et il lui rendit son sourire.

— J'avoue que j'ai passé la nuit à plancher sur mon sujet, reconnut-il.

— Je vois.

Kate saisit la bouteille de Tonsbry Original et fit glisser son doigt sur l'étiquette.

— À qui le vendrons-nous ? demanda-t-elle.

Eddy ravala une exclamation de triomphe. Elle avait utilisé le pluriel et le futur. Elle était intéressée !

— Pourquoi ne pas commencer par les gens à qui tu vends des sandwichs à la City ? Distribue quelques bouteilles gratuites et fais savoir qu'on peut directement se les procurer à la propriété, mais que nous pouvons également livrer. Nous viserons aussi quelques bars à la mode, mais je suis absolument certain que, si nous allons aussi loin, la vente ne posera plus aucun problème.

— Si nous allons aussi loin... répéta Kate dans un murmure, avant de demander brusquement : Et le prêt ? Et la licence ?

— Le domaine possède déjà la licence. Elle a expiré mais, ce midi, mon père s'est renseigné. Ce ne serait pas trop compliqué de la faire renouveler. Quant au prêt... C'est de toute évidence la priorité, avec la recette de base, bien sûr.

— Tout cela me semble si... complexe.

— C'est normal, Kate. Rien n'est facile. Je ne te propose pas une solution miracle pour t'enrichir en deux semaines. Je te propose de créer une entreprise.

— À combien se monteront les coûts pour tout mettre en route ? Nous allons devoir acheter de gros stocks de matières premières, non ?

— Au départ, on peut se contenter de petites quantités, puis on avisera. Écoute, la première chose à faire est de trouver la recette de base.

Kate hésita. Sa raison lui criait de ne pas s'impliquer

dans cette folie, de suivre le conseil de sa mère, de se tirer pendant qu'il était encore temps. Adriana avait même proposé que Pierre rembourse le solde de la dette, du moment que Kate abandonnait Tonsbry.

Et pourtant, dans son cœur, elle voulait se battre, au moins donner une dernière chance au domaine.

Il y eut un silence. Eddy se taisait, redoutant qu'un mot malheureux ne fasse pencher la balance en sa défaveur. Finalement, Kate hocha la tête.

— D'accord, dit-elle. Je veux bien essayer.

— Alors allons-y.

Prenant garde à masquer son émotion, il s'avança vers la bibliothèque et amena l'escabeau roulant devant une étagère précise.

— Tu vas appeler ton ami Stefan pour voir où il en est avec Jan Ingram. Moi, je vais chercher des renseignements dans la bibliothèque.

Il se tourna à demi, le pied sur l'escabeau, et affirma en souriant :

— La recette s'y trouve sûrement, j'en suis convaincu.

Et, se juchant sur l'escabeau, il se mit à inspecter la rangée supérieure de livres.

12

Jan arriva au bureau en milieu d'après-midi, après s'être longuement promenée dans Hyde Park et avoir pris un café dans un charmant salon de thé du côté de Knightsbridge. Elle était partie depuis plus de trois heures, se sentait plus calme, mais encore sous le choc.

Une fois dans son bureau, elle commença par appeler Molly sur l'interphone pour la prier de bloquer tous les appels. Puis elle sortit le dossier Tonsbry, qu'elle regarda un long moment avant de se décider à l'ouvrir. Elle pensait au déjeuner, à Stefan, à elle-même.

— Et moi qui croyais reprendre confiance en moi !

marmonna-t-elle entre ses dents. Une simple proposition, et je détale comme une biche effarouchée !

Son esprit s'obstinait à dériver, elle ne parvenait pas à se concentrer sur le dossier. Avait-elle réagi de façon exagérée avec Stefan ? Il fallait avouer qu'au cours des vingt-quatre dernières heures, l'idée de coucher avec lui lui avait traversé l'esprit à plusieurs reprises. Alors pourquoi cette soudaine émotion ? Voulait-il vraiment vendre ses charmes contre le service rendu à Kate Dowie ? Ou était-ce plus simple : je te plais, tu me plais, allons tirer un coup ?

Jan rougit et tenta de reprendre sa lecture. Mais les mots défilaient sous ses yeux sans qu'elle en comprenne le sens. Ses pensées erraient de nouveau...

Peut-être se leurrait-elle en croyant qu'elle prenait partie de son plein gré dans cette histoire ? Était-elle prête à ravaler son sens des affaires, à mettre Duncan en colère, à bouleverser leur façon de travailler, tout ça au nom d'une éthique qui ne l'avait jamais intéressée auparavant ? Ou avait-elle juste envie d'avoir une liaison ?

Jan n'en savait rien, et l'heure passée dans Hyde Park ne lui avait apporté aucune réponse.

Refermant le dossier, elle le glissa dans un tiroir. Elle avait dit à Stefan qu'elle le perdrait durant quelques semaines, et c'est exactement ce qu'elle avait l'intention de faire. Elle s'était promis de le consulter attentivement pour voir si Duncan n'avait pas une arrière-pensée mais, pour l'heure, elle ne pouvait pas réfléchir. Elle allait s'occuper de quelques problèmes qui restaient à régler, fumer une cigarette et rentrer chez elle.

Kate était assise par terre, dans le bureau, le téléphone posé près d'elle. Bien que la nuit soit tombée, ni elle ni Eddy n'avait allumé la lumière. Ils travaillaient à la lueur du feu. Allumer une lampe aurait souligné le fait qu'ils s'échinaient depuis des heures maintenant, sans résultat tangible.

Une fois de plus, elle décrocha pour composer le numéro de Stefan. Personne ne répondit.

— Pas de nouvelle du prêt, et toujours pas de recette. Cela fait des heures que nous sommes là-dessus, Eddy. Je crois que tout cela est illusoire.

Eddy leva les yeux du vieux livre de comptes qu'il était en train d'étudier.

— Kate, on produisait du gin à Tonsbry, c'est un fait irréfutable. J'ai ici tous les chiffres et toutes les dates. Il doit donc bien y avoir des archives quelque part concernant la fabrication de ce produit. J'en suis convaincu, conclut-il avec un sourire rassurant.

Kate haussa les épaules. Elle avait envie de le croire, en avait désespérément besoin. Pourtant, le doute la rongeait.

Elle se leva, fit quelques pas vers la cheminée pour se dégourdir les jambes.

— Que nous mettions la main sur cette recette ou pas, nous ne pourrons rien faire si Jan Ingram ne nous aide pas, fit-elle remarquer.

— Je suis certain que Stefan fait de son mieux.

— Mmoui. À quelle heure lui ai-je laissé ce message sur son répondeur ? Je devrais peut-être lui en laisser un second, pour dire que nous attendons son appel, et que…

La sonnerie du téléphone l'interrompit. Elle se précipita vers l'appareil.

— C'est sûrement lui !… Oui, allô ?

Eddy vit son visage se défaire tandis qu'une voix à l'autre bout du fil demandait :

— Comment vas-tu, Kate chérie ?

— Oh, maman… ! Bonjour, je vais bien.

— Au son de ta voix, tu as l'air proche du suicide ! Écoute, je voulais t'avertir que je viens d'arriver à Londres ce matin et que j'ai réservé une suite au Langham Hilton. Pourquoi ne viens-tu pas faire un tour demain au lieu de croupir dans cette bicoque infestée de rats ? Tu pourrais rester avec moi, et je te gâterais pendant quelques jours. Nous irions courir les boutiques et…

— Merci, maman, mais je ne peux pas, répondit Kate

dont le visage s'était fermé. D'ailleurs, il n'y a pas de rats à Tonsbry.

Adriana rit gaiement.

— Je ne voulais pas te vexer, ma chérie. Je veux juste te dire que tu peux venir ! Personne n'y trouvera rien à redire. De toute façon, je ne vois pas ce qui te retient là-bas.

Adriana avait prononcé ces derniers mots d'un ton plus sec. Kate l'entendit boire une gorgée, de vin sans doute.

— Ce qui me retient, c'est le gin, répondit-elle.

— Du gin ? Mon Dieu, mais de quoi parles-tu, chérie ?

— Maman, as-tu déjà entendu dire qu'on avait autrefois fabriqué du gin à Tonsbry ?

Il y eut un court silence, puis Adriana répondit :

— C'est possible. Pourquoi ?

— Eh bien… Nous avons trouvé un alambic sur le domaine. Il est en état de marche, et nous envisageons de fabriquer un gin de luxe.

— Fabriquer du gin ? Ma parole, tu es folle ou quoi ?

Kate frémit. Elle s'était plus ou moins attendue à ce type de réaction. De fait, sa mère tempêtait :

— As-tu perdu l'esprit ? Fabriquer du gin ! Tu n'y connais absolument rien, voyons, on ne peut pas se lancer dans une telle entreprise comme ça, c'est ridicule ! Kate, ce projet est voué à l'échec, je ne te laisserai pas faire. Tu vas y passer un temps fou, augmenter tes dettes et, au bout du compte, l'affaire capotera, comme tout ce qu'a entrepris Leo. Et d'abord, pourquoi dis-tu « nous » ? Qui a bien pu te mettre une idée aussi grotesque en tête ?

— Euh…

— Ce ne serait pas, par hasard, ton crétin de militaire ?

— Non, non ! Tu ne le connais pas, c'est…

— C'est Eddy Gallagher, c'est ça ? cracha Adriana. C'est lui, n'est-ce pas ? Vas-y, avoue !

— Oui ! Tu as raison, c'est bien Eddy, mais…

— Mais quoi ? Il n'y a pas de mais, Kate. Oh, il t'a vue venir ! Comment peux-tu envisager de monter une affaire avec ce type. Après tout ce qu'il t'a fait! Ça me dépasse! J'ai bien envie de me précipiter à Tonsbry et de t'emmener loin de cette horrible maison pour t'empêcher de faire la plus grosse bêtise de…

— Je ne pense pas qu'il s'agisse d'une bêtise. Je crois au contraire que cela vaut le coup d'essayer.

— Vraiment? Eh bien, fais-moi confiance, tu vas te planter, perdre tout ton argent et t'attirer de gros ennuis! Et cette fois, je ne te couvrirai pas, Kate…

— Tu ne m'as jamais couverte! coupa Kate, exaspérée. Je ne t'ai jamais demandé ton aide auparavant, et je n'ai pas l'intention de me planter!

— Kate, renonce à ce projet stupide, grinça Adriana entre ses dents. Mets un terme à cette folie et vends ce maudit domaine!

Kate ne répondit pas.

— Tu m'entends, Kate? Attention, si tu ne me réponds pas, je vais raccrocher.

Le silence se prolongea, puis un déclic se fit entendre, et la tonalité résonna à l'oreille de Kate.

Lentement, elle alla s'asseoir dans le fauteuil.

— Elle a raison, tu sais, dit-elle à Eddy en fixant ses mains. Cette idée est stupide. Nous n'y arriverons jamais. Jamais.

Découragé, Eddy referma son livre de comptes. Voilà, c'était fini. Le projet avortait dans l'œuf. Il semblait décidément que tout ce qu'il entreprenait en compagnie de Kate se terminait en fiasco.

— Toutefois, reprit-elle, rien ne nous empêche d'essayer quand même, non?

Et, levant les yeux vers Eddy, elle lui adressa un sourire plein de défi.

Devant la porte du bureau de Jan, Duncan frappa discrètement. Il attendit qu'elle lui dise d'entrer avant d'obtempérer. Cela l'agaçait au plus haut point, mais elle l'avait prévenu qu'elle refuserait de lui adresser la parole s'il ne respectait pas dorénavant son intimité.

— Nous sommes séparés, lui avait-elle dit froidement. Cela vaut pour la maison comme pour le bureau.

— Puis-je te parler un instant ? demanda-t-il avec raideur.

— Le moment n'est pas très bien choisi, mais ai-je le choix ?

— Non.

En dépit de cette bravade, Duncan demeura près de la porte. Pour la première fois depuis des années, il se sentait en position délicate.

— Je n'ai pas encore pris ma décision au sujet du domaine de Tonsbry, si c'est ce que tu veux savoir, lui lança Jan. J'ai besoin d'y réfléchir. Solder ce prêt si brutalement, cela ne me convient pas. Je me demande si c'est même dans l'intérêt de notre société.

— Comment ça ? Depuis quand te mêles-tu de savoir ce qui est mieux pour notre société ? Tu as sans doute oublié qui détenait 51 % du capital.

— Et toi, tu oublies que j'en possède 49 % ! Ce qui me met dans une position influente, surtout en ce qui concerne les acheteurs potentiels.

— Eh bien !

Duncan leva les mains dans un geste de dérision, mais il détourna la tête. Quand enfin il reporta son regard sur Jan, il arborait un sourire crispé qui la fit frissonner.

— Jan, tu ne crois pas que tu fais un peu de zèle sur cette affaire ? Je comprends ce qui t'arrive, tu es flattée par les attentions de ce soi-disant admirateur. Il y a longtemps qu'un homme ne t'a pas fait la cour, mais cela ne doit pas pour autant te monter à la tête.

Il s'approcha du bureau de sa femme et se pencha pour la regarder bien en face. Il souriait toujours, mais son regard était chargé de mépris.

— C'est plutôt pitoyable, tu sais, de vouloir se donner de l'importance comme tu le fais. Tu ne vas quand même pas croire qu'un homme tellement plus jeune que toi...

— Comment sais-tu qu'il est plus jeune ?

— Je l'ai deviné, c'est tout. Ta nouvelle coiffure, ton maquillage, tous ces efforts vestimentaires... Voyons, Jan,

174

comment un jeune homme pourrait-il s'intéresser à une femme de ton âge ? conclut-il dans un rire sardonique.

— Je vais vous l'expliquer, si vous le désirez, lança une voix masculine dans son dos.

Duncan se tourna dans un sursaut.

— Stefan ! s'écria Jan. Mais que…

Stefan était adossé contre le chambranle de la porte. Il portait un costume bleu marine de chez Paul Smith, une chemise indigo pâle ouverte sur le cou, ainsi que des mocassins en daim. Il était si beau que Jan en eut le souffle coupé.

Stefan s'avança.

— Jan est intelligente, drôle, et bien plus séduisante qu'une bécasse de vingt ans, déclara-t-il, avant de préciser avec un sourire : Oh ! et surtout, elle est bien plus expérimentée dans le domaine du sexe !

Puis, tendant la main à Duncan, il se présenta :

— Stefan Vladimar.

Son sourire toujours figé sur les lèvres, Duncan échangea une brève poignée de main avec le visiteur.

— Eh bien, tous les goûts sont dans la nature, c'est bien ce qu'on dit, non ? répliqua-t-il en se dirigeant vers la porte.

Parvenu sur le seuil, il se retourna vers sa femme.

— Jan, je ne tolérerai plus aucun retard concernant l'affaire dont nous parlions. Tu me donneras le dossier demain matin, d'accord ?

Comme Jan ne répondait pas, il continua :

— Bon, eh bien, au revoir, monsieur… ?

— Vladimar.

— Oui, monsieur Vladimar. Ravi d'avoir fait votre connaissance.

Sans autre commentaire, Duncan s'éloigna dans le couloir. Stefan se tourna vers Jan.

— J'imagine que c'est votre…

— Mon mari, mon futur ex-mari. Oui, c'est lui. Charmant, n'est-ce pas ?

— Oui, mais aveugle. Comment ça va, Jan ?

Elle haussa vaguement les épaules, et détourna le

regard pour lui dissimuler son visage. Les sarcasmes de Duncan l'avaient atteinte. Peut-être parce qu'elle avait du mal à croire qu'après toutes ces années, il puisse se montrer aussi méchant avec elle. Et peut-être aussi parce qu'en définitive, il n'était pas loin du compte.

Ravalant ses larmes, elle s'éclaircit la gorge et déclara :

— Vous êtes arrivé à point nommé, Stefan. Merci. À propos, que puis-je faire pour vous ?

— Je n'ai pas réussi à vous joindre par téléphone, et je ne voulais pas en rester là après le déjeuner. Je tenais à vous dire combien je regrettais ma conduite. C'était grossier de ma part, je vous ai offensée et je vous prie de me pardonner.

Jan conserva le silence.

— Quant à cette histoire de prêt... Quand j'ai quitté Tonsbry l'autre jour, juste après vous, j'avais bien dans l'idée d'aider Kate de mon mieux, sans trop savoir comment... Peut-être en cherchant à vous impliquer dans ses problèmes, mais... Puis-je m'asseoir ?

Jan acquiesça.

— Mais si je recherche votre compagnie, ce n'est pas pour le bénéfice que je pourrai en retirer, poursuivit-il. Vous me plaisez, même si je ne vous connais que depuis quarante-huit heures, et j'aimerais vous revoir. Si je parviens à vous convaincre d'aider Kate, j'en serai ravi, sinon... tant pis.

Avec un soupir, il ajouta :

— Eh bien, c'est le plus long discours que j'aie prononcé de toute ma vie !

Jan sourit.

— Stefan, moi aussi, je suis désolée. Je me suis comportée comme une idiote tout à l'heure, en m'enfuyant à toutes jambes. Quoi qu'il en soit, ce que j'ai dit à propos du prêt tient toujours. C'est tout ce que je peux faire pour le moment, et c'est dans l'intérêt de tout le monde, d'accord ?

Stefan hocha la tête. Il voulut lui effleurer le visage de la main, mais elle anticipa son mouvement et se pencha pour saisir ses cigarettes dans son sac.

— Un mois. Laissez traîner les choses pendant un mois, lui dit-il tandis qu'elle allumait une cigarette.

Elle fuma en silence. Il n'avait pas tort. Un mois permettrait à Kate Dowie de concevoir un projet tenant la route et de décider si elle faisait appel ou non. Quant à elle, elle prendrait son temps, étudierait l'affaire en profondeur. Elle réfléchirait également à propos de Stefan et déterminerait si elle voulait vraiment avoir une aventure avec lui.

D'un mouvement de l'index, elle fit tomber sa cendre. Ce dernier dilemme n'était pas vraiment d'ordre professionnel, mais Duncan avait-il été professionnel quand il avait sauté sur sa secrétaire?

— D'accord pour un mois, acquiesça-t-elle.

Avant qu'elle ait le temps de s'esquiver, Stefan se pencha et l'embrassa sur la bouche.

Aux environs de minuit, alors que le feu mourait dans l'âtre et que le froid tombait dans le bureau, le téléphone sonna. Eddy répondit tandis que Kate, plongée dans une pile de vieux documents, n'écoutait que d'une oreille.

— C'était Stefan, annonça-t-il après avoir raccroché. Il a réussi à nous obtenir un mois de délai.

Kate se mit à se mordiller un ongle sans relever la tête. Eddy reprit :

— Écoute, c'est mieux que rien. Cela nous permet de démarrer l'affaire et d'être en mesure de proposer un projet fiable en temps voulu.

Elle hocha la tête, toujours silencieuse. Eddy s'étira, tout en se demandant s'ils allaient continuer leurs recherches ou s'en tenir là pour aujourd'hui.

Tout à coup, Kate s'écria :

— Elle est là! Je la tiens! Gin de bleuet, entre guillemets : «Tonsbry Original Dry London Gin ». La voilà, la recette! Il y a toute une liste d'ingrédients, des dosages, des chiffres, tout ce qu'on veut! Regarde!

Elle sauta sur ses pieds, brandit des feuillets sous le nez d'Eddy.

— Je l'ai trouvée ! Je n'arrive pas à y croire !

Eddy prit les papiers et regarda les notes écrites à la main. Il y en avait des pages.

— Bravo, Katie !

Sans réfléchir, emporté par son enthousiasme, il la prit dans ses bras. C'était une erreur car, de nouveau, le passé se dressa entre eux telle une barrière infranchissable. Kate le repoussa brutalement.

— Arrête, Eddy ! Je t'en prie !

— Je suis désolé, c'était un geste spontané, je…

— Tu n'as pas le droit de me toucher ! lui reprocha-t-elle avec colère. Si nous devons travailler ensemble, je veux bien faire taire mes sentiments à ton égard, mais ça ne veut pas dire que j'ai changé. C'est clair ?

Eddy serra les dents. Elle lui parlait comme à un enfant.

— Je ne peux pas m'impliquer dans ce projet si tu ne comprends pas une notion aussi simple, souligna-t-elle.

Il acquiesça, soudain très las.

— D'accord, je comprends. Écoute, nous sommes tous deux très fatigués. Je vais partir et nous réfléchirons demain matin, O.K. ?

— O.K.

— Bon, alors, au revoir…

Il saisit son manteau, se dirigea vers la porte et, après une hésitation, agita simplement la main avec un demi-sourire, avant de la laisser seule. Puis il rentra chez lui, se raidissant contre le froid et l'affreuse déception qui le submergeait.

13

Harry perçut un bruit de pas sur la moquette du salon du mess des officiers. S'enfonçant dans son fauteuil, il leva légèrement son journal devant sa tête. Avec un peu de chance, la personne allait deviner qu'il n'était pas d'humeur à bavarder.

Erreur.

— Drummond, c'est toi ?

Il reconnut la voix de Nick Tully, et garda le silence, dans l'espoir que celui-ci allait s'en aller. Mais Nick frappa le journal d'un petit revers de main. Résigné, Harry pointa la tête derrière le *Times*.

— Que fais-tu ici à bouder un samedi après-midi ? Tu n'es pas de service, n'est-ce pas ?

— Non. Je voulais juste un peu de tranquillité, c'est tout.

— Ouais, tu veux dire que tu n'as rien de mieux à faire. Eh bien, ça va changer, crois-moi !

— Que veux-tu dire ? répliqua sèchement Harry.

— Eh, pas la peine de m'agresser, mon vieux ! Tu es de si mauvais poil depuis une semaine ! Personne ne croirait que ta fiancée vient d'hériter un superbe domaine et que tu vas devenir le « seigneur de… ».

— Oh, la ferme, Nick !

Nick haussa les sourcils, tout en sortant une unique cigarette de sa poche. Il avait pris cette habitude pour ne pas être obligé d'en offrir autour de lui, habitude qui irritait Harry, bien qu'il ne soit pas fumeur.

— Qu'ai-je dit ? s'étonna Nick. Seulement que, d'ici peu, tu devrais te marier et envisager de prendre ta retraite du régiment.

— Prendre votre retraite ? fit une voix dans son dos.

Nick se tourna et aperçut le colonel qui s'approchait d'eux. Harry serra les dents. S'il l'avait pu, il aurait donné un bon coup de pied à ce crétin de Nick !

— Vous ne projetez pas de quitter le régiment, n'est-ce pas, Tully ? demanda le colonel.

— Non, mon colonel.

— Il nous manquerait, pas vrai, Drummond ? Non qu'il soit un excellent soldat, mais il joue sacrément bien au cricket !

Tully se mit à rire et Harry tiqua. Il devinait sans mal la suite de la conversation.

— Non, ce n'est pas moi, mon colonel, répliqua Nick. C'est Drummond ! Sa fiancée vient d'hériter un paquet d'argent, aussi je lui conseillais de la demander tout de suite en mariage.

— Tully, c'est très inhabituel de vous voir démontrer un semblant de bon sens !

Souriant, le colonel se tourna vers Harry, son visage d'ordinaire impassible trahissant son soudain intérêt.

— Alors c'est vrai, Drummond ? Le printemps, la montée de la sève, tout ça ?

— Pas vraiment, mon colonel, objecta Harry en rougissant.

— Quel dommage ! Je disais justement à Janey, l'autre jour, qu'aucun de nos jeunes officiers n'est encore marié. Pourtant, ce serait bon pour le régiment que certains d'entre vous tombent en quenouille. Ah ! Ah !

Le colonel se trouvait beaucoup d'humour. Nick se joignit complaisamment à son hilarité, et Harry émit une sorte de gloussement contraint.

— Vous savez, mon colonel, je ne crois pas que Drummond nous dise toute la vérité, intervint Nick. Je pense qu'il a un atout dans sa manche. Il est resté particulièrement silencieux la semaine dernière.

Le visage du colonel s'éclaira dans une expression que Harry trouva extrêmement irritante.

— Vraiment, Drummond ? Eh bien, qu'attendez-vous, videz votre sac !

— Non, je vous jure, il n'y a rien à dire, mon colonel. Je… nous…

Harry s'interrompit. Il n'avait jamais aimé attirer l'attention sur lui au sein du régiment. Il était un bon militaire, compétent, doué en sport et apprécié par ses camarades sans être vraiment populaire. Il était bien intégré, s'acquittait de son devoir sans toutefois faire du zèle. Bref, il était à sa place.

Mais en cet instant, en voyant le regard du colonel refléter une curiosité sincère, il eut un soudain éblouissement en sentant le poids de sa propre importance. Brusquement, sans réfléchir, il déclara :

— Nous n'avons pas encore fixé de date, ni annoncé nos fiançailles de manière officielle.

— C'est donc qu'il y a anguille sous roche? s'exclama le colonel.

— Euh… Pas exactement. Enfin si, je suppose.

— Bon sang! Félicitations, Drummond! C'est une excellente nouvelle! Bien sûr, je serai muet comme une carpe, promit le colonel en tendant la main à Harry.

Nick s'écria à son tour:

— Harry, vieux renard! Tu aurais au moins pu me mettre au courant!

Mal à l'aise, Harry haussa les épaules. Le colonel lui secoua le bras et il eut l'impression d'échanger une poignée de main avec un marteau-piqueur.

— Il faut fêter ça et organiser une petite fête! décréta le colonel. Je vais retourner à mes quartiers pour prévenir Janey. Nous allons donner une petite réception en votre honneur et en celui de Kate.

— Oh non, je… commença Harry, cramoisi.

— Bien sûr que si, c'est la moindre des choses!

— Euh… merci, mon colonel.

— De rien, Drummond! Excellente nouvelle! Excellente! Eh Tully, c'est vous, le prochain sur la liste, non? ajouta-t-il en décochant un coup de coude dans les côtes de Nick.

Il rit bruyamment, puis se détourna en ajoutant à l'intention de Harry:

— Ne vous inquiétez pas, nous nous occupons de tout!

— Pardon, mon colonel?

— Oui, à propos de cette fête de fiançailles. Je tiens à ce qu'elle ait lieu dans les semaines à venir.

Souriant de nouveau, le colonel s'éloigna vers le bar pour commander un double gin-tonic. Le voyant s'installer à l'autre bout du salon, Nick tira la manche de Harry qui fixait le feu de cheminée d'un air lugubre.

— Eh, réjouis-toi! Ce n'est pas tous les jours qu'on reçoit une invitation royale! Remarque, j'aime mieux que ce soit toi que moi. Il paraît qu'il n'y a pas moyen de se débarrasser de la colonelle!

Mme Scunner était réputée dans le régiment parce qu'elle enseignait les soins de première urgence et pré-

181

férait recruter de jeunes officiers virils pour pratiquer le bouche-à-bouche.

Harry se leva brusquement.

— Ce n'est pas drôle, Nick. Bon, je vais dans ma chambre. Préviens-moi si quelqu'un me demande au téléphone, dit-il en abandonnant son journal sur le fauteuil.

— Mais…

— La ferme! Tu en as assez dit pour aujourd'hui.

— Mais, Harry, écoute, il y a…

Harry s'éloignait déjà. Il franchit le seuil au moment où le colonel levait les yeux. Nick se tut avec un sourire penaud, et Harry disparut.

J'espère que je n'ai pas fait de gaffe! songea Nick, ennuyé.

Étant donné certains événements récents et l'humeur de chien de Harry, il avait peut-être mis les pieds dans le plat. Nick adorait faire des blagues mais, la plupart du temps, son entourage ne partageait pas son sens de l'humour.

Harry s'arrêta devant la porte de sa chambre et chercha sa clé dans sa poche. Il se sentait déprimé, et surtout il s'en voulait à mort. Quel idiot il faisait! Pourquoi diable avait-il proféré un tel mensonge? Et comment allait-il s'en sortir? Tout le monde allait le croire fiancé à une richissime héritière.

— Bon sang, qu'ai-je fait? gémit-il.

Comme il introduisait la clé dans la serrure, il se rendit compte que la porte était déjà ouverte. Pour couronner le tout, il avait même oublié de verrouiller sa chambre! Il ne manquerait plus qu'on lui ait volé sa chaîne hi-fi et son portefeuille.

En entrant, il perçut un bruit et se raidit aussitôt, avant de faire irruption dans la pièce, prêt à surprendre un intrus.

— Sasha, c'est toi?

La vue de la jeune femme aurait dû le faire rire. La

sœur de Nick portait une paire de bas noirs agrémentée d'un porte-jarretelles en dentelle, une casquette et la tunique de son uniforme.

— Sasha, que fais-tu ici ? s'exclama-t-il en refermant précipitamment la porte. Pour l'amour de Dieu, éloigne-toi de cette fenêtre !

D'un bond, il alla tirer les rideaux, puis il repoussa Sasha vers le lit.

— Je suis fiancé, bon sang !

Sasha Tully écarquilla les yeux en pâlissant.

— Fiancé ? répéta-t-elle.

— Non ! Enfin, je veux dire… pas vraiment. Mais je viens de dire au colonel… Oh, ne fais pas attention, c'est bien trop compliqué ! conclut-il en se laissant choir dans le fauteuil.

Sasha le regarda et s'attendrit aussitôt. Ce grand gaillard avait des airs de petit garçon.

— Harry, tu ne veux pas voir ma médaille ? Cela te mettrait peut-être de bonne humeur, murmura-t-elle.

Harry déglutit avec peine. Il fallait avouer que Sasha Tully avait des arguments. Des seins ronds et fermes, la peau crémeuse d'un modèle de Rubens, des hanches épanouies, et des fesses superbes qu'elle parait souvent de dentelle noire.

— Non, je ne veux pas la voir ! aboya-t-il.

Sasha avait l'imagination fertile, Dieu sait où elle avait caché cette fichue médaille !

— Je t'en prie, rhabille-toi, l'implora-t-il soudain.

— Mais je suis habillée, rétorqua-t-elle en s'étendant sur le lit. Allons, Harry, qu'est-ce qui te prend, aujourd'hui ?

La tunique s'ouvrit découvrant sa poitrine dont les tétons brun sombre pointaient. Harry s'agita avec embarras sur son siège.

— Que se passe-t-il ? insista-t-elle.

— Ce qui se passe ? Je vais te le dire. Ma vie est sens dessus dessous, tout a foiré avec Kate, rien ne se déroule comme prévu, et maintenant, par-dessus le marché, me voilà invité à une fête par le colonel ! Si tu comptais me faire rire, c'est raté, Sasha !

Soudain, Harry sentit des mains douces prendre les siennes et l'obliger à se lever. Il ferma les yeux, incapable de lui résister.

— Je veux juste t'aider à te détendre, chuchota-t-elle à son oreille. Alors, tu veux la voir, cette médaille ?

Ses doigts habiles ouvrirent sa braguette et se refermèrent sur son membre déjà raide. Il poussa un grognement et capitula. Sasha se recula légèrement et fit glisser la tunique le long de ses épaules rondes. Sa paume courut sur ses seins, jusque sur son ventre.

Baissant les yeux, il vit, accrochée par un ruban à la ceinture du porte-jarretelles, une pièce en chocolat enveloppée de papier doré. Souriant malgré lui, il se pencha pour baiser la pointe d'un sein.

— Elle peut se manger, tu sais. Tu devrais la goûter, lui dit Sasha.

Gentiment, elle lui caressa la tête tout en écartant les jambes. Harry s'agenouilla et posa la bouche sur la chair blanche et satinée. Il sentit les doigts de Sasha s'emmêler à ses cheveux, tandis qu'elle poussait un cri de plaisir.

La distillerie, comme ils l'appelaient déjà, et l'entrepôt adjacent se trouvaient à cinq minutes de marche de la maison. Kate courut tout du long. Elle se sentait surexcitée. La semaine avait passé à toute vitesse. Ils avaient trouvé des arrangements, fait d'autres découvertes, organisé leur projet, bref, trimé comme des nègres !

À la main, Kate tenait l'ultime confirmation, un fax que lui avait envoyé un producteur de verre de Bagshot qui allait leur fournir les bouteilles nécessaires, pour un prix très correct. Kate brûlait de l'annoncer à Eddy.

Tout était en place, à présent, il ne restait plus qu'à se lancer dans la fabrication proprement dite.

C'est comme si c'était fait ! songea-t-elle avec optimisme.

Flora, qui se trouvait avec Mme Able, bondit en apercevant Kate et se précipita vers elle.

— Kate ! Kate !

Kate se pencha pour soulever la petite fille et la caler contre sa hanche. Ensemble, elles s'approchèrent d'Eddy et du révérend Gallagher.

— J'ai reçu la confirmation pour les bouteilles ! clama Kate.

Eddy, qui était en train de pelleter du charbon dans le brasier, se contenta de lever la main gauche en guise de salut, sans cesser de s'activer. Kate retourna auprès de Mme Able pour examiner l'alambic, une énorme structure de cuivre posée sur un foyer de brique.

Le visage rougi par la chaleur, le révérend Gallagher se tourna vers elles.

— Où en êtes-vous ? lui demanda Kate.

— Cela fait deux heures que nous entretenons le feu, et la vapeur qui sort est maintenant plus propre. Je pense qu'il faudra encore trois à quatre heures avant que l'appareil soit entièrement nettoyé.

— Comment en serez-vous sûrs ? s'enquit Mme Able.

— La vapeur sera alors complètement inodore. Le procédé est très simple. En fait, nous nous sommes contentés de faire bouillir de l'eau.

— Je vois, fit Mme Able, d'un air pourtant dubitatif.

— Alors, le problème des bouteilles est réglé ? fit le révérend en se tournant vers Kate. C'est une excellente nouvelle ! Avez-vous dépassé votre budget ?

— Pas du tout !

— Avez-vous vu ce qu'ont fait Flora et Mme Able ?

Le révérend désigna une table à tréteaux installée dans un coin de la pièce avant d'expliquer :

— Elles ont nettoyé cette vieille machine à étiqueter les bouteilles. Elle fonctionne à merveille maintenant, n'est-ce pas, madame Able ?

— Oui, révérend. La cadence est d'une bouteille par minute.

Kate inspecta la machine avec attention. Elle n'en revenait pas que celle-ci soit en état de marche. Tout le matériel était comme neuf, il avait suffi d'un peu d'huile de coude pour parvenir à le faire fonctionner. Elle avait un peu l'impression de faire revivre une tradition qui avait appartenu à Tonsbry et à sa famille et, d'une certaine manière, de faire revivre Leo. Cela l'aidait énormément à supporter son deuil. Cet équipement n'était peut-être ni performant ni pratique selon les critères modernes, mais il pouvait fabriquer du gin, et c'était tout ce qui comptait.

— J'ai attrapé le coup avec cette machine à bouchons, ajouta Mme Able en saisissant sur la table un lourd appareil muni d'un levier.

Elle prit une bouteille et un bouchon de liège, les inséra tous deux dans la machine. D'un coup de levier, le bouchon se retrouva coincé dans le goulot.

— Magnifique ! s'écria Kate, impressionnée.

Mme Able lui adressa un sourire rayonnant. Sa peau était moite à cause de la chaleur qui régnait dans la pièce, ses cheveux frisaient autour de son visage et lui collaient au front, sa blouse était tachée et, à force d'actionner des manettes et des leviers, son arthrite s'était réveillée. Pourtant, elle était ravie.

Ces dernières semaines, elle et John s'étaient sentis bien plus utiles qu'au cours des années passées. Ils avaient désormais une raison de vivre et de travailler. La maison grouillait d'allées et venues incessantes ; des personnes passaient livrer du matériel ; le téléphone sonnait à tout bout de champ. Bref, tout le monde s'agitait. Cela lui rappelait un peu l'époque de la guerre, avec la peur en moins. Tous les habitants de Tonsbry unissaient leurs efforts dans la poursuite d'un même but.

Un homme à casquette pointa la tête par la porte entrebâillée du bâtiment.

— Excusez-moi, la livraison de Spice & Nice, c'est ici ?

— Oui ! répondit Kate. J'arrive.

Elle suivit le livreur qui retournait à sa fourgonnette garée devant la distillerie. Il tira du coffre un carton et dit :

— Vérifiez que la commande est complète, cochez les articles sur le bon de livraison, et signez-le.

Rapidement, Kate vérifia qu'on lui avait envoyé les bons aromates.

— Merci, à bientôt, dit le livreur avant de remonter dans sa fourgonnette.

Il démarra au moment où Eddy sortait de la distillerie, l'air épuisé.

— Qu'est-ce que c'est ? demanda-t-il à Kate en regardant le carton posé par terre.

Kate s'agenouilla pour ouvrir un sachet. Elle prit une poignée de baies de genièvre qu'elle écrasa doucement entre ses doigts pour en dégager l'arôme. Puis elle tendit sa paume ouverte sous le nez d'Eddy.

— Ceci, dit-elle, est…

— Du gin ! acheva-t-il.

— Oui, du gin !

Et ils éclatèrent de rire en même temps.

Adriana appuya sur le bouton de sa télécommande et l'écran s'éteignit brusquement dans sa chambre. Elle jeta un coup d'œil au plateau posé près du lit, mordit dans un sandwich au concombre et le reposa dès la première bouchée. Elle s'ennuyait, l'irritation la gagnait. Elle en avait assez d'attendre.

Se levant, elle marcha nu-pieds jusqu'à la salle de bains et s'arrêta devant le grand miroir illuminé. Faute d'avoir mieux à faire, elle contempla son reflet. Elle était parfaite, évidemment, puisqu'elle avait passé la semaine de salons de beauté en salons de coiffure. Elle avait perdu un peu de poids, et sa poitrine était plus ferme. Sa peau avait la douceur du satin, ses ongles étaient soigneusement manucurés et, pourtant, elle était malheureuse, profondément malheureuse.

Cela faisait maintenant cinq jours qu'elle n'avait pas de nouvelles de sa fille.

Satanée chipie ! songea-t-elle en arrachant un cheveu

gris de sa chevelure. Je veux bien être pendue si c'est moi qui décroche mon téléphone pour l'appeler !

Mais elle avait presque — presque ! — les larmes aux yeux à la seule pensée de Kate, seule dans cette horrible maison, en train de se couvrir de ridicule devant ce sale type.

En désespoir de cause, Adriana allait devoir se résoudre à attaquer le plan B.

Après un dernier regard au miroir, elle retourna dans la chambre s'asseoir à la coiffeuse. Elle décrocha le téléphone et composa le numéro qu'elle avait noté quelques jours plus tôt sur le bloc de papier à l'en-tête de l'hôtel.

— Bonjour, puis-je parler au capitaine Drummond ? Oui, je ne quitte pas. Dites-lui que c'est de la part de la comtesse de Grand Blès. Merci.

Et elle attendit que Harry vienne répondre.

Harry se redressa dans le lit, plus agité qu'il ne l'était deux heures plus tôt. Faire l'amour avec Sasha était épuisant et, à court terme du moins, avait chassé ses idées noires. Mais, à présent, il se sentait les nerfs à vif.

Saisissant un caramel mou sur la table de chevet, il le fourra dans sa bouche. Certaines personnes fumaient après l'amour, d'autres sombraient dans le sommeil. Lui, il mangeait des caramels.

Tout en mastiquant la confiserie avec de petits bruits de succion, il retira un bout de caramel collé à sa dent.

— Harry, tu es obligé de faire ça ? s'exclama Sasha.

— Oui !

— Mon Dieu, tu es vraiment ronchon ! constata-t-elle en roulant sur le côté pour le regarder. Écoute, je ne suis peut-être pas Einstein, mais je sais quand les gens ont des problèmes. Je pourrais peut-être t'aider ?

— M'aider ?

Il saisit le sachet de caramels, en offrit un à Sasha qui l'accepta.

— Oui, t'aider. Bon, tu m'as dit que tout avait foiré avec Kate. Explique-moi pourquoi.

— Oh, c'est beaucoup trop long !

— Essaie.

— Tu veux vraiment savoir ?

Sasha acquiesça. En réalité, elle n'y tenait pas tant que cela, mais elle voulait Harry. Elle l'adorait, et elle se disait que, si elle parvenait à lui plaire, à l'écouter, à le distraire, il se pourrait qu'un jour il vienne à elle.

— Harry, je suis ton amie. Allez, parle-moi.

Il lui prit la main.

— J'ai rompu avec Kate la semaine dernière. Je n'en suis pas fier, mais je ne peux vraiment pas me permettre d'être impliqué dans cette affaire. Tu comprends, elle a beaucoup d'ennuis… Enfin, pour être plus précis, elle est couverte de dettes. Elle vient d'hériter de cette propriété superbe qui s'est avérée être hypothéquée jusqu'aux rouleaux de papier toilette !

Harry baissa les yeux sur la main qu'il tenait : une main très féminine, avec des ongles soignés ornés de vernis rose pâle. Les mains de Kate étaient rugueuses, elles sentaient toujours l'oignon ou l'ail.

Il embrassa un doigt de Sasha, sentit l'odeur de son parfum mêlée à celle de son sexe.

— Le problème, poursuivit-il, c'est que ces dettes seraient susceptibles de me retomber dessus si nous restions ensemble. Ce ne serait pas très glorieux pour moi, hein ? Officier dans l'armée, pilier de la société, tout le tralala…

Sasha hocha la tête, l'air compréhensif. Il enchaîna :

— Je lui dit : « Kate, je ne peux courir le risque de ruiner ma réputation. » J'ai eu raison, n'est-ce pas ?

— Oh oui, absolument !

— Mais ce n'est pas tout. Je ne sais pas ce qui m'a pris, mais j'ai dit au colonel que Kate et moi étions fiancés et… il s'est tout de suite emballé et a proposé cette fête de fiançailles. Ô Seigneur !

Gentiment, Sasha lui massa la nuque pour l'apaiser, tout en réfléchissant à toute allure. Penser n'était pas son point fort ; d'ordinaire, elle jouait plutôt la carte de la blonde évaporée, mais là, l'enjeu était de taille. Elle n'avait aucune envie que Harry soit fiancé, ni dans la réalité ni dans l'imagination des autres.

— La première chose à faire, dit-elle en se redressant, c'est de dire au colonel que la propriété de Kate est plus longue que prévu à expertiser.

— À expertiser ?

— Oui, c'est juste un terme juridique…

— Je le sais bien !

— Pardon, bien sûr que tu le sais. Tu vas dire au colonel que Kate ne peut quitter le domaine car elle a trop à faire. Tu peux lui laisser un mot dans sa boîte aux lettres pour lui expliquer qu'elle t'a appelé cet après-midi. Ensuite, tu n'as qu'à t'éclipser le reste du week-end.

— M'éclipser ?

— Oui ! Pourquoi ne viens-tu pas à Londres avec moi ?

— Mmmm… Et après ?

— Une fois écarté le problème de la fête, tu pourras prendre discrètement à part la colonelle et lui confier que les choses ne vont pas très bien entre Kate et toi. Tu n'auras qu'à jouer l'amoureux éconduit pour qu'elle compatisse à ton sort et, finalement, annoncer quelques semaines plus tard que Kate t'a plaqué.

— Qui, moi ?

— C'est la seule solution si tu veux te tirer d'affaire ! insista Sasha.

— Tu crois ?

— J'en suis sûre.

Elle se mit à lui caresser les cheveux et, soudain excité, il soupira :

— Sasha, il n'y a que toi qui me comprennes. Je ne sais pas ce que je ferais sans toi. Si je n'étais pas obligé…

Un coup frappé à la porte l'interrompit.

— Harry ? appela une voix.

— Chut, Sasha !

— Mon capitaine, quelqu'un vous demande au téléphone, reprit la voix. C'est une dame, une comtesse machin-chose, française, je crois.

Harry repoussa la main de Sasha et jaillit hors du lit.

— Merde ! C'est la mère de Kate !

Il se dirigeait déjà vers la porte quand il se rendit compte qu'il était nu. Vivement, il récupéra ses vêtements par terre.

— Mon capitaine?

— Oui, une minute, j'arrive, caporal! (Plus bas, il ajouta:) Sasha, cache-toi sous les couvertures!

— Mais je...

— Dépêche-toi!

Sasha obéit de mauvaise grâce et tira la couverture par-dessus sa tête, pendant que Harry allait ouvrir.

— Dois-je répondre à la dame que vous arrivez ou lui demander de rappeler, mon capitaine?

— Je descends tout de suite, caporal.

Harry referma la porte et demeura songeur un instant, tandis que Sasha émergeait de sous la couverture.

— Je t'attends ici? lui demanda-t-elle.

Harry sursauta légèrement, puis entreprit de s'habiller à la hâte.

— Écoute, Sasha, je n'en sais trop rien... Non, il ne vaut mieux pas.

— Pourquoi?

— Cela risque de prendre du temps. Si elle a raccroché, je vais devoir attendre qu'elle rappelle. De plus, conclut-il en achevant de boutonner sa chemise, tu as sûrement mieux à faire que de m'attendre ici.

Sasha n'était pas de cet avis, cependant elle acquiesça dans un murmure.

— Bien! fit Harry avec satisfaction. On se revoit bientôt, alors?

Harry ne se considérait pas comme un snob, néanmoins les gens riches et titrés l'impressionnaient. Il avait hâte de quitter la chambre.

— J'ai droit à un baiser? demanda Sasha.

— Bien sûr, Sasha. Et merci.

Il se précipita vers elle, l'embrassa pudiquement sur la joue, et se rua vers la porte avant qu'elle ait le temps de lui passer le bras autour du cou.

— Harry, je...

Mais Sasha ne put finir sa phrase. Harry était déjà parti.

À l'angle de Fulham Road, Stefan regarda à droite, puis à gauche, cherchant Jan des yeux. Ils étaient convenus de se retrouver à 19 heures, mais il était déjà 19 h 45, et elle n'était toujours pas là. Le film commençait à 20 heures, il avait les billets en poche, un gros sachet de M&M's à la main, et il avait réservé une table pour deux dans son restaurant italien préféré.

Stefan commençait à se demander si elle ne lui avait pas posé un lapin.

Sortant son téléphone de sa poche, il appela le standard d'Ingram Lawd pour la troisième fois. Pas de réponse. Puis il essaya de nouveau le portable de Jan. La messagerie lui répondit. Que faire ?

Devait-il se couvrir de ridicule en attendant une demi-heure de plus ?

Une fois encore, il scruta la rue dans les deux sens. Bah, tant pis pour elle ! Elle ne viendrait plus, quelles que soient ses raisons. Et cette pensée le déprimait au plus haut point.

Il s'éloigna à grandes enjambées, laissa tomber au passage le sachet de M&M's dans une poubelle publique, ainsi que les billets de cinéma. Il s'apprêtait à entrer dans le premier café sur sa route quand une voix l'appela soudain par son prénom. Il se retourna.

— Stefan ? Eh, Stefan chéri, je suis là !

Il reconnut l'une de ses plus fidèles clientes qui lui faisait signe, au volant de sa Mercedes 80 SL. Déçu, il traversa la chaussée et se pencha vers la portière.

— Bonjour, Loïs. Que fais-tu ici ? Tu ne cherches pas l'âme sœur le long du trottoir, j'espère ?

Elle rit bruyamment et agita sa main ornée de bagues.

— J'attendais un ami, mais il tarde à venir. Tu ne serais pas disponible, par hasard ? J'ai une table réservée chez La Caprice. Ça te dit ?

Stefan n'avait pas faim, mais Loïs était une de ses

meilleures clientes. De plus, elle ne requérait ses services qu'en public, dans le but d'humilier son ex-mari. Une fois de plus, il jeta un rapide coup d'œil à Fulham Road, puis hocha la tête avec un sourire.

— Je meurs de faim !

Loïs rit de nouveau, de ce rire de gorge qui attirait souvent l'attention sur elle. Cela faisait partie de son personnage. Elle se pencha, ouvrit la portière pour qu'il s'installe à son côté.

— Dis-moi, mon chou, tu es très élégant ! commenta-t-elle. Tu ne te serais pas fait poser un lapin, toi aussi ?

Il haussa les épaules et, voyant que Loïs prenait une longue et fine cigarette, il saisit son briquet et l'alluma pour elle.

— J'imagine que ton rendez-vous manqué paiera quand même le prix fort, dit-elle avec malice.

— Ce n'était pas du business, Loïs.

— Oh, pauvre chéri !

Compatissante, elle lui tapota la cuisse, puis démarra en ajoutant :

— Console-toi en te disant que cette femme est vraiment stupide ! Refuser un service gratuit pour lequel certaines moins chanceuses doivent payer me semble complètement idiot !

Riant de nouveau, elle agita sa cendre qui tomba sur le plancher, et Stefan tiqua.

Il était 22 h 15. Sasha, au volant de sa voiture garée devant le Langham Hilton de Portland Place, attendait Harry. Il lui avait dit qu'il était inutile de venir le chercher, qu'il prendrait un taxi pour rentrer après le dîner, mais Sasha avait insisté en arguant que cela lui ferait économiser une course. Harry, égal à lui-même, n'avait pu résister à cet argument de poids.

Sasha s'inquiétait. À propos de Harry, d'elle-même, et surtout de Kate Dowie. Cet après-midi, pour la première fois, elle avait eu l'impression qu'une petite brèche avait fendillé la vénération que Harry portait à la jeune femme. Sasha avait entrevu une lueur d'espoir. Puis le coup de fil de cette fichue comtesse l'avait renvoyée à la case départ. Harry s'était empressé d'accepter de dîner avec la mère de Kate pour discuter «ouvertement et sérieusement».

Évidemment, Sasha lui avait proposé de l'emmener à Londres et de l'héberger cette nuit chez elle, ce qu'il avait accepté sans le moindre scrupule. Ainsi, aussitôt après l'avoir déposé à l'hôtel où séjournait la mère de Kate, Sasha s'était-elle empressée de faire des courses. Elle avait acheté des croissants, du café, trois sortes de céréales différentes, des œufs, du bacon, des saucisses. De quoi composer un succulent petit déjeuner. Mais quelle différence cela ferait-il, en définitive ? Et que voulait la mère de Kate ?

Malheureuse, Sasha soupira tout en consultant sa montre. Ses trente minutes de stationnement autorisé étaient dépassées, elle devait mettre de l'argent dans l'horodateur.

Sortant de la voiture, elle alla glisser une pièce dans l'appareil afin de poursuivre son attente solitaire.

Dans la salle de restaurant de l'hôtel, Adriana et Harry étaient assis à une table discrètement isolée dans un angle.

Adriana dissimula un petit bâillement d'ennui, puis elle saisit son verre pour boire une gorgée.

Harry s'empressa de l'imiter par politesse. Depuis le début du repas, chaque fois qu'Adriana avait porté son verre à ses lèvres, il avait suivi son exemple, oubliant qu'elle avait commandé de l'eau minérale et que lui buvait du vin. En conséquence, sa vision commençait à se brouiller, et il avait perdu le fil de la conversation.

Il reposa son verre, qui fut aussitôt rempli par un serveur zélé. Celui-ci replaça la bouteille désormais vide dans le seau à glace et demanda :

— Madame en désire-t-elle une autre ?

— Oui, merci, répondit Adriana.

Elle s'ennuyait ferme. Pourquoi diable Kate fréquentait-elle ce jeune fat assommant et rempli de bonnes intentions ?

Voyant qu'il semblait distrait, elle toussa discrètement afin de retenir son attention, puis reprit :

— Nous discutions d'une éventuelle aide financière pour vous et Kate. Vous pourriez vous installer à Londres et, par exemple, acheter un restaurant ?

— Un restaurant ?

— Oui, ou n'importe quoi d'autre, fit Adriana avec impatience. L'important, c'est d'éloigner Kate de Tonsbry et de ce ridicule projet de distillerie.

— Quelle distillerie ?

— Celle dont Kate m'a parlé !

— Ah oui !

Harry n'était pas sûr de comprendre. Il avait dû louper une partie de la conversation. Mais, percevant l'irritation contenue dans le ton d'Adriana, il se décida — aidé en cela par l'excellent vin blanc — à abonder en son sens.

— Naturellement, il est inutile de parler de ce petit cadeau à Kate. L'argent sera transféré à votre nom, vous n'aurez qu'à faire comme s'il s'agissait de votre propre capital. Bien entendu, Kate détiendra la majorité des actions de votre entreprise. Mais une fois l'affaire mise en route, je pourrai vous donner un petit bonus.

— Quelle affaire ? s'enquit Harry en essayant d'articuler correctement.

— C'est votre problème, répliqua Adriana avec un doux sourire.

Si Kate veut l'épouser, il faudra que je m'en mêle en temps voulu, pensa-t-elle.

Pour l'heure, la priorité était d'empêcher Kate de commettre la plus grosse bévue de toute sa vie.

— Vous voudriez que je prenne quelques jours de vacances pour aller à Tonsbry et la convaincre de tout annuler ? demanda Harry.

— Oui. Et lui faire comprendre que s'évertuer à sauver cette maison la ruinerait et gâcherait sa vie.

— Mais pourquoi ?

— Comment, pourquoi ?

— Pourquoi cela lui gâcherait-il la vie ? Et pourquoi ne lui donnez-vous pas cette somme d'argent afin d'éponger ses dettes ?

— Harry, je vous dis qu'elle s'en repentirait toute sa vie, décréta Adriana comme si elle s'adressait à un demeuré. Parce que cette affaire va devenir une obsession. Elle se croira investie d'une mission consistant à sauver Tonsbry et passera le reste de ses jours à lutter pour rembourser ses dettes.

Adriana alluma une cigarette, indifférente au fait que Harry n'avait pas fini de manger. Elle le vit faire la grimace. Mais après tout, c'était sa faute s'il avait mis plus d'une heure pour finir le plat principal.

— C'est précisément pour cette raison que je ne veux pas éponger ses dettes, poursuivit-elle. Sinon, d'ici quelques années, elle en sera au même point. Tonsbry est un gouffre financier, j'ai bien vu quelles répercussions cela a eues sur la vie de mon frère : il n'a jamais vécu pour lui-même, il n'a pas fondé de famille, tout cela pour cette bicoque délabrée ! Je ne permettrai pas que Kate suive la même voie !

Adriana écrasa sa cigarette d'un geste sec, puis claqua des doigts pour demander l'addition. Parler de Tonsbry la mettait toujours hors d'elle.

Elle laissa tomber sa serviette sur la table et se leva.

— Harry, veuillez me pardonner, j'ai une horrible migraine. Demandez que le repas soit compté sur la note de la chambre 148, voulez-vous ?

Harry se leva et se rattrapa à la table pour ne pas chanceler.

— Oui, bien… sûr, bredouilla-t-il. J'espère que vous…

— Ça va, merci.

Adriana ramassa son sac et, avec un sourire pincé, ajouta :

— Je vous rappellerai. Vous allez vous rendre à Tonsbry, n'est-ce pas ?

— Bien entendu. Demain, ou après-demain. Je m'occupe de tout, ne vous inquiétez pas.

— Bonsoir, Harry.

Harry s'avança pour l'embrasser, mais ne fut pas assez rapide. Involontairement, il emporta avec lui un bout de la nappe qui glissa, renversant trois verres et un petit vase de fleurs.

— Bonne nuit ! cria-t-il au moment où Adriana quittait la salle du restaurant.

Puis il retomba sur sa chaise.

— Désirez-vous un peu de vin ? s'enquit le serveur, qui tenait une bouteille à la main.

— Oui, merci. Et remettez le bouchon, s'il vous plaît, je vais l'emmener chez moi.

Il plia sa serviette, la posa sur la table. Quelques instants plus tard, la bouteille à la main, il quittait le restaurant.

Il était presque minuit quand Jan termina son travail. Elle avait calculé tous les intérêts payés par Tonsbry en remontant sur trois ans afin d'évaluer l'augmentation du taux, calculé également le profit réalisé par la société sur l'emprunt. Apparemment, il n'y avait aucune raison majeure pour solder le prêt. Celui-ci était rentable, du moment que Kate Dowie honorait ses remboursements.

Toutefois, une clause du contrat stipulait qu'Ingram Lawd avait le droit de solder le prêt à n'importe quel moment si la société le décidait. Duncan comptait certainement faire valoir cette clause.

Refermant le dossier, Jan se leva. Elle travaillait au côté de Duncan depuis des années, elle était à peu près certaine de connaître toutes ses combines, mais là, cette impatience à propos de Tonsbry n'avait aucun sens. Il n'y avait même pas d'acheteur potentiel, elle l'avait vérifié. Aucun projet de développement immobilier non plus. Alors que manigançait Duncan ?

S'il voulait solder le prêt, c'était vraisemblablement afin de racheter lui-même la propriété à bas prix. Sinon, pourquoi mettre un terme à un arrangement financier qui leur rapportait gros ? Et s'il voulait à toute force cette propriété, c'est qu'il savait quelque chose dont ni Jan ni Kate n'étaient au courant.

Jan abandonna le dossier sur son bureau et prit le passe dans son tiroir. Elle gagna le bureau de Duncan, allumant la lumière du couloir au passage. Lorsqu'elle voulut entrer, elle trouva porte close et dut chercher la bonne clé parmi celles du trousseau.

Tout d'abord, elle fouilla les armoires de classement. Trois étaient ouvertes, la quatrième verrouillée. Duncan y cachait-il des documents secrets ?

Ensuite, elle inspecta le bureau, sans rien y trouver de particulier. Elle ne savait même pas ce qu'elle cherchait, mais il y avait quelque chose à trouver, elle en était sûre.

Se rabattant sur l'agenda de son mari, elle le feuilleta : des rendez-vous, des déjeuners, des cours d'aérobic… Jan se permit un sourire. Duncan tenait très méticuleusement son agenda dont les pages révélaient son existence en détails. Il marquait l'heure de chaque événement social ou professionnel, ainsi que l'adresse, le numéro de téléphone, le temps passé, le nom de la compagnie de taxi sollicitée, et également diverses annotations personnelles, telles que : « Costume Prince de Galles/chemise à rayures bleu (rose)/cravate Hermès bleue/dîner au Rotary Club. »

Cette habitude avait toujours fasciné Jan qui, elle, se contentait de griffonner l'heure et le lieu, et de mémoriser le reste.

En survolant les pages, elle remarqua un rendez-vous coché pour le lundi suivant à 11 h 30. Il n'y avait aucune annotation supplémentaire. Elle tourna quelques feuilles, puis revint sur ce rendez-vous précis. C'était le seul pour lequel Duncan n'avait rien inscrit de plus.

Jan s'assit et revint au début de l'année. Cette fois, elle lut chaque page avec attention et, bingo ! découvrit cinq autres rendez-vous similaires, d'une durée d'une heure chacun, tous notés au crayon à papier. Pas de nom, pas d'adresse, aucune précision. C'était vraiment très bizarre, voire intrigant, même si elle n'avait pas la moindre idée de ce que cela signifiait. En tout cas, elle était décidée à en avoir le cœur net.

Jan laissa l'agenda à l'endroit exact où elle l'avait trouvé pour ne pas éveiller les soupçons de Duncan. Cette histoire de rendez-vous mystérieux la turlupinait.

Ne sois pas ridicule, se dit-elle. Cela n'a sûrement aucune importance.

Pourtant, tandis qu'elle regagnait son propre bureau, ce détail continuait de lui trotter dans la tête. Devait-elle suivre Duncan quand il partirait lundi prochain ? Non, c'était grotesque, elle n'allait pas le filer dans Londres, épier sa vie privée !

Elle alluma une cigarette et réfléchit tout en consultant son propre agenda. En fait, elle était libre lundi prochain. Alors pourquoi ne pas se renseigner discrètement sur la personne qu'il devait rencontrer ? Juste un petit coup d'œil rapide et puis elle s'en irait…

Comme elle revenait à la semaine en cours, elle aperçut le rendez-vous avec Stefan noté pour samedi soir. Ce soir même. Avec une exclamation, elle se frappa le front du plat de la main. Comment avait-elle pu oublier ? Et pourquoi ne l'avait-il pas rappelée ?

Fébrile, elle fouilla son sac à la recherche de son portable. Il était en veille. Elle jura, saisit le téléphone et composa le numéro de Stefan.

Un déclic se fit entendre, et le message du répondeur défila. Jan jura de nouveau.

— Stefan, je suis vraiment désolée pour ce soir. Vous n'allez pas me croire, mais j'ai tout simplement oublié. Je travaillais sur le dossier Tonsbry, et j'ai perdu la notion de l'heure… Enfin bref, je vous demande pardon, j'espère que je n'ai pas gâché votre soirée. Pouvez-vous me rappeler bientôt, s'il vous plaît ?

Peut-être était-il sorti, peut-être l'écoutait-il en fulminant, décidé à ne plus jamais lui adresser la parole ?

Stefan saisit le manteau de velours de Loïs Makinny pour le draper sur les épaules nues de sa propriétaire. Elle frisait la soixantaine, mais son corps était bien entretenu et elle avait de l'allure.

— Stefan, c'était…

Il la réduisit au silence d'un bref baiser. Ce n'était guère dans les habitudes de Loïs mais, de temps à autre, elle avait besoin d'un petit réconfort que Stefan ne lui refusait jamais. Comme ce soir. Au restaurant, ils étaient tombés sur son ex-mari en compagnie de sa nouvelle épouse. Loïs avait accusé le coup plus durement qu'elle ne voulait l'admettre.

— Tu veux un café, Loïs ?

— Non, cela m'empêche de dormir. Je vais rentrer et me mettre au lit.

Stefan enfila rapidement son pantalon et son pull.

— Je vais te raccompagner et je prendrai un taxi pour rentrer, proposa-t-il.

— Merci, chéri.

Une fois prête, elle alla l'attendre dans le salon.

— Stefan, ton répondeur clignote, remarqua-t-elle. J'espère que c'est cette idiote qui te rappelle pour s'excuser.

— J'écouterai le message plus tard, dit-il en la rejoignant.

Il ne voulait pas penser à Jan pour le moment. Loïs lui tendit les clés de sa Mercedes.

— Tu es prêt ?

Elle avait l'air triste et fatiguée. Stefan lui passa le bras autour des épaules.

— Est-ce qu'on vous a dit combien vous étiez adorable, Loïs Makinny ?

— C'est pour ça que je te paie, non ? répondit-elle avec un sourire.

— Non, Loïs. Tu me paies pour t'escorter, t'emmener dîner et être de bonne compagnie. Tu ne me paies pas pour dire que tu es adorable.

Loïs lui déposa un baiser affectueux sur la joue.

— Merci, mon chou !

Elle se dirigea vers la porte, puis s'arrêta soudain pour murmurer, soudain sérieuse :

— Tu vaux mieux que ce job, Stefan. Arrête avant qu'il ne te détruise.

— Un jour, peut-être.

Au moment où il prononçait ces paroles, l'image de Jan s'imprima dans son cerveau. Et il sut que ce « peut-être » avait beaucoup plus d'importance qu'il ne semblait lui en accorder.

14

On était lundi matin, et Jan était fatiguée. Elle n'aurait pas dû, étant donné qu'elle n'avait rien fait de tout le week-end, pourtant elle était fatiguée et morose.

C'était l'angoisse qui l'épuisait. Stefan n'avait pas rappelé. Le week-end avait été rempli d'un silence chargé de menace. Elle avait beau se dire qu'il était sûrement occupé, qu'il n'avait peut-être pas écouté son répondeur, elle n'avait pu se résoudre à le rappeler dimanche. Et aujourd'hui, elle redoutait que, vexé, il n'ait décidé de ne plus la voir.

Cela, plus le fait que Duncan semblait mijoter un mauvais coup, la tourmentait beaucoup. Elle commençait à se demander à qui elle pouvait faire confiance dans son entourage.

Sans doute à personne. Ou peut-être à tout le monde et, dans ce cas, elle devenait paranoïaque. Au cours des vingt années qu'avait duré leur mariage, Duncan était toujours resté dans le cadre de la loi, enfin, pour autant qu'elle sache. Mais avoir une liaison secrète avec sa secrétaire pendant dix-huit mois n'était pas précisément honnête. Alors ?

Jan prit son sac fourre-tout ainsi qu'un petit vanity case qu'elle rangeait dans le tiroir, avant d'enfiler son manteau. En vérité, elle se méfiait maintenant de tout le monde, et le moindre détail inhabituel lui paraissait suspect.

Elle appela Molly.

— Je sors pour deux heures, j'ai un rendez-vous chez le médecin. Si Duncan veut me voir, dites-lui que je serai de retour pour l'heure du déjeuner.

En quittant le bureau, elle se dit encore qu'elle devait être un peu folle pour faire ce qu'elle s'apprêtait à faire. Puis elle sourit. D'accord, elle était complètement folle, et après ? Il valait mieux être folle que stupide et, cette fois, quelles que soient les intentions de Duncan, il n'allait pas s'en tirer à si bon compte.

Une fois dehors, Jan entra dans le bar qui occupait l'angle de la rue et se rendit directement aux toilettes pour dames. Dans son sac fourre-tout, elle prit les affaires qu'elle avait achetées le matin même avant de rejoindre le bureau : un imperméable beige, un foulard et des bottes noires qui lui montaient au genou. Puis elle se brossa les cheveux, les ramena en arrière à l'aide d'une barrette, et prit dans le vanity une perruque blonde et un chapeau.

Une fois déguisée, elle arrangea les mèches de son postiche, puis se regarda dans le miroir, avant de poser sur ses lèvres un rouge écarlate. Enfin elle ressortit dans la rue et repéra le taxi qu'elle avait commandé quelques instants plus tôt.

— Bonjour, dit-elle au chauffeur. C'est pour Ingram ?

— Oui, ma belle. Où c'est que vous allez ?

— Eh bien, c'est un peu compliqué, avoua-t-elle en s'installant sur la banquette arrière. En fait, je voudrais que vous suiviez un autre taxi. Vous voulez bien ?

— Bah, c'est vous qui payez ! Le compteur est déjà en train de tourner.

— Bien. Je vous le désignerai dès qu'il sera là.

Jan se tourna à demi pour jeter un coup d'œil à l'entrée de l'immeuble qu'occupait la société Ingram Lawd. Quelques minutes plus tard, elle vit Duncan franchir le portillon. Retenant son souffle, elle espéra ne pas s'être trompée en supposant que, selon son habitude, il prendrait un taxi.

Il attendit… et Jan attendit de son côté, cachée dans le taxi, en le regardant piétiner sur le trottoir et consulter sa montre pour la deuxième fois.

— Allez ! murmura Jan, nerveuse.

Duncan inspecta la rue en amont et, fourrant les mains dans ses poches, il prit la direction de la station de métro la plus proche.

— Merde ! souffla Jan.

Elle n'arriverait jamais à le suivre à pied…

Mais à cet instant, un taxi noir se gara le long du trottoir, juste à côté de Duncan. Il échangea quelques mots avec le chauffeur, puis grimpa dans le véhicule. Jan cogna aussitôt contre la cloison vitrée qui séparait l'habitacle en deux.

— C'est ce taxi, dit-elle. Vous le voyez ?

Le chauffeur leva son pouce en signe d'acquiescement et s'engagea dans la circulation. Se renfonçant dans la banquette, Jan laissa échapper un soupir, sans quitter des yeux le taxi qui emportait son mari.

— Amusons-nous un peu, murmura-t-elle.

Sa méfiance s'accentua lorsqu'elle constata que le taxi de Duncan sortait du centre-ville pour se diriger vers King's Cross. Si jamais il s'arrêtait dans le coin pour continuer à pied, elle n'oserait pas le suivre dans un tel quartier vêtue comme elle l'était…

Mais elle se rassura un moment plus tard quand le taxi déposa Duncan un peu plus loin, devant l'entrée d'un immeuble.

— On dirait bien que c'est ici que vous descendez, ma petite dame. Et que vous me payez mon dû, lança le chauffeur.

Jan hocha la tête, tout en se rendant compte que Duncan, qui attendait sa monnaie, regardait dans sa direction. Elle devait sortir, sinon cela paraîtrait bizarre.

— Entrez dans cette banque et attendez cinq minutes, lui suggéra le chauffeur qui avait remarqué son hésitation. Je fais le tour du pâté de maisons et je vous reprends.

Jan descendit du véhicule et se pencha vers le chauffeur, son porte-monnaie à la main. Du coin de l'œil, elle vit que Duncan l'enveloppait d'un regard appuyé. Mais, sans la reconnaître, il détourna aussitôt les yeux. Elle sourit au chauffeur.

— Vous êtes plutôt doué dans ce genre d'affaires, lui dit-elle.

— Ça arrive tout le temps, ma petite ! rétorqua-t-il en démarrant.

Jan releva la tête et chercha Duncan du regard. Il franchissait le seuil de l'immeuble. Jan mémorisa aussitôt le nom de la société inscrit sur une plaque de cuivre, avant de pénétrer dans la banque voisine. Là, elle s'assit, se sentant à la fois troublée et ridicule. Elle ôta son chapeau, dénicha un stylo dans son sac et nota : « Rickman Levy, avocats », inscription qu'elle ponctua d'un gros point d'interrogation. Puis, avec un soupir, elle attendit quelques minutes avant de ressortir. Comme prévu, le chauffeur de taxi l'attendait. Ils repartirent.

Ce que Jan rata était presque aussi important que ce qu'elle avait vu. Comme son taxi s'éloignait, un autre se gara devant le cabinet d'avocats. Deux personnes en sortirent : une femme élégante, visiblement très agitée ; et un homme au costume chiffonné, au visage inquiet et aux manières serviles.

Il était l'heure de déjeuner mais, à la distillerie, personne n'avait mangé. Il faisait chaud, l'air était moite et tendu. Tout était prêt. Les aromates avaient mariné dans l'alcool de grain toute la nuit, l'alambic avait distillé la mixture des heures durant, condensant le tout, et il ne restait plus qu'à découvrir le résultat.

Kate, debout près du révérend Gallagher, observait Eddy qui fixait un tuyau à l'alambic et installait un seau au-dessous afin de recueillir la chauffe. Cela fait, il approcha une barrique destinée à recevoir le précieux liquide. Cela ne prit que quelques minutes et, en le voyant faire, Kate se dit qu'il était incroyable qu'ils en soient arrivés là en si peu de temps.

— Prêts ? lança Eddy.

Le révérend et Kate levèrent le pouce en même temps.

— Le premier jet, tu es sûr qu'on ne peut pas le boire ? demanda Kate.

— Non, c'est bien trop fort, une concentration de tous les aromates. On appelle ça « la tête », et on ne peut rien en faire, malheureusement. Et c'est pareil pour « la queue », qui au contraire est fade parce que les herbes ont perdu leur saveur.

— Mais au milieu, c'est bon ?

— On dit « le cœur ». Et j'espère qu'il sera bon, oui, je l'espère vraiment.

Il s'approcha et prit la serviette que Kate tenait à la main pour s'en essuyer le front et la nuque.

— L'eau est prête ?

Kate acquiesça. Ils utilisaient l'eau de source d'un puits naturel situé sur le domaine, qu'ils avaient dû faire traiter au préalable à cause de sa teneur en fer trop élevée. Le procédé chimique leur avait coûté les yeux de la tête et constituait leur plus grosse dépense.

Kate croisa les doigts et attendit.

— Nous sommes prêts, annonça-t-elle.

— Bon, allons-y !

Eddy et Kate s'avancèrent vers l'alambic. Il ouvrit la valve. Le liquide courut dans le tuyau et jaillit dans le seau.

Les archives précisaient que le temps d'écoulement du rebut se montait à dix minutes en général. Aussi Eddy actionna-t-il immédiatement le chronomètre.

Puis tous deux restèrent immobiles, à contempler le liquide qui remplissait peu à peu le seau.

— Bon sang, ce qu'il fait chaud ! murmura Kate.

Le moindre mouvement la faisait suer.

— C'est normal, répliqua Eddy.

Cela faisait sept heures maintenant qu'ils entretenaient le feu destiné à faire bouillir le liquide. Chacun s'en était occupé à tour de rôle et, bien que les braises soient en train de mourir maintenant, il régnait encore une chaleur étouffante.

Kate se sentait un peu nauséeuse, mais l'excitation du moment la galvanisait.

— Encore trois minutes, annonça-t-elle en consultant le chronomètre.

Eddy lui sourit. Ils attendirent jusqu'à ce que le chrono bipe.

— À toi de transférer le tuyau dans la barrique, Kate. C'est ton gin.

Elle sourit à son tour, radieuse, et obtempéra. Le tuyau fut inséré dans la barrique, et le premier distillat du gin de Tonsbry se mit à couler.

Tandis que le taxi l'emmenait hors de King's Cross, Jan décida qu'elle en avait assez fait pour aujourd'hui et qu'elle allait rentrer chez elle. Elle conserva sa perruque jusqu'au moment où elle franchit le seuil de sa maison, puis elle l'ôta, ainsi que l'imperméable et les bottes, avant d'aller se recoiffer dans la salle de bains. Assise devant le miroir, elle se mit à réfléchir.

Rickman Levy, avocats. Qui étaient ces gens, et quelles relations Duncan avait-il avec eux ? Il ne leur avait certainement pas rendu une visite de courtoisie. Duncan avait peu d'amis, et il ne perdait certes pas son temps avec eux durant les heures de travail. Alors pourquoi s'était-il rendu, à plusieurs reprises déjà, dans ce petit cabinet de King's Cross ? Alors que — et ce détail avait toute son importance — tout au long de sa carrière, il avait mis un point d'honneur à recourir aux partenaires les plus prestigieux : un cabinet juridique renommé de Chancery Lane, une banque réputée et le plus gros cabinet d'experts-comptables de tout Londres.

Jan reposa son sèche-cheveux et entreprit de se peigner. Il y avait sûrement une réponse logique à toutes ces questions, le tout était de la découvrir.

Gagnant le bureau, elle appela les Renseignements

pour demander le numéro du cabinet Rickman Levy. Cela fait, elle le composa sans plus attendre.

— Bonjour, dit-elle, je cherche un avocat exerçant près de King's Cross, et je voudrais savoir de quel genre d'affaires vous vous occupez.

À l'autre bout du fil, la voix plaisante répondit :

— Bien sûr, madame. Nous nous occupons surtout de la rédaction d'actes translatifs, de contrats immobiliers, de baux et de rachats. Tout ce qui concerne le marché de l'immobilier, en fait. Puis-je prendre votre nom ? L'un de nos associés vous rappellera plus tard.

— Non, merci, en fait, je veux faire établir un contrat de mariage. Pouvez-vous me conseiller quelqu'un de la profession ?

La secrétaire s'excusa en lui avouant qu'elle ne connaissait personne dans le quartier répondant à ses critères. Jan la remercia et raccrocha. Il lui fallait maintenant vérifier si Duncan avait des rapports professionnels avec ces gens, ce qui serait loin d'être facile.

Elle appela le bureau.

— Molly ? Pouvez-vous me rendre un service confidentiel ? Parfait. Je vais vous donner un numéro à appeler. Vous direz que vous êtes la nouvelle secrétaire de M. Lawd et que vous devez, pour le suivi des dossiers, connaître le nom de l'avocat qui traite ses affaires. Rappelez-moi tout de suite si vous obtenez une réponse. Merci, Molly.

Jan demeura devant le téléphone tout en gribouillant de petits carrés sur son bloc de papier. La sonnerie retentit bientôt.

— Oui ? D'accord, je note, Molly.

Elle écrivit le nom de Rickman, l'encercla, puis ajouta :

— Vraiment ? Vous êtes sûre ? Mᵉ Rickman s'occupe de toutes les affaires de M. Lawd ? C'est ce qu'elle a dit mot pour mot ? Je vois... Oui, certainement, merci, Molly. Au revoir.

Pensive, Jan fixa son bloc un instant. Ainsi Duncan s'était rendu fréquemment à ce cabinet tout au long de l'année, sans en parler à personne. Ces avocats s'occupaient exclusivement du marché de l'immobilier, et M. Lawd était l'un de leurs clients réguliers. Bon sang, à quoi tout cela rimait-il ?

En tout cas, ce n'était certainement pas très propre.

Munie de son manteau, de son sac et de ses clés, Jan quitta la maison. Elle allait trouver Stefan, pour la simple et bonne raison qu'elle ne voyait personne d'autre avec qui partager ces nouvelles informations.

Un silence de plomb enveloppait la cuisine où étaient assis Eddy, Kate et Michael Gallagher. Kate tenait Flora sur ses genoux et caressait doucement les cheveux de la petite fille. La table, devant eux, était jonchée de verres, de pichets, de bouteilles, et de pages de notes.

— Je ne comprends pas, dit enfin Eddy. Nous avons suivi toutes les instructions à la lettre, nous avons ajouté les bons ingrédients, utilisé de l'alcool de la meilleure qualité, distillé le tout durant le temps requis, dilué le distillat... Pourquoi est-ce que ça a raté ?

— Bon sang, Eddy, s'exclama Kate en relevant la tête, nous en avons déjà parlé ! Personne ne sait ce qui a foiré, ni moi ni ton père ! Tout ce que nous savons, c'est que nous avons maintenant cent cinquante litres de gin dont le goût n'a rien à voir avec celui de l'original. Alors arrête de ruminer, ça ne sert à rien !

— Mais, Kate, nous avons cent cinquante litres de gin pratiquement imbuvable !

— Pas imbuvable, corrigea Michael. Et pas invendable non plus, mais je pense que tout le monde prendrait ça pour du vulgaire gin maison.

— Là n'est pas la question, papa ! Si nous voulons vendre ce truc, nous devons être à la hauteur des concurrents.

Eddy était épuisé, et la déception le rendait irritable. Son père lui toucha gentiment le bras. Il y avait sûrement une solution, il y en avait toujours une, à son avis.

— Tu vas résoudre ce problème, Eddy. Après tout, ce n'était qu'un premier essai.

— Mais nous n'avons pas le temps de patauger, et aucun argent à consacrer à d'autres tentatives ! Ces cent cinquante litres sont perdus ! C'est de l'argent jeté par les fenêtres, sans compter qu'il va falloir payer les taxes pour ce gin, que nous le vendions ou pas. Je n'arrive pas à comprendre ce qui s'est passé, je...

— Eddy, il est tard et Flora est fatiguée, coupa Kate. Nous y réfléchirons demain matin. Il faut qu'elle rentre manger.

— C'est Kate qui m'emmène, papa !

— Non, chérie, c'est moi, objecta Eddy en se levant. Kate est fatiguée elle aussi, elle a eu une rude journée.

— Non, non ! Kate, c'est toi, c'est toi ! trépigna Flora.

— Écoute, Eddy, si ça lui fait plaisir, je veux bien...

Eddy perdait patience.

— Tu en as assez fait pour aujourd'hui, Kate ! Allez, viens, Flora. Et cesse de pleurnicher, d'accord ?

Flora demeura obstinément juchée sur les genoux de Kate et se cramponna à elle.

— Flora, descends tout de suite !

La lèvre inférieure de la fillette se mit à trembler, et le révérend Gallagher leva un regard éloquent sur son fils. Eddy soupira en se passant la main dans les cheveux.

— Bon, d'accord ! capitula-t-il. Si Kate n'y voit pas d'inconvénient, elle peut te ramener à la maison.

— Non, cela ne me gêne pas du tout, assura Kate. Flora, veux-tu descendre que je puisse me lever ?

Elle était soulagée de sortir de cette pièce à l'ambiance oppressante. Le pouce dans la bouche, Flora hocha la tête et obéit mollement. Kate la prit dans ses bras avant de se tourner vers le révérend.

— Vous pensez qu'il faut procéder à un autre essai ?

— Oui, certainement.

— Eddy, peux-tu t'arranger pour qu'il ait lieu demain ?

— Si c'est ce que tu veux, oui, mais...

— Écoute, nous n'allons pas baisser les bras. Réussir du premier coup, cela aurait été miraculeux, tu ne crois pas ?

— Peut-être, maugréa-t-il. Mais pour autant, nous ne devons pas nous obstiner indéfiniment dans les mêmes erreurs.

— As-tu des suggestions à faire ?

— Non, mais…

— Alors, l'affaire est réglée, coupa-t-elle d'une voix ferme, avant de dire à Flora : Viens, chérie. Et dis bonsoir à papa et à grand-père.

Comme elle s'éloignait avec la fillette, elle lança à Eddy :

— Je vais lui faire prendre son bain, d'accord ?

— Si tu veux, répondit Eddy machinalement.

Une fois seul avec son père, il déclara :

— Bon, la première chose à faire est de se procurer des aromates. Il faut aussi passer une autre commande d'alcool pour demain matin. C'est peut-être ça qui cloche ? L'alcool est peut-être radicalement différent de ce qui se produisait il y a quarante ans ?

Relevant la tête, Eddy vit que son père le fixait sans le voir.

— Quoi ? Qu'est-ce qu'il y a ?

Plongé dans ses réflexions, Michael Gallagher ne répondit pas. Il était vraiment triste de voir ce qu'était devenue la relation autrefois si heureuse entre ces deux personnes. Ce n'était pas la première fois, au cours de son ministère, qu'il avait envie d'invectiver Dieu à propos d'un tel gâchis.

— Ça va, papa ?

Michael s'arracha à ses pensées et haussa les épaules.

— Oui, oui. Je pensais juste que… Je m'étonnais que Kate et Flora soient devenues si proches, prétendit-il, incapable de formuler sa réelle préoccupation.

En silence, Eddy se mit à débarrasser la table.

15

Stefan était sous la douche quand la sonnette retentit. Il l'entendit à peine pendant la pause entre le premier et le second mouvement du concerto pour violoncelle d'Elgar qu'il écoutait à plein volume. Rapidement, il coupa l'eau, ramena en arrière ses cheveux mouillés et sortit de la salle de bains tout en se nouant une serviette autour de la taille.

Il appuya sur le bouton de l'interphone et reconnut la voix de Jan.

— Jan ! Génial, montez ! Je vous ouvre la porte.

Il s'empressa de retourner dans sa chambre pour enfiler un peignoir. Au coup de sonnette, il regarda son costume étendu sur le lit, la chemise repassée, la cravate posée sur le dossier de la chaise, et marmonna un juron. Il avait rendez-vous à 19 h 30, il était déjà 18 h 15, et il n'avait aucune envie de mettre Jan dehors.

Pouvait-il annuler son rendez-vous ? Non, c'était trop tard, d'autant plus qu'il s'agissait d'une excellente cliente.

Il alla ouvrir, surpris par sa propre joie de la revoir.

— Bonjour, dit-il, avec le plus grand naturel. Entrez.

Jan pénétra dans l'appartement. Stefan sentait l'eau de Cologne, une note acidulée et légèrement fleurie. Consciente de sa quasi-nudité, elle ne put s'empêcher de fixer le bout de peau visible au sommet de sa poitrine glabre.

— Vous avez eu mon message ? s'enquit-il.

— Non, quel message ?

— Mes messages, pour être plus précis. J'ai appelé votre secrétaire à plusieurs reprises en demandant que vous me rappeliez.

— Je n'étais pas au bureau aujourd'hui, je n'ai parlé à Molly que brièvement au téléphone. Excusez-moi.

Jan se sentit tout de suite mieux. Tous ses doutes s'étaient envolés.

— Désirez-vous boire un verre?

— Oui, merci.

Jan le suivit dans le couloir décoré de photographies en noir et blanc encadrées, et ils débouchèrent dans le salon.

— Je suis désolée de débarquer ainsi à l'improviste, et je vous prie également de m'excuser pour samedi soir. Je travaillais. Je sais que cela paraît idiot, mais j'ai complètement oublié notre rendez-vous.

— Ce n'est pas idiot, et vous êtes pardonnée. N'y pensons plus. Cette visite a-t-elle un but précis, hormis le plaisir de me voir?

Il saisit un cendrier et le plaça sur la table basse. Jan prit son paquet de cigarettes dans son sac.

— J'ai une raison précise, admit-elle. Cette fois, je suis sûre que cela va vous sembler idiot, mais je veux discuter avec vous d'un problème qui me préoccupe. Voilà, je pense… enfin, c'est une intuition, mais je pense que ce problème est lié à votre amie Kate Dowie. C'est pourquoi j'ai cru bon de venir vous déranger.

— Tout cela me paraît logique. Une seconde, je vais nous chercher à boire, puis vous m'expliquerez ce qui se passe. Du vin blanc, ça va?

— Très bien, merci.

Stefan disparut quelques instants dans la cuisine avant de revenir avec deux verres. Jan s'assit au bord du canapé et ôta son manteau. Relevant la tête, elle vit que Stefan regardait furtivement sa montre.

— Mon Dieu, vous comptiez sortir? s'exclama-t-elle.

— C'est vrai, mais je vais passer un coup de fil pour prévenir de mon retard. J'en ai pour un instant, d'accord?

Jan se demanda pourquoi il se dirigeait vers la chambre, alors qu'il y avait un téléphone dans le salon. Elle attendit tout en sirotant son vin. Cinq minutes plus tard, il revenait.

— Voilà, c'est réglé. Expliquez-moi tout.

— Ce que je vais vous dire va vous sembler un peu tiré par les cheveux. Bon, j'ai étudié le dossier Tonsbry, et j'en ai conclu que le solde du prêt contracté par Leo n'était pas du tout nécessaire. Et cependant, Duncan y tient absolument. Cela m'a intriguée et, pour être franche, j'ai fouillé son bureau samedi soir. J'ai fini par trouver quelque chose de très bizarre dans son agenda. Je vous passe les détails, mais cela m'a incitée à le suivre ce matin alors qu'il se rendait à un rendez-vous dans un cabinet d'avocats plutôt miteux dont je n'avais jamais entendu parler auparavant. Quand on connaît Duncan, c'est plutôt étrange.

— C'était peut-être une visite personnelle ?

— Je ne crois pas. Je les ai appelés et, apparemment, ils s'occupent surtout d'immobilier. L'un des associés, Me Rickman, est chargé de gérer les affaires de mon mari.

— Excusez-moi, mais je suis un peu perdu…

— Désolée. Voilà, Ingram Lawd est une société de crédit. Durant les cinq dernières années, nous sommes entrés en possession de nombreuses propriétés dont les propriétaires précédents n'avaient pu rembourser les traites. Ces propriétés, nous les avons ensuite revendues, ce qui nous a rapporté pas mal d'argent. En fait, l'essentiel de notre activité est basé sur ce genre d'opérations. Alors primo : Duncan veut solder le prêt Tonsbry alors qu'il n'a aucun acheteur ou promoteur en vue ; secundo : j'ai découvert qu'il se rendait régulièrement à ce cabinet, qui reconnaît le compter parmi ses clients et gérer plusieurs dossiers immobiliers pour lui.

— Et alors ?

— Cela me paraît louche. Vous pensez que je suis parano ? En tout cas, je ne sais pas quoi faire.

— Et vous me le demandez à moi, Stefan Vladimar, alias Philip Marlowe ? Non Jan, désolé, je n'ai pas la moindre piste à vous donner.

Ils burent une gorgée de vin en silence. Puis Stefan demanda :

— Ainsi vous pensez que Duncan prépare un coup fourré ?

— J'en ai l'impression.

— Avez-vous consulté les archives des ventes immobilières pour l'année passée ?

— Non, vous croyez que je devrais le faire ?

Stefan sourit.

— Jan, vous êtes mieux placée que moi pour répondre à cette question ! Toutefois, à mon humble opinion, c'est une bonne façon de commencer.

Jan réfléchit quelques secondes, avant d'approuver dans un murmure :

— Oui, vous avez raison. Merci, Stefan.

— Je n'ai pas fait grand-chose, vous savez !

Elle termina le contenu de son verre et se leva.

— Si, vous m'avez offert un verre de cet excellent vin ! dit-elle en souriant.

— Je vous en offrirai un autre quand vous le voudrez. Pourquoi pas demain soir ?

Harry Drummond quitta la route principale pour s'engager sur la route secondaire qui menait à Tonsbry. Un coup d'œil à sa montre lui apprit que l'heure du dîner était passée depuis longtemps. Mais il avait faim et espérait convaincre Kate de lui préparer un en-cas à son arrivée.

Comme il tournait dans l'allée de la propriété, son téléphone portable — cadeau de Sasha — se mit à sonner.

— Et zut !

Le téléphone se trouvait dans son sac posé sur le siège passager. Il ralentit, se gara sur le bas-côté, puis fouilla frénétiquement parmi ses affaires qu'il avait soigneusement pliées un peu plus tôt. Ce faisant, il se rappela qu'il avait glissé l'appareil dans la poche externe pour pouvoir s'en saisir plus facilement. Enfin, le téléphone en main, il mit plusieurs secondes à se remémorer comment on le mettait en marche.

— Allô ? dit-il enfin d'une voix hargneuse.

— Salut, Harry, c'est moi.

Une seconde passa, pendant laquelle il essaya de déterminer qui était ce « moi ».

— C'est moi, Sasha.

Evidemment, c'était Sasha, puisqu'elle était la seule à connaître le numéro de son portable pour le moment.

— Sasha, désolé, j'utilise le portable et je te reçois mal.

— Oui, je sais.

— Tu sais quoi?

— Je sais bien que tu te sers du portable.

— Oui, évidemment, marmonna-t-il. Alors?

Il regarda sa montre.

— Alors, comment vas-tu? s'enquit Sasha.

— Comment ça?

— Oui, j'appelle pour avoir de tes nouvelles.

— Mais je t'ai quittée il y a quelques heures à peine!

— Vraiment? J'ai l'impression qu'il s'est écoulé une éternité! roucoula Sasha avec une intonation féline qui produisait toujours sur Harry le même effet.

— Oui, on dirait bien une éternité, soupira-t-il, nostalgique.

— Quand rentres-tu, chéri?

— Je ne sais pas, bientôt, j'espère. Puis-je te rappeler plus tard?

— Oh oui, j'adorerais! D'ailleurs, j'adore tout ce que tu me fais, tu le sais bien! pouffa-t-elle.

Harry sentit son excitation grandir.

— C'est vrai? dit-il en souriant.

— Oui. Allez, raccroche, vilain garçon!

— Tu crois?

Sasha gloussa de nouveau, avant de murmurer:

— Pense à moi, chéri.

Puis elle coupa la communication. Irrité, Harry jeta le téléphone sur le siège du passager.

— Zut! ça commençait à me plaire!

Il remit le contact, démarra. Il était ennuyé, et Sasha ravie. Il ignorait bien sûr qu'elle venait de conclure la première phase de son nouveau plan, et que le meilleur restait encore à venir.

À la distillerie, la tension était palpable. Il ne restait plus qu'un quart d'heure avant de goûter la seconde chauffe de gin.

Assise près de la fenêtre, loin de l'alambic, Kate avait le visage rougi par la chaleur ambiante. Ses traits marqués trahissaient son épuisement.

Eddy arpentait nerveusement la pièce. Ils étaient seuls et s'étaient à peine adressé la parole durant l'heure qui venait de s'écouler. Tous deux fixaient l'horloge.

— Encore dix minutes, annonça Eddy un peu plus tard.

Il se remit à faire les cent pas. Le seau était en place, ainsi que la seconde barrique. Le tuyau était fixé. Tout était prêt.

Le silence s'éternisa.

— Cinq minutes. Ça va, Kate ?

— Oui ! répliqua-t-elle, tout en sachant qu'elle n'était guère convaincante.

Eddy consulta sa montre pour la énième fois. Il n'arrivait pas à rester en place. Finalement, il lança :

— Voilà, c'est prêt. Allons-y.

Kate se leva et rejoignit Eddy près de l'alambic et le regarda ouvrir la valve.

— Le chrono !

Le gin se mit à couler. Elle se pencha pour l'inspecter.

— On dirait que c'est pareil, fit-elle remarquer.

Eddy l'ignora, décidé à ne pas céder au pessimisme. Tandis que tous deux regardaient le liquide s'écouler dans le seau, Kate sentit les vapeurs d'alcool lui piquer les yeux.

— Ça va être bon.

— Non, encore une minute, objecta Kate.

— Tu es sûre ?

Kate ne répondit pas. Il lui semblait avoir entendu prononcer son prénom. Elle se tourna et aperçut Harry debout sur le seuil du bâtiment.

— Harry ! Mais qu'est-ce que tu fais là ?

— Je voulais te voir, j'espère que je ne te dérange pas, répondit-il en lui tendant un bouquet de fleurs.

Kate haussa les épaules.

— Écoute, je suis occupée, je…

Le chronomètre se mit à biper.

— Harry, une seconde, veux-tu?

Comme elle se détournait, il la saisit par le bras.

— Kate, je t'en prie, il faut que je te parle!

— Eh bien, tu vas attendre un peu! répliqua-t-elle en se dégageant.

— Kate! appela Eddy. C'est bon, maintenant?

— Oui, oui! Vas-y, vite, change le tuyau!

— Que se passe-t-il? intervint Harry.

— Je t'expliquerai plus tard.

Kate le planta là pour se diriger vers Eddy qui gardait la tête obstinément baissée vers l'alambic.

— Eddy, je rentre à la maison avec Harry. Tout va bien?

— Qu'est-ce qu'il veut?

— Je n'en sais rien, récupérer ses disques sans doute.

Eddy releva enfin la tête et elle lui sourit, le premier signe amical depuis longtemps.

— J'apporterai le distillat à la maison quand il sera prêt, d'accord?

— D'accord, merci.

Eddy la regarda partir. Elle tenait à la main le bouquet que venait de lui offrir Harry. Comme elle glissait deux mots à ce dernier, il éclata d'un rire bruyant. Eddy serra les poings.

Oh non! pensa-t-il. Pas lui! Pas maintenant, après cette minuscule lueur d'espoir, la première depuis des années!

Kate précéda Harry dans la cuisine, remplit l'évier et y plongea les fleurs.

— Harry, que veux-tu? demanda-t-elle froidement en se tournant vers lui.

Il mit aussitôt les mains derrière le dos, une habitude chez lui quand il se sentait mal à l'aise.

— Kate, je te dois des excuses.

— Vraiment ?

— Oui. Veux-tu m'écouter ?

Kate lui jeta un regard dubitatif. Il paraissait emprunté et n'avait plus rien à voir avec l'amoureux tendre et empressé qu'elle avait connu.

— Nous prenons un siège ? proposa-t-elle avec un soupir.

— Pour ma part, je préfère rester debout, si cela ne te dérange pas.

— Bon, très bien, dit-elle en s'asseyant. Vas-y, présente-moi tes excuses.

— Tu ne me rends pas les choses très faciles !

— Pourquoi, je devrais ?

— Non, bien sûr, je... Hum, écoute, j'ai été très injuste la semaine dernière...

— En effet.

— Je suis désolé ! Je n'aurais pas dû disparaître comme ça, ce n'était pas gentil. Mais j'avais besoin de réfléchir, tu comprends ?

Kate ne répondit pas. Elle n'aurait jamais cru Harry capable de s'excuser de la sorte, de s'ouvrir à elle. Ce n'était pas son genre. Oh, elle l'aimait sûrement, pour autant qu'elle soit capable d'amour, mais le sentiment qu'elle lui portait n'était pas de nature à bouleverser sa vie. Elle se sentait bien avec lui, mais son absence ne la dérangeait pas. Alors, que fallait-il en conclure à propos de leur relation ?

— Kate, tu as entendu ce que je t'ai dit ?

— Euh... non, désolée, Harry. Je me disais juste... Peu importe, continue.

— Je viens de dire que j'avais besoin de réfléchir. J'étais un peu décontenancé... Tu comprends, je ne me suis jamais retrouvé dans une telle situation auparavant.

— Moi non plus.

— Oui, je ne veux pas dire que... Kate, je suis navré !

Il franchit la distance qui les séparait et s'agenouilla pour mettre son visage à hauteur du sien. Embarrassée, elle hocha la tête.

— D'accord, je comprends, se hâta-t-elle de dire.

Elle ne savait pas trop comment réagir, mais ne voyait pas l'utilité qu'il reste ainsi à genoux devant elle.

— Tu veux une tasse de thé ?

— Kate...

— Moi, j'en ai envie.

Harry se redressa pour lui permettre de se lever et la regarda s'activer.

— En fait, Kate, j'ai eu une idée. Plus exactement, j'ai conçu un projet.

— Ah oui ?

— As-tu jamais pensé à monter un restaurant ?

— Quoi ? Ici, à Tonsbry ?

— Non, à Londres.

— Si, j'y ai pensé. J'ai même mis de l'argent de côté dans l'espoir de me lancer un jour, mais je n'ai économisé qu'une somme dérisoire. Pourquoi ?

— Je pense que tu devrais tenter l'expérience. J'ai bien réfléchi à Tonsbry, aux dettes, à nous, et...

— Une minute, Harry ! coupa-t-elle en lui faisant face. Tu rêves ou quoi ? Quel que soit ton projet, je n'ai certainement pas assez d'argent pour le concrétiser. Il faut au moins un an pour qu'un restaurant devienne rentable, et...

— Non, non ! Ce que je voulais dire, c'est que...

Harry s'approcha et prit ses mains dans les siennes. Celles de Kate étaient rugueuses et tachées de jus de genièvre.

— Kate, j'ai de l'argent. En fait, j'ai hérité d'une tante il y a quelques années et... Je pourrais investir cette somme dans un petit restaurant à Londres. Rien de très luxueux au départ, il faudrait cibler Battersea Park ou Fulham... Kate, que se passe-t-il ? s'étonna-t-il en la sentant brusquement retirer ses mains.

— Harry, à combien se monte cette somme dont tu me parles ?

Il tiqua. Bon sang, il n'avait même pas évoqué le montant avec Adriana ! Vite, un chiffre, n'importe lequel !

— Cinquante mille livres, répondit-il.

— Il faudrait au moins le double !

Kate se détourna pour saisir une cuillère dans un tiroir. Lorsqu'elle pivota, elle aperçut la mine déconfite de son compagnon et se radoucit.

— Harry, c'est très gentil de ta part, mais je crains que ce ne soit impossible, vraiment. D'autant plus que d'autres considérations entrent en jeu à présent. Nous...

La porte s'ouvrit à la volée.

— Kate ! Kate ! Papa te dit de venir tout de suite, le gin est prêt !

— Qui est-ce ? demanda Harry en considérant Flora qui haletait sur le seuil.

— C'est Flora, répondit Kate. Bien, Flora, nous allons retourner à la distillerie avec toi.

— Flora ? répéta Harry. Et quelle distillerie ?

— Flora Gallagher. Nous produisons du gin.

— Du gin ?

Harry baissa les yeux sur l'enfant, et des bribes de sa conversation avec Adriana lui revinrent. Voyant Kate se diriger vers la porte, Flora pendue à son bras, il l'appela :

— Kate, attends un peu ! Acceptes-tu de réfléchir à mon idée ?

Kate fut sur le point de refuser d'emblée, mais la mine suppliante de Harry l'en dissuada. Elle ne voulait pas le blesser.

— D'accord, acquiesça-t-elle.

— Nous sommes toujours fiancés, n'est-ce pas ?

— Harry, je n'en sais rien, je ne crois pas...

Ils n'étaient plus fiancés, puisqu'il avait rompu de son plein gré quelques jours plus tôt. D'ailleurs, elle n'y avait même pas repensé depuis.

Les épaules de Harry s'affaissèrent.

— Kate, je t'en prie, ne dis pas ça !

La culpabilité envahit la jeune femme. Elle se mordit la lèvre et, finalement, haussa les épaules. Le visage de Harry s'éclaira aussitôt.

— Super ! s'exclama-t-il en s'avançant vers elle. Je vais venir avec toi jeter un coup d'œil à ce gin. Dis-moi, qu'est-ce qui t'a pris de te lancer dans la fabrication d'alcool ? C'est un boulot plutôt pénible et technique. Oh, à propos ! ajouta-t-il en prenant Kate par le bras, le colonel organise une petite soirée d'ici quinze jours. Ça te dirait de venir ?

Seul dans la distillerie, Eddy attendait Kate. Il avait dilué le gin, l'avait versé dans un récipient doseur. La qualité n'était pas aussi déplorable que lors de la première tentative, mais il n'était pas question de le vendre. Ce gin n'avait rien à voir avec le Tonsbry Original dont ils avaient retrouvé plusieurs caisses.

Kate pénétra dans la pièce et, en voyant l'expression d'Eddy, elle déchanta.

— Il est inutilisable, c'est cela ?

— La qualité est un peu meilleure.

— Mais pas parfaite ?

— Non.

Harry, qui venait d'entrer à son tour, les considéra tour à tour, l'air interloqué.

— J'ai appelé mon père, il arrive, annonça Eddy avec un soupir.

Kate rétorqua :

— Avec tout le respect que je lui dois, je ne vois pas ce qu'il va faire de plus !

— Prier ?

— Ce n'est pas drôle !

— Je n'essayais pas de l'être !

— Est-ce que quelqu'un peut m'expliquer ce qui se passe ? intervint Harry.

Kate et Eddy se tournèrent vers lui d'un même mouvement.

— Nous avons décidé de fabriquer de nouveau du gin, comme il y a cinquante ans. Il était d'une excellente qualité. Eddy et moi, nous espérons…

— … dégager des profits, enchaîna Eddy. Il existe un marché pour ce type d'alcools, et comme Kate est déjà en affaires avec des traiteurs et des épiciers, nous…

— Vous parlez d'une fabrication industrielle ? s'écria Harry, sidéré.

L'emploi du pronom « nous » le perturbait. Que se passait-il ? Ces deux-là étaient de connivence. Pourtant, depuis qu'Eddy avait quasiment planté Kate devant l'autel, elle n'avait plus jamais prononcé son nom devant Harry. Et aujourd'hui, c'était « nous » par-ci, « nous » par-là... Harry se sentait complètement évincé. Il n'avait pas tourné le dos depuis cinq minutes que ce salopard d'Eddy s'était imposé sans la moindre vergogne !

— Kate, es-tu devenue folle ? Quand je pense que mon idée te semblait déraisonnable ! Et toi, Gallagher, que connais-tu à la fabrication du gin ? C'est légèrement plus compliqué que de brancher une bouilloire ! Tu es complètement dingue d'entraîner Kate dans une affaire pareille ! Du gin ! Combien de producteurs indépendants connaissez-vous ? Aucun, hein ? Voyons, si c'était aussi facile, il y en aurait à tous les coins de...

— Boller !

Interrompu, Harry se tourna brusquement vers la porte pour voir qui venait de prononcer ce mot. Il aperçut le révérend Gallagher qui venait de faire son entrée.

— Boller ? répéta Harry sans comprendre.

— Le gin Boller ! insista le révérend. Bien sûr, vous n'en avez pas entendu parler, cela ne date pas d'hier ! Il y avait une petite entreprise à Winchester qui fabriquait du gin, et ton grand-père, Kate, était en étroite relation avec l'un de leurs employés. À eux deux, ils ont élaboré le Tonsbry Original dans les années 30.

— Papa, comment es-tu au courant de tout ça ? s'exclama Eddy avec stupeur.

Michael Gallagher sourit.

— Je suis un spécialiste de l'histoire du gin dans la région, tu sais.

— Que devons-nous en déduire ? s'enquit Kate.

— Voilà, l'entreprise Boller a été rachetée dans les années 70 par une énorme société de spiritueux, mais le vieux Boller n'a pas quitté la région. J'ai lu quelque chose à propos de la famille Boller dans le journal local, l'autre jour. Quand Eddy m'a appelé tout à l'heure, j'ai aussitôt pensé à eux. Je ne sais pas pourquoi je ne l'ai pas fait plus tôt, d'ailleurs ! Il faut absolument joindre Boller ou, au moins, un membre de sa famille, pour demander s'ils ont conservé des archives. Boller n'est plus de prime jeunesse, mais il pourrait se souvenir, qui sait ?

Michael s'avança vers le pichet-doseur, renifla le gin et ajouta :

— Je suis sûr qu'il nous manque un détail essentiel dans le procédé de fabrication. Boller pourra peut-être nous renseigner là-dessus ?

— Où pouvons-nous le joindre ? demanda Eddy avec scepticisme. Il va falloir trouver son adresse, lui écrire... Ça va prendre des semaines !

De nouveau, Michael Gallagher sourit, de ce sourire malicieux qui étonnait un peu chez un homme d'Église.

— L'annuaire ! s'exclama-t-il, rayonnant. J'ai regardé dans l'annuaire tout à l'heure, et j'ai repéré un H. J. Boller. C'est certainement lui.

— Papa, tu es génial !

— Bien sûr ! L'inspiration divine, j'imagine.

Le révérend brandit un papier qu'il venait de tirer de sa poche et le tendit à Kate, qui le regarda d'un air dubitatif.

— Kate, vous devriez l'appeler. J'ai aussi noté une liste de questions à lui poser, mais le principal est de savoir s'il existe des archives, et si quelqu'un pourrait nous donner un coup de main. D'accord, Kate ?

— Êtes-vous sûr que cela nous mènera quelque part, révérend ?

— Non, mais c'est une piste.

Kate hocha la tête.

— Tu veux que je vienne avec toi ? lui proposa Eddy.

— Non, merci, je suis une grande fille.

Michael Gallagher soupira. Ces deux-là cesseraient-ils donc jamais de se chamailler ?

Consciente de la réaction du révérend, Kate rougit.

— Désolée, marmonna-t-elle en guise d'excuse. Si tu veux venir, Eddy, c'est d'accord.

— Merci.

Il tira son mouchoir de sa poche et s'essuya le visage

et les mains, tout en se dirigeant vers la porte. Harry tenta de s'interposer au moment où les deux jeunes gens sortaient.

— Kate, tu ne préfères pas...

À cet instant, le révérend Gallagher saisit Harry par le bras et lui désigna l'alambic.

— Vous avez vu ça? Et la machine à bouchons? Superbe équipement! Laissez-moi vous montrer tout ça...

La porte claqua. Kate et Eddy avaient disparu.

Dans la serre, Henry Jacob Boller était assis dans son fauteuil roulant qu'il avait bien du mal à manœuvrer. Avec tendresse, il vaporisa du produit nettoyant sur un yucca, puis essuya soigneusement les feuilles brillantes. Satisfait, il se déplaça vers un autre yucca.

Sa tâche l'absorbait complètement. Cependant, de temps à autre, il glissait la main sous la couverture drapée sur ses genoux pour frôler l'objet dur caché en dessous. C'était un téléphone sans fil tout neuf, cadeau de sa petite-fille, dont son fils et sa bru ignoraient tout. Cela faisait à peine deux semaines qu'il l'avait et depuis sa vie avait changé.

Le poste principal était branché à une prise secrète dans la serre. Enfin Henry n'était plus isolé dans sa vieillesse! Pour la première fois depuis des années, il pouvait appeler des amis, recevoir des appels, ce que son fils lui avait formellement interdit sous prétexte qu'il «n'était pas raisonnable et que les factures étaient exorbitantes!».

Ce n'était pas tant les appels qu'il pouvait passer qui le réjouissaient — ses amis étaient presque tous morts, maintenant. C'était ce lien potentiel avec l'extérieur. Il adorait décrocher dès la première sonnerie, si bien que, la plupart du temps, les habitants de la maison ne se rendaient même pas compte que quelqu'un avait appelé. Bien sûr, il ne pouvait s'en servir que quelques heures le soir, quand il se rendait dans la serre après dîner, mais ces moments étaient les meilleurs de toute la journée.

Péniblement, Henry fit avancer le fauteuil jusque devant sa précieuse collection d'orchidées. Abandonnant le vaporisateur, il saisit un brumisateur d'eau et se mit à arroser les fleurs. Comme il se penchait pour juger du résultat, le téléphone sonna.

D'un geste plutôt leste pour son âge, Henry saisit l'appareil et appuya sur le bouton.

— Bonsoir, Henry Boller à l'appareil.

À l'autre bout du fil, Kate répondit :

— Bonsoir. Êtes-vous le Henry Boller du gin Boller ?

— Qui le demande ?

Kate prit une profonde inspiration. La voix qu'elle percevait était chevrotante, mais le ton déterminé.

— Vous ne me connaissez pas, dit-elle. Je m'appelle Kate Dowie, et je suis la petite-fille d'Edward Alder, de Tonsbry House.

— Edward Alder, mon Dieu ! Je n'ai pas eu de ses nouvelles depuis une éternité ! Comment va-t-il ?

Kate toussota.

— Euh... hélas il est décédé il y a plusieurs années déjà. Depuis vingt ans, pour être précise.

— Oh, je suis navré de l'apprendre. Il ne reste plus grand monde, aujourd'hui. On se sent assez seul...

— Je comprends, assura Kate, tout en agitant la main pour qu'Eddy décroche l'autre appareil. Écoutez, monsieur Boller, je pense que vous pouvez m'aider...

— Si c'est dans mes possibilités, ce serait avec plaisir.

— Je ne sais pas si vous vous en souvenez, mais mon grand-père fabriquait du gin, le Tonsbry Original, et...

— Le Tonsbry Original ! Je n'ai pas entendu ce nom depuis des années ! C'est ce type, Edward Alder, qui le fabriquait, là-bas, à Tonsbry...

Kate lança un coup d'œil inquiet à Eddy qui lui fit signe de continuer.

— C'est cela, acquiesça-t-elle. Je crois que...

— Et comment s'appelait celui qui travaillait avec lui ? Bon sang, je n'arrive pas à me rappeler son nom ! C'était le meilleur maître distilleur du pays. Il travaillait pour nous autrefois, et paf ! il nous a laissés en plan pour aller à Tonsbry. Bah, on ne peut pas le lui reprocher, c'était…

— Un maître distilleur ? coupa gentiment Kate. Quel maître distilleur ?

— Celui qui fait le gin, pardi ! Il sait exactement comment se servir de l'alambic, comment procéder pour la chauffe… Comment s'appelait-il, déjà ? Un type du coin, toute sa famille travaillait dans le gin, des gens très bien…

— Je me demandais si vous n'auriez pas des archives de cette époque qui…

— Tommy Vince ! C'est ça ! Ce vieux Tommy Vince… Il était de Westhampnet, je crois. Je me demande bien ce qu'il fait maintenant, je ne l'ai pas vu depuis 1935… D'ailleurs, je n'en ai aucune envie, après ce qu'il nous a fait !

Henry Boller s'interrompit brusquement, et Kate entendit un bruit de voix étouffées. L'une d'elles semblait en colère. Elle attendit et, au bout d'une minute, quelqu'un d'autre reprit la communication.

— Bonsoir, William Boller à l'appareil. Que puis-je pour vous ?

— Bonsoir, je m'entretenais avec M. Henry Boller à propos du Tonsbry Original, et…

— Qui êtes-vous ?

— Oh, je m'excuse, je m'appelle Kate Dowie, je suis la petite-fille d'Edward Alder, qui était ami avec M. Henry Boller. Je voulais lui poser quelques questions sur la fabrication du gin…

— Le Tonsbry Original ?

— Oui, on le produisait dans ma famille et j'essaie de relancer la tradition. J'ai cru comprendre que nos deux familles étaient liées de par le passé, et comme je recherche des informations…

— Je suis désolé, coupa William Boller, mais il est tard et je ne veux pas discuter de ça maintenant. Si vous voulez des renseignements, je vous suggère de poser vos questions par écrit et d'envoyer une lettre à notre société, la *Worldwide Drinks*. Merci et bonsoir.

La communication fut coupée. Kate leva les yeux vers Eddy.

— Chou blanc, murmura-t-elle.

— Oui, j'en ai bien peur.

Trop frustré pour ajouter quoi que ce soit, il sortit de la pièce.

16

Le lendemain, Kate s'éveilla seule dans son lit à baldaquin. Elle fixa un instant l'espace vide à côté d'elle. Elle avait mal dormi, taraudée par l'impression de ne pas savoir où elle allait. Harry, son entreprise, Tonsbry... La seule chose qui était claire dans son esprit, c'est qu'elle était bien résolue à ne pas renoncer.

Elle sortit du lit, enfila un peignoir et alla se laver les dents. Elle avait du dentifrice plein la bouche quand elle entendit quelqu'un frapper à la porte. La tête de Harry passa par l'entrebâillement.

— Bonjour. Du café?

— Hmmchi...!

— Pardon?

Kate cracha dans le lavabo et répondit :

— Oui, merci.

Harry, vêtu de pied en cap et répandant une forte odeur de lotion après-rasage, posa une tasse sur la commode.

— Alors, que vas-tu faire puisque vos essais pour fabriquer du gin ont échoué? questionna-t-il.

— Echoué n'est pas le terme exact.

— Tu es sûre?

Kate poussa un soupir irrité.

— Oh, je n'en sais rien, mais j'ai encore de l'espoir.

— En tout cas, nous pouvons toujours faire une balade en voiture, capote baissée. Il fait très beau, il suffit de s'habiller chaudement.

— Non, Harry, déclina-t-elle sèchement, j'ai du travail.

— Je vois…

Harry afficha un air déçu, une expression un peu puérile qu'il avait longuement travaillée et qui, en général, marchait du feu de Dieu. Cette fois ne fit pas exception à la règle. Emue, Kate reprit :

— Je suis désolée, je ne voulais pas être aussi brusque. C'est juste qu'il y a tant à faire… Tu ne m'en veux pas, n'est-ce pas ?

— Non, ce n'est pas grave. Bon, alors je te vois au petit déjeuner, d'accord ?

— Je descends d'ici une minute, acquiesça-t-elle, la brosse à dents dans la bouche.

Harry ne comprit pas un traître mot et se retira.

Une demi-heure plus tard, Kate trouva Harry dans la cuisine. Il était en train de se préparer des œufs au bacon sous l'œil maussade de Mme Able.

— Bonjour, dit Kate en percevant immédiatement l'atmosphère chargée d'électricité.

Personne hormis elle — et encore, à de rares occasions — n'était autorisé à prendre la place de Mme Able dans sa cuisine.

— Harry, pourquoi ne laisses-tu pas Mme Able s'occuper du petit déjeuner ?

— Certainement pas ! La cuisson des œufs au bacon est un art exclusivement masculin et une tradition dans les forces armées !

Kate se mordit la lèvre et Mme Able émit un grognement méprisant.

— Mais tu n'as pas lu le journal, objecta encore Kate.

— Bah, j'ai tout mon temps.

Harry n'entendit même pas le claquement de langue désapprobateur de la gouvernante.

Sur ces entrefaites, Eddy entra dans la cuisine.

— Bonjour, dit-il. Kate, ça te dirait, une promenade en voiture ?

— Tu ne vas pas t'y mettre !

— Pardon ?

— Oh, ne fais pas attention. Non, merci, je n'y tiens pas.

Eddy resta perplexe devant son agressivité.

— D'accord, je vais le dire autrement, reprit-il. Kate, peux-tu m'accompagner en voiture, s'il te plaît, je voudrais te montrer quelque chose. Pour le boulot, bien sûr.

Il ne semblait pas plaisanter. Intriguée, Kate demanda :

— Ce sera long ?

— Je n'en sais rien. Alors, tu viens ?

Elle jeta un regard à Harry et à Mme Able murés chacun dans leur silence, haussa les épaules et saisit son manteau.

— À tout à l'heure, Harry, lança-t-elle avant de sortir à la suite d'Eddy.

Il était 9 h 30 du matin, et Jan était déjà installée à son bureau. La porte était fermée et Molly avait reçu la stricte consigne de ne pas la déranger. Quant à Duncan, il était sorti, ce qui signifiait que Jan avait environ quatre heures devant elle.

Il me faudra au moins ça ! pensa-t-elle en regardant les cartons emplis de dossiers posés sur son bureau.

Eddy quitta la route principale et s'engagea sur une route de campagne étroite qui passait entre les champs en direction du village de Westhampnet. Kate aperçut le panneau de signalisation et murmura :

— Alors, voilà de quoi il s'agissait !

C'était la première fois qu'elle parlait depuis qu'elle était montée en voiture.

— Je ne sais pas si cela va nous donner quelque chose, dit Eddy. Enfin, je l'espère.

Ils traversèrent un petit pont à une voie et commencèrent à descendre la pente douce qui débouchait dans le village.

— Le bureau de poste, les boutiques, l'église… Par

quoi faut-il commencer ? demanda-t-il en se garant près d'un abri de bus.

— Essayons d'abord le cimetière, nous verrons si Tommy Vince est enterré ici. Il faut d'abord s'assurer qu'il est encore en vie.

— C'est peu probable et, même si c'est le cas, avec notre chance habituelle, il doit être complètement sénile !

— J'admire ton optimisme ! murmura Kate en haussant le sourcil.

— Je suis ici, non ? riposta-t-il du tac au tac.

Contre toute attente, Kate sourit.

— Oui, et je t'en remercie, dit-elle.

Côte à côte, ils se dirigèrent vers l'église. Une fois dans le cimetière, ils longèrent les allées bordées de stèles. Ils gardaient le silence mais, pour la première fois depuis qu'ils s'étaient retrouvés, ce silence n'était pas empreint d'animosité.

— Il n'est pas là, constata Kate au bout d'un moment de recherches infructueuses.

— Non.

— Ce qui signifie que, soit il est vivant, soit il a déménagé et est enterré ailleurs.

— Ou qu'il est vivant, et qu'il habite désormais Dieu sait où.

— Alors où allons-nous maintenant ? Au bureau de poste ?

— Tu t'en charges, et moi je fais les boutiques, d'accord ?

— D'accord.

Ils revinrent sur leurs pas et se séparèrent. Kate entra dans le bureau de poste et s'avança vers la préposée assise derrière son guichet.

— Bonjour, puis-je vous aider ? demanda cette dernière.

— Peut-être. J'essaie de trouver quelqu'un dont le nom est Vince.

— Vince comment ?

— Non, c'est son nom de famille. Son prénom est Tommy. Tommy Vince. Je n'ai aucune adresse, tout ce

230

que je sais, c'est qu'il vivait ici dans les années 30 et qu'il travaillait pour l'entreprise de gin Boller.

La guichetière eut un sourire d'excuse.

— Non, désolée, je ne peux pas vous renseigner. Mon mari et moi sommes installés ici depuis trois ans seulement. Nous connaissons les gens du coin, bien sûr, mais pas l'histoire du village. Avez-vous essayé chez le médecin ? Il habite le village voisin, Easthampnet.

— Merci, c'est une bonne idée. Au revoir.

Comme Kate ouvrait la porte, la femme la rappela.

— Essayez aussi au pub, le propriétaire est là depuis des années.

Kate leva la main pour la remercier, et rejoignit Eddy qui l'attendait dehors.

— Des nouvelles ?

Il secoua la tête.

— Essayons le pub et le médecin, décida Kate en retournant vers la Land-Rover. Viens, nous n'avons pas de temps à perdre.

Vers le milieu de la matinée, Jan se leva, songea à se préparer une tasse de café, puis changea d'avis. Elle arpenta le bureau un moment, puis se remit au travail. Sortant trois dossiers d'un carton, elle les posa devant elle et ouvrit celui du dessus : encore un rachat immobilier de la Letchworth Housing Association.

Jan s'installa et alluma une cigarette. Elle commençait à cerner une tendance dans la politique de vente immobilière chez Ingram Lawd, et elle aurait parié que cette tendance n'avait rien d'une coïncidence. Elle ne savait pas encore le pourquoi du comment, mais elle entendait bien le découvrir.

Chez le médecin d'Easthampnet, Kate et Eddy attendaient que la secrétaire ait fini de parler au téléphone. Près d'eux, une femme d'environ 35 ans se débattait avec la ceinture de la poussette où était installé son bébé.

Eddy l'observait, se rappelant qu'il n'y a pas si long-temps, lui aussi connaissait les mêmes tracas quotidiens. La femme avait l'air épuisée et à bout de nerfs, comme il l'était à l'époque. Cette vision éveillait des sentiments si forts chez lui qu'il s'approcha pour demander :

— Vous voulez que je vous aide ?

— Euh... non, merci.

Le bébé était attaché dans sa poussette, mais il pleu-rait. D'une main lasse, la femme repoussa de son front une mèche de cheveux gras.

— Voulez-vous que je vous ouvre la porte ? proposa encore Eddy.

— Je vais rester un peu assise pour reprendre mon souffle, mais merci quand même. Peu de gens sont aussi gentils, ajouta-t-elle avec un sourire.

Eddy entendit Kate demander à la secrétaire si elle connaissait quelqu'un du nom de Vince et, tout à coup, le sourire de la femme s'évanouit aussi vite qu'il était apparu.

— Excusez-moi, dit-elle en passant devant Eddy, il faut que je m'en aille.

L'air anxieux, elle évita de croiser son regard et ouvrit la porte d'un coup de pied, avant de filer avec la pous-sette. Suivant une impulsion, Eddy la rattrapa en trois enjambées.

— Eh, attendez ! cria-t-il en la prenant doucement par le bras. Vous ne connaîtriez pas Tommy Vince, par hasard ?

La femme rougit violemment et détourna les yeux.

— Non, pourquoi ?

— Je n'en sais rien, j'ai cru que... Nous sommes à sa recherche car nous pourrions lui proposer du travail.

L'hostilité flagrante de la femme se mua en curiosité.

— Quel genre de travail ?

— Tout d'abord, je dois m'assurer qu'il s'agit du bon Tommy Vince, celui qui travaillait pour le gin Boller. Il devrait avoir environ...

— 86 ans, coupa la femme d'une voix monocorde. Il est mort, il y a environ dix ans, d'une attaque.

Elle fit mine de s'éloigner, mais Eddy la retint.

— Êtes-vous une de ses parentes ?

La femme le regarda dans les yeux. Elle était pâle, ses cheveux étaient sales, ses habits usés et ses ongles rongés.

— Non, répondit-elle. Bon, c'est tout ?

— Écoutez, je n'appartiens pas aux services sociaux. Mon amie et moi avons juste besoin d'aide.

La femme parut hésiter, puis elle demanda :

— Et qu'est-ce que ça me rapporterait, à moi ?

— Vous voulez de l'argent ?

Elle haussa les épaules, mais Eddy remarqua une lueur désespérée dans son regard. Il prit son portefeuille, sortit tout l'argent liquide dont il disposait, environ 20 livres. La femme les prit et, yeux baissés, déclara :

— Je suis la belle-fille de Tommy Vince. Mais comme je vous l'ai dit, il est mort, aussi je ne vois pas bien comment je puis vous aider.

— Vous a-t-il jamais parlé de la fabrication du gin ? Vous souvenez-vous de…

— En parler ? Sapristi, c'était toute sa vie ! Et aussi celle de mon Tommy. Le fils avait suivi la trace du père, vous comprenez ? Mais avec la récession, il n'y a plus de travail, maintenant. C'est un métier tellement spécialisé… Mon Tommy voulait être charpentier, travailler de ses mains, mais son père n'a jamais voulu. Et regardez où cela nous a menés ! Nous avons cinq enfants, Tommy est au chômage depuis cinq ans. S'il était devenu charpentier, il aurait toujours pu trouver du travail.

Comme elle fourrait les billets dans sa poche, le bébé se remit à pleurer.

— Il a faim. Il faut que j'y aille ! décréta-t-elle en donnant à la poussette une secousse qui fit pleurer l'enfant encore plus fort.

— Je vais vous aider, lui offrit gentiment Eddy.

Il posa la main sur la poussette et se mit à bercer doucement le nourrisson qui se calma aussitôt. La mère, visiblement soulagée, ne protesta pas.

Sur ces entrefaites, Kate les rejoignit.

— Si vous voulez, nous pouvons vous raccompagner chez vous et discuter un peu avec votre mari, suggéra encore Eddy. Travaillait-il pour Boller, lui aussi ?

— Oui.

La femme hésitait manifestement. De son côté, Kate n'osait intervenir et gardait le silence.

— C'est par là, dit enfin la femme en tendant la main. Mais je vous préviens, à pied, il y a une trotte.

Et, laissant la poussette à Eddy et Kate, elle s'éloigna d'un pas lourd.

Jan réfléchissait depuis un moment. Avait-elle ou non découvert quelque chose d'intéressant ? Enfin, elle appela Molly par l'interphone.

— Molly, pouvez-vous me donner le numéro du registre national du commerce, s'il vous plaît ? Et si vous avez une minute, apportez-moi une tasse de café.

Fatiguée, elle se frotta les yeux. Quand Molly lui eut communiqué le numéro désiré, elle le composa sans attendre.

— Bonjour, je voudrais un renseignement à propos d'une entreprise. J'aimerais obtenir la liste de ses dirigeants, est-ce possible ? Pardon ? Ah oui, vous allez me faire un tirage. D'accord. Par fax ? formidable ! Attendez, je vous donne mon numéro de carte bancaire… Et voici mon numéro de fax… C'est noté ? Très bien. Le nom de la société est Letchworth Housing Association, c'est une S.A.R.L…

Comme elle raccrochait, Molly entra dans le bureau avec une tasse de café.

— Molly, je vais recevoir un fax confidentiel d'ici une heure, du registre du commerce de Cardiff. Pouvez-vous le mettre de côté ? Je sors avaler un sandwich.

— Bien sûr. Dois-je le poser sur votre bureau ?

— Non, gardez-le. Quand je dis confidentiel, Molly, je veux dire *strictement* confidentiel.

Assise dans la Land-Rover, Kate attendait Eddy qui échangeait une dernière poignée de main avec Tommy Vince junior. De la voiture garée devant le jardin mal entretenu, elle le regardait comme si elle le voyait pour la première fois. Peut-être ne l'avait-elle pas vraiment regardé jusqu'à présent, d'ailleurs. Peut-être avait-elle seulement vu l'ancien Eddy, celui qu'elle méprisait et dont elle se méfiait comme de la peste, celui qui l'avait lâchement plaquée. L'avait-elle mal jugé ? Car cet homme ne ressemblait pas du tout à l'image qu'elle s'en était faite : il était sensible, attentionné, plein d'entrain, persuasif, et surtout, d'une honnêteté rare.

— Et voilà ! lança-t-il quand il s'assit derrière le volant. Tommy commence à travailler dès demain matin à Tonsbry. J'irai le chercher à 7 h 30. Tu sais, Kate, pour la première fois, j'ai un bon pressentiment !

Kate sourit, puis se mit à rire carrément.

— Moi aussi ! s'écria-t-elle.

Et, sans réfléchir, elle se pencha pour déposer un baiser sonore sur la joue d'Eddy.

L'après-midi tirait à sa fin quand Jan atteignit Egerton Square, à l'autre bout de Londres. Comme elle descendait du taxi, elle connut un moment de doute. Pourtant, il fallait qu'elle parle à Stefan.

Elle sonna, attendit qu'il réponde par l'interphone avant de se présenter :

— Bonsoir, c'est Jan.

Il lui parut surpris, et un brin distant. Mais il la pria de monter, ce qu'elle fit, tout en se demandant une fois de plus si elle ne commettait pas une erreur. Stefan vint lui ouvrir, vêtu d'un pantalon de survêtement et d'un sweat-shirt fatigué. On aurait dit qu'il sortait du lit.

— Entrez, Jan.

Elle le suivit jusque dans le salon, et aperçut les vestiges de ce qui semblait être une scène intime. Une jeune femme était assise sur le canapé. À sa vue, Jan sentit son cœur manquer un battement.

— Bonsoir, dit l'autre. Je m'appelle Rebecca.

— Bonsoir.

— Désolée pour le désordre, mais nous étions en train de préparer les menus pour Kate.

— Les menus ?

— En l'absence de Kate, je dirige son entreprise de restauration, expliqua Stefan en se baissant pour ramasser une pile de papiers sur la table basse. Rebecca s'occupe des plats, moi des réservations et des commandes.

— Oh, je vois, acquiesça Jan.

Rebecca se leva.

— Je ferais mieux de vous laisser. Stefan, nous pourrons terminer demain matin...

— Oh non, non ! protesta Jan. Je désire juste m'entretenir un instant avec Stefan, puis je vais m'éclipser. C'est possible, Stefan ?

— Bien sûr. Rebecca, je vais te chercher une tasse de café. Nous allons faire une pause. Jan, suivez-moi dans la cuisine, voulez-vous ?

— Très bien.

Jan et Stefan passèrent dans la pièce voisine.

— Désolée d'avoir interrompu votre réunion intime, dit-elle dès qu'il eut refermé la porte.

— Nous discutions œufs de caille et saumon fumé au vinaigre de framboise, c'était assurément très intime ! plaisanta-t-il.

— Voilà donc ce que vous faites dans la vie ?

— Non, c'est occasionnel, répliqua Stefan avant de se détourner pour remplir la bouilloire.

— Ah bon ?

Stefan se mordit la lèvre. C'était l'occasion rêvée pour mettre Jan au courant de sa principale activité professionnelle. Elle avait droit à la vérité. Pourtant quelque chose le retint.

— Alors, de quoi vouliez-vous me parler ? demanda-t-il.

Jan oublia instantanément sa curiosité.

— Je crois avoir découvert quelque chose de très

bizarre, confia-t-elle. Et je voudrais votre avis sur la question.

— Pas de problème. J'apporte son café à Rebecca et je suis tout à vous. Servez-vous si vous en voulez.

— Non, merci. Puis-je fumer ?

— Bien sûr.

Tandis qu'il s'esquivait, Jan alluma sa énième cigarette de la journée. Elle fumait vraiment trop ces temps-ci, mais ce n'était pas le moment idéal pour arrêter.

Stefan revint au bout d'une minute.

— Allez-y, je vous écoute.

— Voilà, après notre conversation d'hier soir, j'ai décidé de jeter un coup d'œil aux ventes immobilières d'Ingram Lawd. J'ai consulté tous les dossiers sur les deux dernières années.

— Et ?

— J'ai découvert certaines contradictions, qui concernent toutes une association de logement appelée la Letchworth Housing Association.

— Quelles sortes de contradictions ?

— Une seconde, j'y arrive. Tout d'abord, les associations de logement achètent d'ordinaire le même genre de biens immobiliers, des propriétés d'un prix abordable. Mais celle-ci achète tout ce qu'elle peut, sans caractéristiques précises. Du moment que le prix leur convient, les dirigeants se portent acquéreurs. Ensuite, il se trouve que le prix convient tout le temps. En fait, il leur arrive souvent de faire de sacrées bonnes affaires, en achetant des maisons pour un prix très inférieur à celui du marché. La différence se monte parfois à 20 000 livres ! Alors j'ai décidé de mener une petite enquête auprès du registre du commerce, pour voir à qui j'avais affaire. Eh bien, il s'est avéré que l'un de leurs administrateurs est un certain P. Rickman. J'ai vérifié, c'est le même que chez Rickman Levy, le cabinet d'avocats.

Jan écrasa son mégot dans le cendrier et demanda :

— Cela ne vous paraît pas étrange ?

— Peut-être. Mais que vient faire Duncan là-dedans ?

Et Kate, et Tonsbry? Vous pensez qu'il y a un rapport entre tout ça?

— C'est bien le problème. Je ne sais pas comment faire le lien. Tout ce que je puis dire, c'est que, si Tonsbry est mis en vente, il y a de grandes chances pour qu'il soit racheté par la Letchworth.

— Je saisis. Mais pourquoi Duncan vendrait-il sciemment des propriétés au rabais? Quel bénéfice en retirerait-il?

— Un dessous-de-table?

— Eh, une minute! Êtes-vous en train de me dire qu'il fait des affaires frauduleuses?

Jan soupira.

— Je n'en sais rien, Stefan.

Elle laissa retomber sa tête, l'air accablé. Stefan s'approcha d'elle et lui glissa la main sous le menton pour plonger son regard dans le sien.

— Eh bien, nous allons le découvrir, n'est-ce pas? dit-il avec gentillesse.

— Oh, vous n'êtes pas obligé de vous impliquer dans cette affaire. Cela n'a peut-être rien à voir avec votre amie Kate, et...

Il la réduisit au silence en l'embrassant sur le front.

— Ce qui importe, c'est de découvrir si Duncan est de mèche avec cette association, et pourquoi il a tellement hâte de solder le prêt de Tonsbry, d'accord?

Jan détourna les yeux. À l'entendre, c'était si simple, si banal. Elle eut envie de crier: « Non, tout cela est très grave et douloureux! » Mais elle se contenta de hocher la tête et de se dégager de son étreinte.

— D'accord, répondit-elle.

Alice était assise devant une table en teck, sur la terrasse d'un appartement de Neutral Bay qui donnait sur une plage de Sydney. Elle portait une robe de soleil blanche et buvait un Earl Grey. Yeux fermés, elle réfléchissait.

La veille, elle avait appris la mort de Leo Alder en lisant un vieil exemplaire du *Times* ramassé dans le salon d'un restaurant. Cette nouvelle l'avait bouleversée.

— Alice ?

Elle ouvrit les yeux, mit sa main devant son front en guise de pare-soleil. Tom Sullivan était debout devant elle.

— Ça va ? Tu veux un autre thé ?

— Non, merci.

— Cela ne te ressemble pas de bouder dans ton coin, fit-il remarquer.

— Je sais. Alice, le boute-en-train de service ! Désolée, Tom.

— Que se passe-t-il ?

Elle haussa les épaules, termina son thé, avant de ramasser le journal posé par terre.

— Quelqu'un que je connaissais est décédé la semaine dernière. J'ai trouvé l'annonce là-dedans.

— Oh, je comprends. Vous étiez proches ?

— Non, pas tellement…

En réalité, elle n'avait jamais rencontré Leo Alder. Mais, grâce à Eddy, elle savait tout de sa vie.

— Cela me donne juste le mal du pays, admit-elle.

— C'est compréhensible.

— Vraiment ? La personne en question était l'oncle de Kate Dowie.

— Je vois.

— Eh bien, moi, je ne vois rien du tout ! Je n'ai pas pu prononcer son nom pendant des années, et aujourd'hui que j'apprends la mort de son oncle, j'ai envie de rentrer en Angleterre. C'est complètement idiot !

— Tu es peut-être prête maintenant à retourner chez toi et à affronter certaines choses ?

— Mais je n'ai rien éludé, Tom. J'ai dit la vérité à Eddy et je l'ai laissé poursuivre sa vie. Ce n'est pas se défiler, quand même ?

Tom ne répondit pas. Un long silence retomba, durant lequel Alice se contenta de fixer l'océan et le ciel dont les couleurs se confondaient. Puis elle déclara, amère :

— J'ai fui à toutes jambes, c'est cela, la vérité, non ?

— Je le pense.

Alice se leva et s'approcha de Tom, sans cesser de regarder les flots. Quand, enfin, elle se tourna vers lui, il vit qu'elle pleurait.

— Je devrais te rétribuer pour ce service que tu me rends, soupira-t-elle en s'essuyant la joue d'un revers de main.

— Je ne suis plus ton analyste.

— Alors tu pourrais peut-être me recommander l'un de tes confrères ?

Elle sourit tristement.

— Est-ce que je suis en train de retomber malade, Tom ? Je n'ai pensé qu'à cela depuis que j'ai lu cette annonce dans le journal.

Tom prit ses mains dans les siennes.

— Non, Alice, tu ne vas pas retomber malade. Tu es en train de guérir. Tu dois rentrer chez toi et t'occuper enfin de ce qui te ronge depuis si longtemps.

Il contempla son visage tourné vers lui et faillit lui dire qu'il l'aimait. Mais elle se dégagea et demanda :

— Est-ce que mon sentiment de culpabilité s'estomperait ?

— Peut-être.

— Et si, ensuite, je n'ai pas envie de revenir en Australie ?

Il haussa les épaules. Non, décidément, le moment était mal choisi pour avouer son amour.

— En tout cas, sache que, si tu reviens, je serai là, assura-t-il en souriant.

Il lui ouvrit les bras, et Alice se pelotonna contre lui, se sentant protégée comme jamais.

— Et si jamais tu ne reviens pas, poursuivit-il d'une voix douce, je serai là quand même.

17

Assis dans la cuisine de Tonsbry, Tommy Vince avait disposé devant lui les outils de son art : une bouteille de Tonsbry Original, une bouteille de la dernière chauffe qui n'était pas bonne, les aromates, les archives concernant la fabrication à l'ancienne, ainsi que ses propres notes, divers récipients-doseurs, de l'alcool et plusieurs verres.

Sous l'œil attentif d'Eddy et de Kate, il travaillait, reniflait, goûtait, diluait, regoûtait, et écrasait des herbes entre ses doigts pour en dégager l'arôme.

Kate et Eddy étaient nerveux, surtout Kate. Ils observaient avec un respect teinté de crainte ce petit homme sec qui s'activait en silence.

Une heure pleine s'écoula avant que ce dernier ne prenne enfin la parole.

— Bien, dit-il. Tout d'abord, vos aromates ne conviennent pas.

— Mais...

Tommy leva la main pour imposer le silence à Kate.

— Oui, je sais ce qu'on dit dans ces archives, et vous avez eu raison de vous conformer à la recette initiale, mais cette genièvre n'est pas aussi saine qu'elle le devrait. Regardez...

Il prit quelques baies de genièvre et les écrasa dans sa paume.

— Vous voyez le jus ? Il n'y en a pas assez. Il devrait être plus sombre, plus odorant. Les baies sont trop sèches, elles ont dû rester à l'air trop longtemps, à mon avis.

Comme il reposait les baies sur la table, Kate s'en saisit pour les renifler. Elle hocha la tête.

— Ensuite, il y a ces bleuets. Ils donnent au gin sa couleur et sa saveur spécifique, mais ceux-ci sont trop forts. La note florale est trop haute. Non...

De nouveau, il prit les fleurs, les frotta sur ses doigts.

— Non, répéta-t-il. C'est bien ça. Sentez.

Il tendit la main, et les deux autres reniflèrent les pétales froissés.

— Trop âcre, trop fort! Bon, et puis, il y a le reste. L'alcool est bon, de la meilleure qualité, l'eau, très pure, parfaite... Provient-elle de la région?

— Oui, nous avons un puits sur le domaine.

— Bien. Mais le processus s'est effectué trop rapidement, la tête ne s'est pas totalement évacuée, ce qui a gâché les deux premières tentatives.

— Comment déterminer le moment précis où la tête est entièrement évacuée? s'enquit Kate.

Tommy se tapota l'aile du nez d'un air entendu.

— Tout est ici, répondit-il. Dans le nez. C'est l'odeur qui le dit.

— Alors, comment allons-nous procéder? demanda Eddy.

— Eh bien, si vous acceptez les critiques que je viens de formuler, si vous acceptez mes instructions, je pense pouvoir produire du Tonsbry Original dès la prochaine chauffe.

— Vraiment? s'exclama Kate, tout excitée. Vous pensez y arriver aussi vite?

— Vous avez vous-mêmes effectué le gros du travail, il faut juste peaufiner.

— Et quels sont les frais que ces modifications vont induire?

Comme toujours, Eddy se préoccupait du coût qui serait certainement plus élevé que prévu. Tommy étendit ses jambes sous la table.

— Aucun surcoût, trancha-t-il.

— Vous êtes sûr? Tout d'abord, il y a vos honoraires, ou votre salaire, appelez ça comme vous voudrez.

Tommy prit une profonde inspiration. Le courage lui manquait mais, pour Mary, il devait au moins essayer.

— Je ne veux pas de salaire, je veux être intéressé à l'affaire, déclara-t-il. Je veux devenir votre associé, à un

242

petit pourcentage, et recevoir ma part des bénéfices en échange de mes services, tant que vous en aurez besoin.

Finalement, maintenant qu'il s'était jeté à l'eau, cela ne lui semblait plus aussi difficile. Mary avait raison.

— Ils ont besoin de toi, Tommy, lui avait-elle affirmé. Cette fois, ils ne vont pas se servir de toi, puis te virer à la première occasion. Il faut que tu leur demandes !

— Vous comprenez, poursuivit-il, Mary et moi, nous vivons de mes indemnités de chômage. Nous allons perdre beaucoup si j'y renonce, et toucher des deux côtés serait illégal… Alors, Mary et moi, on a pensé que, si je travaillais pour vous gratis, tout en conservant mes indemnités, je pourrai un jour, si l'affaire marche bien, acheter une part du capital. En revanche, si ça foire, je n'aurai rien perdu. Vous comprenez ?

— Mais vous allez travailler pour rien, objecta Eddy.

— Je prends ce risque.

Kate et Eddy gardèrent le silence une minute, puis la jeune femme intervint :

— Tommy, voulez-vous nous excuser un moment ? Nous devons réfléchir à tout ça.

— Bien sûr. Je vais faire un tour à la distillerie et jeter un coup d'œil aux appareils. J'emporte de quoi prendre des notes, ajouta-t-il en s'emparant du bloc de papier qui traînait sur la table.

Kate ne pipa mot avant de se retrouver seule avec Eddy.

— Bon sang, je ne m'attendais pas à ça ! s'exclama-t-elle.

— Moi non plus. Mais ce type est compétent et, sans lui, nous ne nous en sortirons jamais. S'il parvient à fabriquer du gin dès la semaine prochaine, il méritera amplement de devenir notre associé.

— Mais pourquoi veut-il s'impliquer ? Il nous connaît à peine !

— Peut-être pense-t-il que le gin en vaut la peine, que nous allons réaliser de jolis profits ; ou peut-être en a-t-il assez d'être un simple employé ? En tout cas, il a raison : on ne peut pas lui verser un salaire alors qu'il perçoit le chômage. Qu'en penses-tu ?

Kate se mordit la lèvre.

— Mais de quelle façon peut-on l'associer à l'affaire ? Elle n'existe même pas pour l'instant ! Et puis, s'il obtient une part du capital, tu dois avoir la même chose, Eddy. Ce n'est que justice.

Ce commentaire prit Eddy au dépourvu. C'était si typique de la Kate dont il se souvenait, la Kate droite et honnête qui, à ses yeux, était morte depuis des années…

— Merci, Kate, mais je ne veux pas. Je souhaite juste que tu réussisses. Écoute, tu dois te rendre à l'évidence : sans cet homme, tu ne pourras pas démarrer l'affaire dans le temps imparti. Prends-le comme associé ou laisse tomber. Pourquoi n'appelles-tu pas David Lowther pour lui demander de nous préparer un contrat en bonne et due forme ? Si c'est ce que Tommy veut, faisons-le !

Kate saisit la bouteille de Tonsbry Original qui trônait sur la table. Les deux semaines qui venaient de s'écouler l'avaient épuisée sur le plan émotionnel. Elle était passée de l'abattement le plus profond à la surexcitation, si bien qu'elle ne savait plus où elle en était.

— Tu crois vraiment que ça peut marcher ? demanda-t-elle enfin.

Eddy, qui avait entrepris de servir du café, lui tendit une tasse.

— Oui, je le crois, répondit-il. Alors arrête de te tourmenter, bois ton café, et appelle David Lowther pour lui demander de rédiger un contrat. Et tant que tu y es, demande-lui aussi de faire appel contre le solde du prêt. D'accord ?

— Si tu veux…

Kate mit deux cuillerées de sucre dans son café, et but une gorgée. Puis, la tasse à la main, elle esquissa un sourire.

— O.K., dit-elle. Allez, viens, Eddy, allons nous occuper de notre gin !

Après s'être entretenu avec Kate au téléphone, David Lowther se leva de son bureau et s'approcha de la fenêtre.

Il pensait à Adriana.

Pendant des années, quasiment toute sa vie adulte, il lui avait voué un amour presque désespéré. Elle occupait toutes ses pensées. Il avait vieilli, célibataire et solitaire, avait repris le cabinet juridique familial où il ne traitait que des dossiers sans envergure et, dans ce train-train morose, gérer les affaires d'Adriana était devenu son obsession.

Aujourd'hui, comme toujours, la perspective de l'avoir bientôt au bout du fil le grisait. Hormis elle, personne sur terre ne pouvait lui faire éprouver des sentiments aussi forts.

Il se détourna de la fenêtre, revint à son bureau pour décrocher le téléphone. Ce qu'il s'apprêtait à faire n'était pas bien, il le savait. C'était contre toute éthique professionnelle, et sans doute illégal, pourtant il était incapable de s'en empêcher. La pensée de lui plaire, de recevoir une once de son admiration, balayait tous les doutes.

Il composa le numéro de son hôtel à Londres et, tout en demandant à la réception de lui passer sa chambre, il sentit une décharge d'adrénaline lui fouetter le sang.

Eddy rentra à Tonsbry en milieu d'après-midi et trouva Mme Able dans le hall, visiblement très mal à l'aise. Elle tenait son chiffon à poussière à la main tout en tendant l'oreille en direction du bureau de Leo.

— Bonsoir! lança Eddy.

La gouvernante sursauta et s'empourpra légèrement.

— Oh! Eddy, c'est vous!

Désignant la porte du bureau, elle ajouta:

— Il est là-dedans depuis une heure, en train de téléphoner!

— Qui ça?

— Ce type, le Harry de Kate! Il manigance quelque chose, c'est sûr, pour rester au téléphone si longtemps!

— Bah, ça m'étonnerait…

— En tout cas, c'est Kate qui payera la facture de téléphone, tempêta la gouvernante. Ça me fait bouillir le sang quand j'y pense !

— Bon, je vais lui en toucher deux mots, d'accord ?

— Comme c'est gentil ! Cela ne vous dérange pas ?

Evidemment que si. Eddy aurait préféré limiter ses échanges avec Harry au strict minimum. Mais au cours des vingt-quatre dernières heures, il avait recouvré sa confiance en lui, et cela le rendait plus fort.

— Non, je vais m'en occuper, assura-t-il.

Laissant Mme Able dans le hall, il entra dans le bureau et referma la porte derrière lui.

Harry disait au téléphone :

— Je ne sais pas si ça va marcher, elle est vraiment obsédée par cette histoire de gin. Mais j'ai passé les coups de fil, comme vous me l'aviez demandé...

— Des coups de fil ?

Harry tourna brusquement la tête, interrompant sa conversation avec Adriana. En voyant Eddy, il se leva d'un bond.

— Eddy ! Euh... attends une seconde, bredouilla-t-il, avant d'ajouter précipitamment à l'intention de son interlocutrice : Je vous rappelle.

Il raccrocha.

— Des coups de fil ? répéta Eddy.

— Oui, je... Hum... Il a fallu que je contacte mon régiment.

— Vraiment ?

— Oui, à propos de cette histoire de gin.

— Tu veux dire que tu comptes en vendre au régiment ?

Harry demeura coi un instant. Ce n'était pas du tout ce qu'il avait en tête mais, en voyant le brusque changement d'expression d'Eddy, il hocha la tête.

— Eh, ce n'est pas une mauvaise idée, Harry ! Pas mauvaise du tout. Comment ont-ils réagi ?

— Euh... de façon raisonnable.

— Ce qui veut dire ? Oui ou non ?

— Euh... peut-être.

— Eh bien, c'est un début! Écoute, il faudrait peut-être appeler toutes les casernes? Qu'en penses-tu?

Harry hocha vaguement la tête. La discussion prenait un tour qu'il n'avait pas prévu. Adriana lui avait expressément demandé de détourner Kate de ses projets, pas de s'y impliquer en personne. Il sentit des gouttes de sueur se former sur son front.

— Qui dois-je demander si je téléphone aux casernes? s'enquit Eddy.

— Je n'en sais rien... sans doute le sergent du mess.

— Génial! Je vais dresser une liste de tous les régiments cantonnés dans le Sud, le Sud-Est et le Sud-Ouest. Pour obtenir la liste complète, mieux vaut que je m'adresse directement au ministère de la Défense, non?

— Euh... oui.

— Bien! Brillante idée, Harry. Merci! lança Eddy en lui assénant une claque dans le dos.

Tout de suite, il reporta son attention sur le téléphone, inconscient du silence dépité dans lequel Harry se murait.

Il était environ 20 h 30, et Jan regardait la télévision, quand le téléphone sonna chez elle. Pour le moment, ses recherches sur les activités suspectes de Duncan avaient tourné court. La veille, au cours du dîner, Stefan avait remis en doute ses motivations. Sans doute avait-il raison : elle se lançait dans une espèce de vendetta à l'encontre de son mari. Elle tournait en rond, se focalisait sur le moindre détail insignifiant...

Elle décrocha.

— Bonsoir, Jan, c'est Stefan.

Jan se renfonça dans le canapé et commença une conversation sur un ton banal. Mais Stefan avait manifestement d'autres intentions.

— Jan, j'ai réfléchi à propos de la Letchworth Housing Association, et il me semble qu'il serait intéressant de jeter un coup d'œil à leurs livres de comptes.

— Certes, mais je ne vois pas comment procéder sans

éveiller leurs soupçons. Il faudrait d'abord obtenir leur autorisation, et…

— Non, pas de la façon dont je compte m'y prendre.

— Que voulez-vous dire ?

— Jan, vous n'êtes pas obligée d'être d'accord avec moi. De toute façon, je suis déterminé. Je vais me rendre dans leurs locaux en me faisant passer pour un inspecteur du fisc…

— Stefan, vous devenez fou ! C'est impossible, vous…

— Attendez, laissez-moi terminer. J'ai vraiment pensé à tout. J'ai de faux papiers d'identité, j'ai photocopié un document tiré des dossiers de Kate avec l'en-tête des services fiscaux, et je suis sûr que ça va marcher. Je vais les prier de me montrer leur comptabilité, ce que la loi les oblige à faire. Il y a peu de risques qu'ils aient eu récemment un contrôle fiscal. Je ne resterai que quelques heures et, ensuite, nous saurons à quoi nous en tenir. Pourquoi se méfieraient-ils ? De toute façon, je ne cherche pas à les voler, je cherche juste des informations…

— Mais…

— Non, j'ai pris ma décision.

— Stefan, je ne peux pas vous laisser faire ça !

— Nous n'allons pas nous disputer, Jan.

Elle soupira.

— Très bien mais, dans ce cas, laissez-moi vous accompagner. Les polyvalents travaillent presque toujours en équipe de deux, sans compter que je saurai tout de suite quoi chercher dans la comptabilité.

Stefan resta silencieux un instant.

— Stefan ? Vous avez entendu ?

— Jan, je ne veux pas que vous preniez le risque de briser votre carrière.

— Voyons, je suis déjà impliquée…

— Non, désolé mais c'est mon dernier mot.

— C'est idiot, vous n'avez aucune notion comptable !

Elle se trompait. Stefan avait été briefé par l'une de ses clientes qui était associée dans un cabinet d'expertise comptable.

— Je ne suis pas stupide, je me débrouillerai, décréta-t-il.

Jan comprit qu'elle gaspillait sa salive.

— Bon, si vous êtes sûr de savoir ce que vous faites…

— Absolument !

— Dans ce cas, rappelez-moi dès que vous aurez du neuf.

— Pas de problème. J'ai l'intention de leur rendre visite vendredi, je vous téléphone dès que j'aurai fini.

— Vendredi, vous êtes sûr ?

— Oui, pourquoi ?

— Parce que, dans ce cas, je ne m'inquiéterai pas avant vendredi, rétorqua-t-elle, fataliste.

Stefan se mit à rire. Mais Jan n'en avait pas terminé :

— Stefan, comment se fait-il que vous soyez si bien renseigné sur les contrôles fiscaux ?

Il hésita, mais se rendit compte qu'il ne pouvait lui dire la vérité.

— Cela m'est venu comme ça, prétendit-il, avant de lui souhaiter bonsoir et de raccrocher.

Minuit était passé depuis longtemps. Dans la distillerie, Tommy Vince tenait à la main une dose d'alcool. Il la versa dans un pichet en verre posé sur la table, la pesa, ajouta de l'eau, pesa une nouvelle fois. Puis il éleva le pichet vers la lumière, huma l'odeur du gin, avant d'en verser un peu dans un verre.

Il prit une gorgée, la fit rouler dans sa bouche, recracha.

Kate l'observait. Elle était épuisée et l'attente lui paraissait interminable. Elle frissonna, tout en regardant Tommy.

Finalement, il releva la tête et, sans l'ombre d'un sourire, déclara :

— Vous tenez votre gin, Kate.

Il lui tendit le verre. Elle goûta, et un immense soulagement l'envahit, tandis que les larmes lui montaient aux yeux.

Tommy se tourna alors vers Eddy et, cette fois, un sourire éclaira son visage.

— Eddy, mon vieux, c'est gagné! Faites chauffer l'alambic!

18

Il était 5 heures du matin, et Kate ne dormait pas. Elle avait dû somnoler les heures précédentes, sans toutefois parvenir à se reposer. Elle se sentait bizarre, mais pas fatiguée, au contraire. Les yeux grands ouverts, elle était sur le qui-vive, à l'affût du moindre bruit ou mouvement dans la maison.

Il faisait encore nuit. Elle sauta du lit et s'habilla rapidement à la lueur de la lune pâlissante. Elle enfila une veste et, nu-pieds, descendit l'escalier. Dans le placard du couloir qui donnait sur l'arrière de la maison, elle dénicha une paire de bottes, puis sortit dans la froideur de la nuit.

Sans savoir pourquoi, elle se mit à courir, en direction des dépendances. Parvenue devant la distillerie, elle s'arrêta et posa son visage contre le battant de bois pour sentir la chaleur de l'air qui s'échappait par l'interstice.

En silence, elle tourna la poignée et entra.

Tout cela lui appartenait: cette odeur âcre des herbes aromatiques, celle plus forte de l'alcool, la chaleur, les bouteilles vides en verre bleuté, les étiquettes, les bouchons, et le nouveau Tonsbry Original.

Elle saisit une bouteille pour l'examiner de plus près.

— C'est fantastique, n'est-ce pas?

Surprise, elle faillit lâcher la bouteille, et se retourna.

— Eddy, tu m'as flanqué une de ces peurs!

Souriant, il émergea de derrière l'alambic.

— Je n'arrivais pas à dormir, expliqua-t-il. En fait, je n'ai même pas essayé.

250

Tandis qu'il saisissait une bouteille, Kate effleura sa manche sale retroussée jusqu'au coude.

— Je vois, dit-elle. Comme dirait ta fille : beurk !

Tous deux se mirent à rire doucement.

— Je ne t'ai même pas remercié pour avoir trouvé Tommy et obtenu ces commandes des régiments, ajouta-t-elle.

Apparemment plongé dans la contemplation de la bouteille, il fit courir sa main sur le bord du verre.

— Pas mal pour cette fois, hein ? Cinquante bouteilles, et nous n'en avons encore pas vendu une seule !

— Eh, pas la peine de me faire le coup de la fausse modestie ! riposta Kate en lui décochant un petit coup de coude dans les côtes. Je te connais, ne l'oublie pas !

— Ça ne risque pas ! Tu es l'une des rares personnes à m'avoir vu en pantalon de velours violet et en santiags ! L'une des seules à m'avoir admiré déguisé en Olivia pour la fête des Rois. Tu te souviens de la robe que je portais ?

— Le rembourrage du corsage était un peu gondolé, mais le reste était très mignon !

— Si ma mémoire est bonne, tu n'étais pas non plus la reine du bon goût. Je me rappelle t'avoir croisée lors d'une soirée dans un fourreau en satin turquoise et un boléro fuchsia. Et tu avais de l'ombre à paupières mauve sur les yeux !

— Eh ! on n'est pas censé évoquer devant une dame ses erreurs passées ! répliqua-t-elle en lui donnant un coup plus fort.

Eddy riposta de même, et elle fit un bond de côté en criant :

— Comment oses-tu ?

Riant, elle plongea en avant pour l'atteindre sous le bras, mais il fut plus vif et lui donna un coup à l'épaule.

— Tu veux croiser le fer ? Tiens, prends ça ! Et ça ! s'exclama-t-elle.

Il lui saisit le bras.

— Je t'ai eu ! claironna-t-elle.

Elle tenta de se dégager, mais il la retint. Tous deux riaient aux larmes.

— Eddy, arrête. Non, lâche-moi...

D'un mouvement rapide, il l'attira à lui et l'embrassa. Prise au dépourvu, Kate cessa de rire. La stupeur la paralysa une seconde, puis elle sentit son corps réagir avec violence, tandis que le plaisir s'emparait d'elle. Elle ouvrit les yeux et fixa Eddy. Puis, s'abandonnant au vertige qui l'emportait, elle lui rendit son baiser, yeux mi-clos.

Ils s'étreignirent plus étroitement, si bien qu'elle sentit le cœur d'Eddy battre la chamade. Son corps était dur et tiède contre le sien. Une vague de sensualité la submergea, comme il faisait glisser sa bouche le long de son cou pour l'embrasser et mordiller sa peau satinée. Kate frémit. L'instant d'après, elle sentit qu'il la soulevait. Son épaule heurta l'interrupteur du mur et la pièce fut brutalement plongée dans le noir.

L'obscurité les enveloppa, détruisant leurs dernières inhibitions.

Cramponnée à Eddy, elle noua ses jambes autour de ses reins. Sa bouche chercha la sienne. Leurs yeux s'acclimatèrent peu à peu à la faible luminosité de l'aube qui éclairait le ciel de seconde en seconde. Sans la lâcher, Eddy se tourna vers la table. Kate posa les mains sur le plateau pour se soutenir, tandis que, fébrile, il s'attaquait à ses vêtements.

Elle ne voulait pas penser et, de toute façon, en était bien incapable. C'était comme si plus rien ne comptait, comme si l'univers tout entier se réduisait à cet instant magique.

Après avoir fait passer son T-shirt par-dessus sa tête, il lui embrassa les épaules, la gorge, les seins. Kate poussa une exclamation sourde quand il happa un mamelon et se mit à le titiller. Des sensations jusque-là inconnues la ravageaient. À tâtons, elle ouvrit la ceinture d'Eddy, baissa la fermeture Eclair de son jean, le sentit tressaillir lorsque ses doigts se refermèrent sur son sexe dur. Puis, comme elle s'arc-boutait, il fit glisser son slip le long de ses jambes fines, se pencha pour embrasser la peau parfumée entre ses cuisses, avant de la laisser le guider en elle.

Leurs corps fusionnèrent d'un coup et, acceptant de perdre le contrôle des événements, Kate poussa un cri de plaisir.

Pendant quelques secondes, Kate demeura immobile. Elle avait l'impression que son corps et son esprit venaient d'exploser. Des vagues de chaleur et de plaisir l'inondaient et elle frissonna.

Elle sentait le souffle chaud d'Eddy sur son épaule. Elle ouvrit les yeux au moment où il s'écartait doucement d'elle, et vit son visage. Puis elle réalisa ce qu'ils étaient devenus : deux êtres différents, deux individus solitaires... et, rongée par le remords, elle se mit à pleurer.

Se détournant, elle tenta de se couvrir la face. Les sanglots montaient dans sa gorge, déchirants, incontrôlables, les larmes ruisselaient sur ses joues. Eddy la lâcha et elle croisa les bras sur sa poitrine nue en se pelotonnant sur elle-même.

Sans rien dire, il recula, remonta son jean et tâtonna à la recherche de sa veste qu'il posa délicatement sur les épaules dénudées de la jeune femme. Gentiment, il lui caressa les cheveux. Elle avait les paupières gonflées, la figure rougie. Malheureusement, il n'avait pas de mouchoir sur lui.

Il repéra une boîte de Kleenex posée sur la table et lui en offrit un.

— Je suis... désolée, hoqueta Kate. Ce n'est pas toi... Je veux dire, c'est... Enfin, c'est tout ça...

— Ce n'est pas grave.

Il se sentait mal à l'aise, non pas parce qu'elle pleurait, mais parce qu'elle éprouvait le besoin de se justifier. Il avait envie de l'emporter dans ses bras et de la mettre au lit, de lui dire que cela n'avait aucune importance si elle réveillait toute la maisonnée, que faire l'amour avec elle était fantastique. Pourtant il n'osait pas. Il ne savait que dire, et ne pensait qu'à la douceur de sa peau, à son parfum qui éveillait derechef en lui un désir violent.

— Ce n'est pas grave, répéta-t-il.

Oh si, c'est grave ! faillit-elle s'écrier. Très grave ! Je viens de me conduire avec Harry comme tu t'es conduit avec moi !

Bourrelée de honte, elle s'écarta de lui, puis attrapa ses vêtements pour s'habiller en silence. Elle tremblait de froid tout à coup, en dépit de la chaleur qui régnait dans la pièce.

— Kate, il faut que je m'en aille.

C'était la dernière chose qu'il avait envie de faire, mais il y avait Flora qui n'allait pas tarder à se réveiller et dont il devait s'occuper.

Kate hocha la tête. Elle ne ressentait rien, hormis un immense soulagement à l'idée qu'il allait partir.

— Kate, je suis désolé. Je voudrais vraiment pouvoir rester, je…

— Mais tu dois partir, alors inutile de te lamenter.

— Tu as raison. Puis-je te raccompagner à la maison ?

Elle acquiesça en silence, tandis qu'il prenait sa veste. Le silence les enveloppa. Comment une telle intimité, sauvage et dévastatrice, pouvait-elle s'évaporer d'un coup ? Eddy n'en avait aucune idée, il ne savait absolument pas comment sauver la situation, mais il prit la main de Kate dans la sienne et la garda.

Le silence parut s'appesantir encore plus sur eux.

Comme il ouvrait la porte, elle se tourna vers lui.

— Inutile de me raccompagner. Rentre chez toi, tu as l'air harassé.

Il conserva sa main dans la sienne, et elle essaya de sourire. Sa Kate. Il l'embrassa sur le bout du nez.

— Je te vois tout à l'heure, alors ?

— Oui.

L'épuisement la gagnait à son tour. Elle avait l'impression d'avoir atteint un tournant crucial de sa vie, sans savoir en quoi il consistait. Un moment, ils demeurèrent immobiles, face à face, puis elle libéra sa main et la glissa dans sa poche.

— Au revoir, Eddy.

— Pas au revoir, à tout à l'heure.

Kate haussa les épaules, malheureuse et honteuse. Sans rien ajouter, elle s'éloigna, seule en direction de la maison.

À l'aéroport de Heathrow, Alice empila sur son chariot les trois valises que venait d'amener le tapis roulant. Son dos lui faisait mal. C'était toujours pareil, la loi de l'emmerdement maximum : soit les bagages arrivaient trop vite, si bien qu'on se brisait l'échine en tâchant de les attraper à la hâte ; soit la deuxième valise arrivait une heure après la première. Pourquoi les bagages n'étaient-ils pas raisonnablement espacés afin qu'on puisse les récupérer dans le calme ?

Poussant son chariot, elle se dirigea vers la douane, tout en maintenant en équilibre précaire son sac perché au-dessus des valises.

Parvenue dans le hall, elle scruta la foule. Bien entendu, personne n'était venu l'attendre, puisqu'elle n'avait soufflé mot à quiconque de sa venue. Pourtant, elle ne pouvait s'empêcher d'être déçue. Elle aurait dû prévenir quelqu'un, son frère, par exemple. C'était déprimant de ne pas être accueillie.

Alice se dirigea vers la rangée de cabines publiques, tout en sortant son carnet d'adresses de son sac. Elle chercha à «Gallagher». C'était idiot, elle avait passé deux ans dans cet appartement avec Eddy et Flora et, cependant, elle était incapable de se souvenir du numéro de téléphone. En fait, elle avait tellement mal vécu la situation à l'époque qu'elle avait dû s'empresser d'effacer de sa mémoire de tels détails.

Ayant enfin trouvé le numéro, elle se rendit compte qu'elle n'avait sur elle que de la monnaie australienne et changea de cabine pour en prendre une qui acceptait les cartes bancaires. Il était 18 h 30, heure locale.

La voix enregistrée sur un disque lui apprit que le numéro n'était plus attribué.

— Merde !

Que faire ? Peut-être avaient-ils déménagé ? Feuilletant son carnet d'adresses, elle tomba sur le numéro des parents d'Eddy. Sans hésiter, elle le composa.

— Madame Gallagher ?

À l'autre bout du fil, Faye Gallagher hésita. Elle connaissait cette voix à l'intonation familière. Sa main se crispa involontairement sur le combiné.

— Oui ?

— Bonsoir, c'est Alice.

— Alice !

Alice frémit en percevant la stupeur de son interlocutrice. Elle enchaîna précipitamment :

— Je suis à Londres, je viens d'arriver et j'essaie de joindre Eddy.

Il y eut un silence. Alice vit les unités défiler sur le petit écran électronique du téléphone. Son cœur se serra.

— Oh, je vois, répondit enfin Faye.

Et ce fut l'unique commentaire qu'elle formula.

19

En l'espace de quelques jours, la salle à manger de Tonsbry se métamorphosa pour devenir le cœur de l'entreprise. Les meubles furent poussés le long du mur, et la table, une copie Chippendale — la vraie ayant été vendue des années plus tôt par Leo —, protégée d'une housse, fut jonchée du matériel requis pour étiqueter les bouteilles : la machine, la colle, les étiquettes, et les bouteilles.

Quand il ne travaillait pas à la distillerie, Tommy Vince venait souvent aider John et Mme Able à coller les étiquettes et à emballer les bouteilles, ou encore à modifier les notes de fabrication. Il s'était rapidement intégré à l'équipe, et cette façon bon enfant de travailler lui plaisait, lui qui avait été employé chez Boller où un ouvrier devait savoir rester à sa place s'il ne voulait pas perdre son job. Il n'avait pas menti en affirmant à Mary qu'il se sentait bien plus heureux à Tonsbry qu'il ne l'avait jamais été dans un boulot, et que l'argent qu'ils gagneraient peut-être ne lui importait finalement pas tant que ça.

Ce jour-ci, tout en collant des étiquettes en compagnie de Mme Able, il pensait à une idée qui lui avait trotté dans la tête toute la nuit.

— Bonjour, Tommy!

Kate venait de pénétrer dans la pièce, vêtue de son habituel jean délavé, d'un sweat-shirt noir et chaussée de Doc Martens. Elle mangeait une pomme. Ayant terminé, elle s'approcha de la table.

— Eh, vous avez abattu un sacré boulot! Bravo! s'exclama-t-elle.

Tommy décida de se jeter à l'eau.

— Kate, j'ai une idée.

— C'est vrai? Super!

Elle se tourna vers lui, aussitôt attentive, une qualité qu'il admirait beaucoup chez elle. Elle savait écouter les autres.

Kate saisit une chaise et s'assit.

— C'est à propos d'un de mes passe-temps, enchaîna Tommy. J'invente des cocktails.

Il attendit un instant, craignant qu'elle ne se montre un brin ironique. Mais comme elle conservait le silence, il s'enhardit.

— J'ai fait des expériences avec le Tonsbry Original. Je visais quelque chose de pas trop fort, de rafraîchissant, d'un peu exotique sans être farfelu. Une sorte d'alternative au gin-tonic. Et j'ai abouti à ceci…

Tommy fouilla dans sa poche et en retira un bout de papier.

— J'en suis plutôt content, confessa-t-il, et Mary l'aime bien, elle aussi. En fait, nous en buvons presque tous les soirs depuis quelques jours.

Kate se saisit du papier qu'il lui tendait et sur lequel il avait dressé une liste d'ingrédients.

— Ça a l'air délicieux.

— Vous voulez essayer?

La jeune femme hésita.

— Je veux bien, mais je ne vois pas…

— Oh, désolé! Je ne me suis pas bien expliqué. Voilà, quand je travaillais chez Boller, j'ai eu l'idée de mettre une recette de cocktail sur l'étiquette au dos de la bouteille de leur cuvée spéciale. Les types du marketing ont adoré, mais le problème, c'est que nous n'avons pas réussi à concocter la recette idéale. Ensuite, j'ai été licencié et… Bref, si vous aimez ce cocktail, nous pourrions ajouter une seconde étiquette comportant la recette sur chaque bouteille. Ce serait un argument de vente supplémentaire et…

— Tommy, c'est une excellente idée! coupa Kate, emballée. Pouvons-nous goûter tout de suite ce cocktail? Si ça marche, je passerai un coup de fil à l'imprimeur pour qu'il nous fabrique un lot d'étiquettes supplémentaire.

La porte s'ouvrit, et Eddy entra. L'attitude de Kate se modifia aussitôt, elle se raidit, mais de manière si imperceptible que seul Eddy s'en aperçut.

— Bonjour, Eddy! le salua-t-elle. Tu arrives à point nommé. Tommy vient d'avoir une idée brillante. Voilà, il propose de… Eddy? Est-ce que ça va?

La mine sombre, il était resté près de la porte. Il avait l'intention de lui parler sans détour du retour d'Alice, dont sa mère avait enfin eu le courage de lui parler. Pourtant, il n'arrivait pas à se décider. C'était trop injuste, ce retour inopiné juste au moment où tout commençait à marcher bien! Bien sûr, Kate et lui n'avaient pas encore eu une franche explication, mais à présent qu'ils se côtoyaient régulièrement, il tenait à lui prouver sa bonne foi et à faire tout ce qui était en son pouvoir pour l'aider. Et peut-être qu'avec un peu de chance…

Il interrompit là le cours de ses pensées en surprenant le regard de Kate posé sur lui.

— Euh… oui, tout va bien, dit-il.

— Il n'y a pas de problème avec Flora?

— Non, pas du tout. Elle va venir tout à l'heure. Pour le moment, c'est ma mère qui la garde.

— Très bien.

Kate se tourna vers Tommy, mais tout le monde se rendit compte que son excitation était retombée.

— Alors, cette brillante idée ? fit Eddy en s'installant sur une chaise.

— Je m'amuse à concocter des cocktails, expliqua Tommy. J'en ai inventé un à base de Tonsbry Original. Vous voulez le goûter ?

— Bien sûr ! Vous avez tout ce qu'il vous faut ?

Eddy tentait de montrer de l'enthousiasme, mais il était mauvais acteur.

— Oui, répondit Tommy en se levant. J'ai pris la liberté d'apporter tous les ingrédients, au cas où vous seriez intéressés. Ils sont dans la Land-Rover, je vais les chercher.

Mme Able se leva à son tour.

— Vous voulez un coup de main, Tommy ? Vous pouvez utiliser la cuisine, ce sera plus pratique.

— Oui, merci.

— Bien, nous revenons tout de suite, annonça la gouvernante.

Et, après avoir lancé un regard entendu à Kate, elle suivit Tommy.

Kate ne savait trop comment interpréter ce regard qui semblait avoir un rapport avec le malaise évident d'Eddy. Peut-être pouvait-elle le questionner à ce sujet ?

Mais au moment où elle allait se décider, Mme Able et Tommy refirent leur apparition. Tommy portait un plateau sur lequel se trouvaient des verres, un bol empli de glaçons et un pichet.

— Et voici les cocktails ! lança Mme Able.

Rapidement, Tommy mit un glaçon dans chaque verre, versa le cocktail, ajouta quelques gouttes de citron et un zeste.

— À la vôtre ! dit-il en distribuant un verre à chacun. Voici le Tonsbry Original Cooler.

Kate but une gorgée, savoura le goût un instant, puis déglutit. Elle échangea un regard avec Eddy, et enfin s'exclama :

— Tommy, c'est du grand art !

Le visage de Tommy s'illumina. Il se tourna vers Eddy.

— Et vous, qu'en pensez-vous ?

— Je le trouve excellent.

— Vous acceptez de mettre la recette sur la bouteille, Kate ?

Après une légère hésitation, celle-ci répondit :

— Oui, mais ne devriez-vous pas protéger votre invention, exiger une sorte de brevet ?

— Non, inutile. Je suis votre associé maintenant, tout ça fait partie du business.

Kate lui sourit. Elle avait déjà vidé la moitié de son verre, et n'avait pas envie de s'enivrer. Le cocktail se buvait bien, presque trop bien. Elle jeta un regard furtif à Eddy qui s'en rendit compte. Tous deux se dévisagèrent un instant et, sentant le rouge envahir ses joues, la jeune femme se détourna promptement.

Elle se sentait terriblement coupable d'avoir trahi Harry et, cependant, chaque fois qu'elle pensait à Eddy, sa gorge se nouait sans qu'elle parvienne à comprendre pourquoi.

— Kate ? Puis-je te parler en privé ? demanda soudain Eddy.

— Bien sûr, répondit-elle en se levant. Viens avec moi, il faut que je téléphone à l'imprimeur et que je confirme ma commande par fax. Rappelez-moi comment vous avez baptisé votre cocktail, Tommy ?

— Le Tonsbry Original Cooler. Tenez, vous aurez besoin de la liste d'ingrédients...

Kate empocha le papier qu'il lui tendait et, emboîtant le pas à Eddy, elle quitta la pièce.

Comme ils parvenaient dans le hall, elle mit ses mains dans ses poches et demanda :

— Alors, de quoi voulais-tu me parler ?

Eddy lui fit face. Il ne pouvait plus reculer, maintenant.

— Alice est revenue.

Kate eut l'impression que le monde s'arrêtait de tourner. Elle retint son souffle, tandis que le souvenir qu'évoquait ce nom lui comprimait la poitrine dans un étau impitoyable.

— Alice ? articula-t-elle enfin. Alice est revenue ?

— Oui. Elle a appelé ma mère pour lui dire qu'elle était rentrée en Angleterre et qu'elle séjournait chez son frère. Elle va venir...

La panique submergea Kate.

— Comment ça, elle va venir ? Venir ici, venir dîner, venir vivre avec toi et Flora, venir chercher sa fille ? Qu'est-ce que tu racontes, je ne comprends pas !

Elle leva les mains en signe d'exaspération, et ses yeux s'embuèrent.

— Kate, regarde-moi.

Mais elle n'y arrivait pas. Ses paupières la piquaient, et une grosse boule se formait dans sa gorge. Soudain Eddy la prit dans ses bras.

— Kate, regarde-moi, s'il te plaît !

Elle cilla, et une larme déborda, roula le long de sa joue. Elle ne savait absolument pas pourquoi elle pleurait. Elle n'était ni troublée ni furieuse, elle éprouvait juste un terrible sentiment de perte.

Voilà, c'est ainsi ! pensa-t-elle, sans avoir la moindre idée de ce que cela signifiait.

— Alice n'est pas revenue pour vivre avec moi et Flora, et elle n'emmènera pas ma fille. Elle veut me voir, j'ignore pourquoi. Je n'ai pas le choix, je dois la recevoir, mais cela ne doit pas t'inquiéter.

Il fouilla dans sa poche et lui tendit un morceau de tissu dont elle se servit pour se moucher. Puis, baissant les yeux sur ses mains, elle constata :

— Eddy, c'est une chaussette de Flora !

Et tout à coup, ils éclatèrent de rire.

— J'en garde toujours une paire à portée de main, en cas d'accident, expliqua-t-il, avant de murmurer : Écoute, Kate, Alice ne représente pas une menace.

— Une menace ? répéta Kate en fronçant les sourcils. Mais pour qui ? Que pourrait-elle bien menacer ?

— Kate, je…

La sonnerie du téléphone interrompit Eddy. Tous deux se tournèrent vers le bureau de Leo.

— Je vais répondre, dit Kate.

Il hocha la tête. Il avait failli préciser qu'Alice ne représentait pas une menace pour eux, ni pour tout ce qu'ils s'efforçaient de construire depuis quelques semaines. Pourtant il garda le silence et la laissa s'éloigner.

Jan se trouvait dans son bureau lorsque Stefan lui téléphona. On était vendredi matin et, en dépit de tous ses efforts, elle ne parvenait pas à se concentrer sur son travail. Elle ne pensait qu'à Stefan, à ce qu'il comptait entreprendre pour elle. Elle avait tellement hâte que tout soit fini ! La nature de l'acte qu'il s'apprêtait à commettre n'avait presque plus d'importance à ses yeux, comparé à ce qu'il risquait. Pour elle.

Un peu plus tôt, elle avait demandé à Molly de bloquer tous les appels, sauf ceux de Stefan. Aussi, avant même de décrocher, devina-t-elle qu'il s'agissait de lui.

— Comment ça va ? s'inquiéta-t-elle aussitôt.

— Bien. Tout s'est déroulé selon mes plans. Je dois vous parler. Pouvez-vous venir chez moi ?

— Bien sûr, répondit Jan sans hésiter. Quand ?

— Dès que possible.

— J'arrive tout de suite !

Jan raccrocha et quitta le bureau sans même indiquer à Molly quand elle rentrerait.

Stefan ouvrit la porte de l'appartement et, pendant un long moment, Jan et lui se dévisagèrent en silence. Puis, comme elle s'avançait, il la prit dans ses bras et l'adossa doucement contre le mur du vestibule.

— Stefan, je vous remercie vraiment pour...

— Chut !

Il avait posé un doigt sur ses lèvres.

— Je ferais n'importe quoi pour toi, chuchota-t-il en faisant glisser le manteau de Jan le long de ses épaules.

Lentement, il déboutonna son chemisier jusqu'à la taille, effleura de son pouce la pointe d'un sein à travers la dentelle du soutien-gorge. Puis, se penchant, il posa sa bouche brûlante au creux de sa poitrine.

Jan retint son souffle et tenta mollement de se dégager.

— Stefan, non, je...

Il la réduisit au silence d'un baiser passionné, puis libéra ses seins de leur prison de dentelle, avant de les caresser. Lorsqu'il prit un téton dans sa bouche, Jan n'avait plus la force de lui résister. S'arquant contre lui, elle sentit qu'il glissait les mains sous ses fesses pour la soulever. Comme elle fermait les yeux, Stefan se redressa et, sans un mot, la porta vers la chambre.

Plus tard, alors que Jan dormait, Stefan sortit du lit et alla préparer du thé dans la cuisine. Il devait réfléchir sérieusement.

En consultant la comptabilité de l'association, il avait découvert quelque chose que même un idiot n'aurait pas raté. Il subodorait fortement ce que cela signifiait, toutefois il ne détenait pas de preuve formelle.

Selon les comptes de la Letchworth Housing Association, pour les exercices 1991-1992 et 1992-1993, vingt-trois propriétés avaient été achetées à la Ingram Lawd. Chaque fois, des honoraires compris entre 5 000 et 10 000 livres — une somme incroyable ! — avaient été versés au cabinet juridique Rickman Levy de King's Cross.

Stefan remplit la bouilloire et prit une théière dans le placard. Il savait qu'aucune officine n'aurait jamais versé de tels honoraires, sauf s'il s'agissait d'un dessous-de-table. Il y avait de grandes chances pour que ces sommes soient le prix à payer afin d'obtenir une propriété au rabais, et qu'elles aillent directement dans la poche du vendeur, à savoir un certain M. Lawd.

Ce qui signifiait que Duncan avait détourné de la société environ un quart de million de livres !

Stefan se servit une tasse de thé, ajouta une rondelle de citron et alla s'installer au petit bar placé dans l'angle de la pièce. Qu'allait-il faire maintenant ? Tout révéler à Jan, alors qu'il n'avait aucune preuve réelle ? Ou bien tenter tout d'abord d'en savoir un peu plus ?

Bien sûr, tout cela ne le regardait pas, et il n'avait aucune raison de s'impliquer davantage. Néanmoins, les sentiments qu'il portait à Jan l'obligeaient à se sentir concerné.

Prenant sa tasse entre ses mains, il l'éleva devant son visage et ferma les yeux, respirant la vapeur odorante. Jusqu'à présent, il avait toujours cru que l'amour simplifiait la vie, alors qu'en réalité, il ne faisait que la compliquer.

La sonnette de la porte résonna. Stefan se leva pour aller appuyer sur le bouton de l'interphone.

— Bonjour, Stefan, c'est Loïs.

Stefan sentit la panique l'envahir. Lois Makinny ! Que faisait-elle là ? Cela lui ressemblait si peu de débarquer à l'improviste. Jamais auparavant elle n'était venue directement à son appartement.

Au ton de sa voix, il devina qu'elle était bouleversée, au bord des larmes.

— Écoute, Loïs, je ne peux pas te parler maintenant. Je… j'étais au lit et…

Il perçut un petit rire empli d'amertume.

— Au lit ? répéta-t-elle d'un ton traînant qui indiquait sans nul doute qu'elle avait bu. Au lit ! Dis-moi, Stefan, cette fois c'est pour les affaires ou pour le plaisir ?

En entendant un bruit de voix, Jan se redressa dans le lit. Comme elle tendait le bras pour allumer la lampe de chevet, elle heurta l'agenda de Stefan qui tomba par terre. Après avoir enfilé un peignoir qui traînait sur le lit, elle ramassa l'objet et jeta un coup d'œil à la page à laquelle il était resté ouvert.

Elle vit plusieurs rendez-vous notés avec des prénoms féminins.

Intriguée, elle feuilleta quelques pages. Tous les rendez-vous de la semaine écoulée concernaient des femmes. Jan sentit les battements de son cœur se précipiter, tandis que ses joues s'enflammaient brusquement. Elle revint plusieurs semaines en arrière : encore des rendez-vous galants ! Stefan voyait en moyenne deux femmes par jour, trois jours par semaine. Pour certains dîners, il avait dessiné une flèche qui rejoignait la case du lendemain. Pourquoi ? Parce que le rendez-vous avait duré toute la nuit ?

Une nausée la terrassa. Elle se leva, décidée à obtenir une explication. Comme elle ouvrait la porte de communication, prête à jaillir dans le salon, elle entendit la voix de Stefan qui parlait devant l'interphone.

Jan pila net et tendit l'oreille. Durant plusieurs minutes, elle resta immobile. Puis, retournant dans la chambre, elle s'habilla.

— Tu devrais rentrer chez toi, Loïs. Je t'en prie, je ne peux pas te recevoir, tu ne vas pas rester sur le trottoir ! Loïs, sois raisonnable !

Stefan avait pris un ton suppliant.

— Je ne veux pas rentrer, gémit Loïs. Je veux te parler. Stefan, je suis l'une de tes meilleures clientes, j'exige que tu me laisses monter !

Stefan perçut un bruit et, se tournant, demeura coi devant Jan, habillée de pied en cap, son manteau et son sac à la main.

Enfin il recouvra l'usage de la parole.

— Seigneur, Jan, ce n'est pas ce que tu crois! Je...

Par l'interphone, Loïs appela:

— Stefan? J'ai froid, laisse-moi entrer, s'il te plaît!

Stefan s'approcha de Jan et voulut lui prendre le bras.

— Ne me touche pas! s'écria-t-elle en se dégageant. Je n'ai pas payé pour les petits extra!

Sur ces mots, elle le planta là et claqua la porte derrière elle.

Stefan ignora les lamentations de Loïs et retourna dans la chambre. Il vit la lampe allumée, les draps chiffonnés, ses habits éparpillés sur le sol. Puis il aperçut son agenda, posé sur l'oreiller, et son cœur manqua un battement.

Comme il le ramassait, un papier en tomba: un chèque de Jan d'un montant de 200 livres, encaissable sur son compte personnel.

Sur la page de l'agenda qui correspondait à ce jour, elle avait également inscrit son propre nom.

Ainsi, elle sait, songea-t-il, atterré.

Il referma l'agenda et se mit au lit, éteignit la lumière et resta dans le noir, désespéré et seul.

La nouvelle secrétaire de Duncan, une jeune étudiante qui effectuait des missions intérimaires avant un voyage autour du monde, frappa à la porte du bureau et passa la tête dans l'entrebâillement.

— Duncan?

Il releva la tête. Peu d'employées osaient l'appeler par son prénom, mais il aimait bien cette fille.

— Oui? fit-il avant de baisser de nouveau les yeux sur son bureau.

— Il y a une comtesse de Grand Blès au téléphone. Elle dit que c'est urgent.

Avec un soupir, Duncan reboucha son stylo et le posa sur la pile de lettres qu'il était en train de signer.

— D'accord, passez-la-moi.

Il s'éclaircit la voix avant de décrocher et dit:

— Adriana, comment allez-vous ?

— Bien ! répondit-elle sèchement. Mais ce n'est pas grâce à vous ! À quoi jouez-vous, Duncan ?

La dame était visiblement d'une humeur massacrante. Duncan, qui ne l'avait jamais vue dans cet état, fut pris au dépourvu.

— Pardon ?

— Lorsque nous nous sommes rencontrés l'autre jour, vous m'avez assuré que vous contrôliez la situation. Et aujourd'hui, j'apprends que ma fille vient de téléphoner à son homme de loi pour faire appel et que vous n'avez pas avancé d'un pouce dans la procédure légale !

— Vous êtes injuste, je...

— Son homme de loi m'a également appris que vous aviez apparemment égaré le dossier ! Les titres de propriété de la maison et du domaine, les contrats de métairie, les signatures, est-ce vrai ?

— Non, certainement pas, se récria Duncan. Je vous assure que...

— Vous ne pouvez rien assurer ! J'espère vraiment que ce dossier n'est pas perdu, Duncan. Je vous ai déjà donné une grosse somme d'argent pour que vous vous occupiez de cette affaire, et je ne suis guère satisfaite de la façon dont vous procédez.

— Adriana, je...

— Cessez de vous justifier et agissez ! Je veux que tout soit réglé dans les plus brefs délais, c'est compris ?

— Euh... oui, bien sûr. Je tiens quand même à vous présenter mes excuses pour ce regrettable...

Il ne termina pas sa phrase. Adriana venait de lui raccrocher au nez.

Contrarié et inquiet, Duncan appela sa secrétaire.

— Suzie ?

— Hum... C'est Suzanne, monsieur.

Duncan perdit patience.

— Je me fiche éperdument que ce soit Suzanne ou Gertrude ! hurla-t-il. Passez-moi ma femme au téléphone, et plus vite que ça !

20

Stefan était assis par terre, dans le vestibule de son appartement, le téléphone posé devant lui. Il appuya sur la touche « bis ». La ligne de Jan n'était pas occupée. Il écouta la sonnerie pendant une longue minute avant de se décider à raccrocher. Il savait qu'elle était chez elle, car il avait appelé Molly au bureau. Il devait persévérer.

Appuyant sa tête contre le mur, il attendit quelques minutes avant de décrocher une nouvelle fois.

— S'il te plaît, réponds, Jan! murmura-t-il.

Jan, étendue sur son lit, écoutait la sonnerie du téléphone. Elle n'avait pas le courage de descendre au rez-de-chaussée pour débrancher, ni de se préparer une tasse de thé, d'ailleurs. Elle se sentait complètement abattue, au bord de la dépression. Elle en avait assez d'être manipulée et ridiculisée. C'était certainement Stefan qui cherchait à la joindre, qui d'autre aurait rappelé toutes les cinq minutes? Il voulait vraisemblablement s'assurer qu'elle n'allait pas changer d'avis à propos du dossier Tonsbry. Et il lui mentirait encore si jamais elle décrochait.

Jan s'enfonça sous la couette. Elle avait tellement honte qu'elle aurait voulu disparaître de la surface de la terre, se terrer dans un coin d'ombre. Elle n'avait pas honte de ses sentiments, n'importe qui aurait craqué pour un si bel homme. Non, elle avait honte d'être tombée dans ce piège si commun. Elle avait vraiment cru qu'il tenait à elle, que ce qu'ils vivaient était plus qu'une simple passade.

La sonnerie cessa enfin, et Jan poussa un soupir de soulagement. Le silence était une bénédiction. Elle se pelotonna sur elle-même en position fœtale, ferma les

yeux. Peut-être allait-il la laisser tranquille, maintenant ? Peut-être aurait-elle enfin la paix ?

À cet instant, la sonnerie du téléphone retentit de
nouveau. Désespérée, Jan se mit à pleurer.

Il était midi, et Flora avait faim. Elle avait aidé à coller
des étiquettes, c'est-à-dire qu'elle les avait collées sur
toutes les personnes et objets qui étaient à sa portée.
Puis, gagnée par l'ennui, elle avait commencé à faire des
bêtises, et Kate avait décrété qu'il était temps qu'elle
prenne son repas.

— Viens, je vais te ramener au cottage, et nous pré-
viendrons ton père en chemin, dit-elle à la fillette.

— Non ! Je ne veux pas y aller !

— Pas de problème. Je vais rentrer avec ton père et
nous mangerons tous les gâteaux que Mme Able a préparés.

Elle n'eut pas besoin d'en rajouter, Flora s'était déjà
dressée pour lui prendre la main. Kate l'aida à enfiler
son manteau, puis se tourna vers la gouvernante :

— À tout à l'heure, madame Able. Dis gentiment au
revoir, Flora.

— Gentiment au revoir ! lança l'enfant en riant.

Mme Able les regarda quitter la pièce, puis émit un
petit claquement de langue réprobateur qui n'échappa
pas à Tommy.

— Elles sont devenues très proches, n'est-ce pas ? fit-
il remarquer.

De nouveau, Mme Able fit claquer sa langue.

— Un peu trop, à mon avis, répliqua-t-elle. Je ne voudrais pas que Kate soit de nouveau blessée.

Sans justifier son propos, elle se remit à l'ouvrage,
laissant Tommy tirer ses propres conclusions.

Kate et Flora passèrent à la distillerie et appelèrent
Eddy. Celui-ci sortit aussitôt et prit Flora dans ses bras
pour l'embrasser.

— Où vas-tu comme ça, mon petit pudding ?

— Je ne suis pas un pudding ! protesta Flora.

— Qui es-tu, alors ?

— Flora Gallagher, répondit la fillette d'un air important.

— Tu es sûre ?

— Je l'emmène déjeuner, intervint Kate. Elle en a assez de coller des étiquettes.

— Tu n'es pas obligée de t'en occuper, je peux appeler ma mère et...

— Non, inutile, cela ne me dérange pas.

— Bon, merci alors. Flora, tu me promets d'être sage avec Kate, d'accord ? fit Eddy en déposant sa fille à terre.

— Mais je suis très sage !

Souriant, Kate tapota la boîte en plastique qu'elle tenait à la main.

— J'ai une arme secrète au cas où, confia-t-elle.

— Une arme secrète ?

— Les gâteaux de Mme Able.

Eddy sourit. Durant un bref instant, ni lui ni elle ne surent quoi ajouter, puis Flora tira sur la main de Kate.

— Allez viens, j'ai faim, moi ! À tout à l'heure, papa !

— Oui, à tout à l'heure, murmura Eddy.

Alice descendit du taxi garé devant la grille de Tonsbry. Elle paya la course et saisit son petit bagage sur la banquette arrière. Comme le véhicule s'éloignait, elle s'avança dans l'allée et mit ses lunettes pour embrasser le paysage d'un regard curieux.

Elle n'était venue à Tonsbry qu'une fois auparavant, le jour du mariage d'Eddy, et elle n'en gardait qu'un souvenir confus. À présent, elle se rendait compte que la propriété avait un cachet certain.

Elle sortit de sa poche le papier sur lequel elle avait noté les indications que la mère d'Eddy lui avait données de mauvaise grâce. Gully Cottage se trouvait à droite de l'entrée. Elle s'était trompée et aurait dû prendre le petit sentier situé à droite de la grille. Maintenant, elle allait devoir passer à travers champs.

Alice baissa alors les yeux sur ses fines chaussures à talons et, pour la première fois depuis son retour, elle céda au doute. Fallait-il y voir le signe que son entreprise était vouée à l'échec ?

Mais, prenant sa résolution, elle saisit sa petite valise. C'était ridicule d'être aussi lâche.

Se fiant à son sens de l'orientation, elle se mit à marcher en direction du cottage.

Flora, assise sur les genoux de Kate, écoutait celle-ci lui raconter une histoire. C'était l'une de ses préférées, qui faisait vraiment peur, pleine de monstres, de fantômes et de créatures bizarres qui rôdaient dans la nuit. Flora ne suçait pas son pouce, elle n'avait pas d'ours en peluche, mais elle vouait une affection particulière à une vieille cravate d'Eddy dont elle frottait la soie contre son visage.

Kate lisait l'histoire en y mettant le ton. En fait, elle prenait sans doute plus de plaisir que Flora à adopter une grosse voix et à faire des bruitages incongrus. Elle était au beau milieu du conte lorsqu'elle crut distinguer un appel provenant de la cour. Elle s'arrêta et tendit l'oreille.

— Continue, Kate ! lui dit Flora.

Au moment où Kate reprenait sa respiration, elle aperçut Alice qui se tenait sur le seuil de la porte. Elle sursauta si violemment que Flora faillit tomber.

— Ô mon Dieu !

Les deux femmes se dévisagèrent un instant sans rien dire. Puis le silence fut rompu par Flora qui, sourcils froncés, considérait la nouvelle venue.

— Qui c'est ? demanda-t-elle.

— C'est Alice, répondit Kate d'une voix calme. Alice est...

Elle s'interrompit, et son regard tomba sur le petit visage confiant de Flora. Que dire ?

— Je suis une amie de ton papa, acheva alors Alice,

qui tremblait tant qu'elle devait se soutenir au chambranle. Je suis venue vous rendre une petite visite à tous les deux.

— Est-ce que papa le sait?

— Oui, je lui ai téléphoné pour le prévenir.

Flora reporta aussitôt son attention sur le livre.

— Continue, Kate.

Alice se détourna. Bien sûr, l'enfant ne se souvenait pas d'elle. C'était impossible. Elle l'avait à peine connue avant de disparaître deux ans plus tôt. Pourtant Alice avait mal. Elle savait qu'elle avait perdu sa fille. Ou plus exactement, qu'elle y avait renoncé.

— Pouvez-vous avertir Eddy de ma présence? demanda-t-elle enfin à Kate.

Celle-ci acquiesça. Contre toute attente, elle ressentait de la pitié pour cette femme.

— Je vais lui téléphoner, dit-elle.

Alice tenta de sourire, sans y parvenir.

— Bien, je vais l'attendre dehors, déclara-t-elle.

Jan avait gardé le domicile conjugal. La maison n'était pas particulièrement grande ni luxueuse, mais elle l'avait fait redécorer et y avait installé des meubles charmants. C'était sa maison, et Duncan et Carol-Anne devraient lui passer sur le corps avant d'y mettre les pieds. Elle arrosait les jardinières des fenêtres, bavardait avec les voisins, garait sa voiture au même emplacement chaque soir. Ce n'était qu'un banal pavillon de banlieue, mais Jan l'adorait.

Lorsque Stefan descendit du taxi qui l'avait amené devant la maison de brique rouge, tard ce soir-là, il ne s'étonna pas que Jan se soit battue bec et ongles pour conserver ce logis dont le cadre propret et sans prétention lui convenait parfaitement.

Il avait réussi à obtenir l'adresse par l'intermédiaire de Molly et, tout l'après-midi, il avait lutté contre l'envie d'aller voir Jan. Finalement, l'émotion l'avait emporté sur la raison. Elle ne l'accueillerait certainement pas à

bras ouverts, mais il devait lui parler. Jamais auparavant il ne s'était senti si déprimé. Tout son corps lui faisait mal quand il pensait à Jan.

Si ce n'était pas de l'amour, alors qu'est-ce que c'était ?

La maison portait le numéro 3 de la rue. Stefan
appuya sur la sonnette, puis se recula pour voir si les
lumières étaient allumées à l'intérieur. Effectivement, il
y avait quelqu'un. De nouveau, il sonna, jeta un coup
d'œil à sa montre, puis colla son visage au panneau de
verre. Il distingua un vestibule qui se prolongeait par un
salon, et aperçut la silhouette de Jan qui se levait du
canapé pour aller éteindre la lumière.

Il se pencha, souleva le rabat de la boîte aux lettres
encastrée dans le battant.

— Jan ! cria-t-il. Je sais que tu es là, inutile de te
cacher ! Je veux te parler. Jan, réponds-moi !

Il s'agenouilla pour glisser un regard par la fente, et
aperçut ses jambes.

— Va-t'en ! cria-t-elle. Laisse-moi tranquille !

— Non, je ne m'en irai pas ! Il faut que nous discutions, Jan !

Se relevant d'un bond, il se mit à tambouriner contre
la porte à coups répétés. De la maison voisine, une tête
pointa par la fenêtre et une voix cria :

— Excusez-moi, pouvez-vous faire moins de bruit,
nous voudrions regarder la télévision en paix !

Stefan tambourina de plus belle.

— Jan, tu déranges les voisins ! Laisse-moi entrer,
bon sang, sinon, je vais te dire ce que j'ai à dire du pas
de la porte !

Il se baissa et regarda par la fente de la boîte aux
lettres. Une deuxième lumière s'éteignit.

— Jan, je t'en prie !

Comme il se redressait, l'idée de briser le carreau lui
passa par la tête. Sapristi, il devenait fou ! Il devait garder son sang-froid, sinon...

Au moment où il collait son visage contre la vitre, Jan
ouvrit brusquement le battant. Stefan plongea à l'inté-

rieur du vestibule. Reprenant son équilibre de justesse, il vit Jan refermer la porte derrière lui.

— Je t'accorde cinq minutes avant que tu sortes de ma vie à jamais! lança-t-elle. Je ne veux pas d'ennuis avec les voisins, c'est la seule raison qui m'a poussée à te laisser entrer, c'est clair?

Il hocha la tête. Jan avait l'air très malheureuse, presque autant que lui. Il voulut lui caresser le bras.

— Jan, je suis désolé…

— Désolé? répéta-t-elle avec un rire sarcastique.

Elle avait décidé de rester silencieuse et distante mais, décidément, c'était trop dur.

— Je suis désolé de ne pas t'avoir dit en quoi consistait ma profession.

— Et en quoi consiste-t-elle exactement?

— Je sors en compagnie de femmes comme Loïs Makinny lors de dîners ou de soirées. J'accompagne des femmes qui ne veulent pas être vues seules en public.

— Stefan, cesse de mentir! Tu te prostitues, voilà ce que tu fais! Tu couches avec ces femmes pour de l'argent! Tu vends ton corps! cracha Jan.

— Non, je ne vends pas mon corps!

— Cela ne fait pas partie de tes services, peut-être?

Stefan hésita. Il la désirait tant qu'il fut tenté de mentir, de raconter n'importe quoi du moment qu'il la convainquait. Un silence gêné retomba.

— Je couche avec certaines clientes, celles que j'apprécie particulièrement, avoua-t-il enfin. Mais on me rétribue pour ma compagnie, pas pour avoir des relations sexuelles avec moi. Je n'ai jamais donné rendez-vous à une femme simplement pour lui faire l'amour. Si cela se produit, c'est en général en fin de soirée, comme cela se passerait si je les avais moi-même invitées à sortir.

Voilà, il avait dit la vérité, il ne pouvait plus faire marche arrière, maintenant.

— Tu penses que je vais me contenter de cette explication? Je ne te crois pas, Stefan! Tu ne comprends pas ce qui me choque, n'est-ce pas?

— Je comprends que, pour la plupart des gens, ce n'est pas le métier idéal. Mais je te jure que cette activité n'est pas aussi terrible qu'elle en a l'air. J'aime faire l'amour, j'aime les femmes, j'ai avec mes clientes des relations franches et honnêtes...

— Si tu le crois vraiment, c'est que tu es un imbécile !

Il voulut la toucher, mais elle se recula brusquement.

— Tu m'as menti, déclara-t-elle calmement, et tu t'es servi de moi. Même si j'acceptais ce que tu fais pour gagner ta vie, je ne pourrais supporter plus longtemps tes mensonges. Tu es peut-être franc avec tes clientes, mais tu n'as pas eu la décence de l'être avec moi.

— Je ne t'ai jamais menti, et je ne me suis pas servi de toi ! se récria-t-il. Quand tu m'as demandé quelle était ma profession, je ne t'ai pas répondu, mais je n'ai pas menti pour me protéger. Jan, tout cela a-t-il vraiment de l'importance après ce qui s'est passé entre nous la nuit dernière ?

Jan se crispa. Elle avait envie de le croire, de se persuader qu'il l'aimait vraiment, pourtant elle n'y arrivait pas. Cette fois-ci, son moral était tombé trop bas.

— Si, cela a de l'importance, répliqua-t-elle. Pour moi, en tout cas. Tu t'es servi de moi afin d'aider ton amie. Peut-être me considérais-tu juste comme une cliente de plus ?

— Non, Jan.

— Cependant, tu ne nies pas que tu voulais que j'aide Kate Dowie ?

Stefan la regarda. La vérité était une chose bizarre. Une fois qu'on s'était lancé dans cette voie, il était impossible de reculer.

— Non, je ne le nie pas, mais...

— Je t'en prie, n'en dis pas plus ! coupa-t-elle en se détournant.

Stefan demeura immobile, tout en se demandant comment ces quelques centimètres qui les séparaient pouvaient ouvrir un tel gouffre entre eux. Il n'avait pas encore réussi à lui dire ce qu'il voulait.

— Et si je changeais de métier, Jan ?

— Pour faire quoi ? Tu es diplômé en droit ? En marketing ? En gestion ?

— Non.

— Alors oublions cela, veux-tu.

— Oublier quoi ? Nous ?

Jan se dirigea vers la porte et l'ouvrit en grand.

— Il n'y a jamais eu de «nous», Stefan. Et pour ta gouverne, sache que ce que j'ai fait à propos du dossier Tonsbry, je l'ai fait pour moi, pas pour toi. Je me suis peut-être couverte de ridicule en te prenant au sérieux, mais je n'ai pas laissé mes sentiments s'ingérer dans mes décisions professionnelles.

Stefan déglutit avec peine. Une dernière fois, il regarda Jan, puis il sortit. Lorsqu'il se tourna pour lui dire au revoir, pour prolonger leur entrevue par n'importe quel moyen, il se heurta à la porte close. Un moment, il la fixa, puis remontant le col de son manteau, il s'éloigna vers la rue pour appeler un taxi.

Il était déjà à mi-chemin de Pimlico quand il se rendit compte qu'il ne lui avait pas parlé de la Letchworth Housing, ni de la façon dont Duncan mettait du beurre dans ses épinards.

Debout devant l'évier, un torchon à la main, Alice essuyait les assiettes qu'Eddy lui tendait une à une. N'ayant jamais eu aucun goût pour les tâches domestiques, elle trouvait ce rôle très bizarre à jouer. Flora était couchée. Ils avaient dîné tous trois sur la petite table de la cuisine, puis Alice lui avait donné un coup de main à l'heure du bain, en dépit des réticences de Flora.

Ayant posé les trois dernières assiettes sur la table, Alice plia le torchon sur le dossier d'une chaise et fit face à Eddy.

— Kate et Flora ont l'air de bien s'entendre.

— Tu trouves ? fit-il en se raidissant.

— Oui, je suis tombée sur un charmant petit tableau, continua Alice en croisant les bras, le regard rivé au sol. Dommage que mon arrivée vienne perturber tout ça mais, vois-tu, Flora est ma fille, et j'ai des droits sur elle.

Un fracas venu de nulle part retentit. Alice se pétrifia en voyant les éclats de porcelaine qui jonchaient le sol. Lentement, elle leva les yeux sur Eddy.

— Ne redis plus jamais cela! gronda-t-il d'une voix menaçante. Jamais! Tu n'as aucun droit sur Flora, et si jamais tu essaies de lui faire du mal, à elle ou à Kate, Dieu m'est témoin, je te tuerai, Alice!

Alice demeura parfaitement immobile. À l'époque où elle vivait avec Eddy, alors qu'elle-même plongeait dans les abîmes de la dépression, elle avait été témoin de son chagrin, de son désespoir. Mais si désastreuses qu'aient été leurs relations, il ne l'avait jamais menacée, n'avait jamais perdu son sang-froid.

Alice mit plusieurs minutes à se remettre du choc. Puis, toujours en silence, elle s'agenouilla pour ramasser les morceaux d'assiette éparpillés.

— Je suis désolée, dit-elle. Je n'aurais jamais dû dire cela.

— Non, tu n'aurais pas dû.

Soudain triste et fatiguée, Alice se laissa tomber sur la chaise.

— Flora est une enfant adorable, et c'est grâce à toi, dit-elle.

Elle ferma les yeux, luttant contre les larmes, en vain. D'une main tremblante, elle tira un mouchoir de sa poche et se moucha.

— Je suis navrée, je ne voulais pas que ça se passe comme ça. Ce que j'avais imaginé était bien différent...

— Tu n'es pas la seule!

Alice dévisagea Eddy, et ce fut comme si elle le voyait pour la première fois. Et soudain, elle fut horrifiée de ce qu'elle lui avait fait.

— Oh Eddy! Je regrette tellement!

— Puisque tu le dis...

— J'ai vraiment tout gâché, hein?

— Tu as bousillé ma vie, celle de Kate et, d'une certaine façon, également celle de Flora.

— Tu es amer...

— Non, plus maintenant. Tu comprends, j'ai Flora.

Alice frémit. Il disait la vérité, mais c'était dur à admettre.

— Est-ce pour cela que tu es revenue ? Pour la reprendre ? demanda Eddy.

Alice resta muette. Oui, dans un sens, c'est pour cette raison qu'elle était revenue, pour réclamer sa fille, échapper à la culpabilité qui la taraudait, rétablir l'ordre des choses. Seulement, maintenant qu'elle était là, elle comprenait qu'elle ne pouvait avoir de telles exigences. Flora n'était pas un objet, elle ne lui appartenait pas, pas plus qu'elle n'appartenait à Eddy. Quant à évacuer son sentiment de culpabilité et mettre de l'ordre dans sa vie... elle n'était pas sûre d'y arriver un jour. Ce n'était peut-être qu'un fantasme ?

— Je suis revenue pour voir Flora, déclara-t-elle enfin. Et, si cela ne te dérange pas, j'aimerais rester en contact avec elle.

Eddy détourna le regard. Durant tout ce temps, il avait ruminé sa colère contre Alice, il s'était senti trahi. Maintenant, en voyant sa misérable petite silhouette, il n'éprouvait plus que de la pitié pour elle.

— Non, ça ne me dérange pas, répondit-il. Tu veux un verre ?

— Je devrais plutôt m'en aller.

— Non, reste. Je vais aller chercher des photos de Flora et nous les regarderons, si tu veux.

Alice sourit soudain.

— Oh oui, cela me ferait plaisir ! Et... merci, Eddy. Merci pour tout.

Il était tard lorsque Alice consulta sa montre. Elle n'avait pas vu le temps passer. La petite avait appelé de l'étage, et Eddy était monté voir ce qui se passait. Elle était seule dans la cuisine.

Alice termina son verre de Tonsbry Original et se leva. Elle avait réservé une chambre dans un hôtel du village mais, finalement, elle n'avait pas envie de passer la nuit là-bas. Si elle se dépêchait, elle pourrait attraper le dernier train pour Londres.

Saisissant une photo de Flora sur la pile posée sur la table, elle la glissa dans sa poche avant d'enfiler son manteau. En haut, elle entendait la voix grave et rassurante d'Eddy qui parlait à sa fille. Ayant repéré un crayon sur le buffet, elle lui griffonna un petit mot, lui souhaita bonne chance dans son entreprise de gin, puis le remercia une dernière fois. Elle coinça le papier sous la bouteille, saisit sa valise et, un moment, saisit l'écharpe de Flora pour la tenir contre son visage. Enfin, elle alla ouvrir la porte et, sur la pointe des pieds, quitta le cottage.

Quand Eddy redescendit quelques instants plus tard, la cuisine était déserte.

Kate prenait son bain — son seul luxe de la journée — quand le téléphone sonna. Il y avait un poste dans la chambre, aussi s'arracha-t-elle en pestant à la chaleur bienfaisante de l'eau pour aller répondre. C'était peut-être Harry.

Aussitôt, elle se sentit coupable de ne pas lui avoir accordé une pensée depuis son départ, deux jours plus tôt.

Frissonnante dans l'atmosphère humide et froide de la pièce, elle prit le temps de passer un peignoir. La personne qui appelait était en tout cas déterminée car la sonnerie retentissait avec insistance.

Tout à coup, elle fut certaine qu'elle allait entendre la voix de sa mère.

— Allô ?

— Kate chérie, c'est maman !

— Maman, je pensais bien que c'était toi.

— Comme tu es maligne !

Kate sourit. C'était la deuxième fois que sa mère brisait sa règle personnelle qui consistait à ne jamais téléphoner à Tonsbry. Le ton mielleux qu'elle employait était plutôt agaçant. Que mijotait-elle ?

— Ma chérie, j'ai beaucoup réfléchi. Je sais que tu n'as pas pu venir la semaine passée parce que tu avais plein de choses à faire, mais je crois qu'il faut vraiment que tu te changes les idées. Nous pourrions déjeuner ensemble et… Voilà, Pierre est arrivé à Londres, et je lui ai demandé de t'envoyer la voiture demain matin pour te ramener dans la capitale. Nous pourrions aller dans un endroit tranquille et ensuite faire un peu de shopping dans St James. J'ai repéré un adorable manteau chez…

— Maman ?

— Chez Harvey Nick, poursuivit Adriana sans tenir compte de l'intervention. Nous irions en taxi jusqu'à Knightsbridge, et…

— Maman, je ne peux pas ! C'est très gentil de ta part, mais non, c'est impossible.

— Bien sûr que c'est possible ! Pourquoi diable ne pourrais-tu pas venir ? lança Adriana, d'un ton qui n'était plus du tout enjôleur.

— Je ne peux pas abandonner l'entreprise à ce stade…

— L'entreprise ? Pour l'amour du ciel, Kate ! Tu ne vas pas t'obstiner dans cette lubie ?

Adriana respira un bon coup pour tâcher de réfréner sa colère. Elle prit une voix implorante :

— Oh Kate, je t'en prie, dis oui ! Ce serait tellement agréable de se voir, rien que nous deux…

À cet instant, Pierre entra dans la pièce. Articulant en silence, elle lui souffla :

— C'est Kate !

— J'aimerais beaucoup, maman, mais je ne peux pas, désolée, répondit Kate avec fermeté.

— Franchement, Kate ! Je ne sais pas ce qui te prend, en ce moment ! Je…

Adriana s'interrompit en voyant que Pierre la considérait d'un air vaguement irrité. Elle rougit.

— Écoute, Kate, nous en reparlerons un autre jour,

ajouta-t-elle plus calmement. Il faut que je te quitte, Pierre vient d'arriver.

— D'accord, comme tu voudras, maman.

Ayant raccroché, Kate demeura immobile un instant à fixer le téléphone, en dépit du froid qui la faisait frissonner sous son peignoir. La pièce était vraiment froide, elle regrettait de n'avoir pas allumé un bon feu dans la cheminée. Sortant de sa torpeur, elle prit un pyjama chaud dans la commode et l'enfila, avant de se mettre au lit.

Je me demande bien pourquoi je sens ma méfiance s'éveiller chaque fois que ma mère se montre gentille avec moi ? songea-t-elle.

Elle tira la couette jusque sous son menton. Non, elle était injuste. Adriana était pleine de bonnes intentions, elle croyait agir pour le bien de sa fille.

Oubliant d'éteindre la lampe, Kate ferma les yeux et se laissa happer par le sommeil. Mais une dernière pensée lui traversa l'esprit avant qu'elle ne sombre dans l'inconscience : Elle devait vraiment faire des efforts pour sa mère et Harry, les deux uniques personnes au monde qui l'aimaient sans arrière-pensée et voulaient la protéger.

21

Une semaine après la première chauffe réussie du Tonsbry Original, le centre des opérations — autrefois appelé «salle à manger» —, bourdonnait comme une ruche. Deux lignes téléphoniques venaient d'être installées ; des tables avaient été disposées un peu partout pour coller les étiquettes, mettre les bouteilles en cartons et classer les commandes. Une fois les bouteilles remplies et bouchées dans la distillerie, elles échouaient dans la salle pour être comptées, emballées, et étaient fin prêtes à être livrées.

On était vendredi matin. Eddy venait d'apporter une caisse de bouteilles. Kate raccrocha le téléphone et prit quelques notes sur son cahier, avant de le regarder en souriant.

— Encore une commande! annonça-t-elle. L'hôtel Queensbury à Kensington. Ils ont déjà acheté une caisse au début de la semaine et, apparemment, elle est déjà vide!

— Parfait!

Eddy déposa la caisse sur la table où l'on collait les étiquettes, devant Mme Able qui ouvrit un carnet. Tout devait être recensé pour les services fiscaux. Chaque goutte de gin produite était prise en compte.

Le téléphone sonna de nouveau.

— C'est ta ligne, Eddy.

Eddy se laissa glisser sur sa chaise et s'empara du combiné.

— Bonjour, Tonsbry Original.

Kate l'observa tandis qu'il discutait pour vendre une demi-caisse de gin. Il s'exprimait avec une aisance qui ne cessait de la surprendre. Eddy n'avait pas un don naturel pour la vente, et elle le soupçonnait d'avoir fait de gros efforts pour acquérir cette faconde.

Après avoir raccroché, Eddy remplit le bon de commande et le déposa dans la corbeille prévue à cet effet.

— Tu rentres à Londres demain? demanda-t-il à Kate.

— Oui, je vais courir les agents de change de la City. Je vais commencer par le cabinet Kennings, à qui je vends déjà des sandwichs depuis un moment. Stefan s'occupe du côté traiteur, alors je vais accompagner Rebecca et voir si je peux placer une bouteille de gin par-ci, par-là...

De nouveau, le téléphone. Eddy décrocha.

Kate se tourna machinalement vers Mme Able. Elle songeait à Alice. Elle s'était beaucoup interrogée à son propos la semaine passée, sans parvenir à la moindre conclusion. Eddy ne lui avait rien dit, et elle n'allait certainement pas le questionner! Alice avait-elle décidé de rester en Angleterre? Pourquoi était-elle arrivée un beau jour pour disparaître le lendemain? Qu'en pensait Eddy?

Kate soupira, et Mme Able, relevant les yeux de son travail, secoua la tête avec un petit grognement.

À cet instant, Eddy raccrocha et lança son crayon en l'air avant de le rattraper entre ses dents.

— Oui ! Quatre caisses chez les Blues and Royals, deux caisses pour l'infanterie de Coalport, deux caisses pour la Garde Ecossaise, et une caisse pour les Hampshire Blues !

— Eddy, c'est magnifique !

— Oui, n'est-ce pas ?

— Cela fait dix caisses en tout pour cette seule matinée ! Eh, John ! vous tombez à pic ! s'exclama Kate comme la porte s'ouvrait sur le mari de la gouvernante. Vous avez entendu ?

John Able acquiesça. Comme chaque membre de la maisonnée, il s'était vu attribuer une tâche spécifique et se chargeait désormais de la comptabilité journalière.

— Avec toutes ces ventes, nous prenons certainement la bonne voie, non ? renchérit Kate.

John haussa les épaules, l'air dubitatif, tout en jetant un regard à Eddy.

— Vous ne croyez pas ? insista Kate.

— Je vais vous dire ça, répondit John en ouvrant une chemise cartonnée posée sur la table. Voilà, nous en sommes à trois chauffes, avec une production de quarante-quatre caisses par chauffe, ce qui nous donne cent trente-deux caisses. Et pour le moment, nous en avons vendu… quarante-huit.

Le sourire de Kate s'évanouit :

— Quarante-huit ? C'est tout ?

— Oui, je le crains.

Kate posa sa tête entre ses mains pour réfléchir un instant. Eddy s'empressa de dire :

— Disons plutôt que c'est un résultat correct, mais insuffisant. Tu comprends, Kate, si nous avions eu tout le temps nécessaire pour monter l'affaire, notre rendement actuel nous semblerait bon. Mais, en l'occurrence, nous devons prouver en un temps record que notre affaire peut dégager des bénéfices importants. Il faut préparer une solide défense pour faire appel contre le solde du prêt, conclut-il en regardant son audience déprimée.

— Si je comprends bien, murmura Kate, tu es en train de nous dire que nous nous crevons au boulot, mais que ça ne suffit pas ?

En toute honnêteté, Eddy ne savait que répondre. C'était le genre d'information qu'un expert-comptable gardait soigneusement pour lui et ne dévoilait qu'en cas d'absolue nécessité.

— Je ne vois pas comment nous pourrions faire autrement ! s'exclama Kate, dépitée.

— Et moi non plus, avoua-t-il en éludant son regard.

Duncan commanda deux cafés, un beignet et un croissant au jambon, le tout pour lui seul. Carol-Anne faisait un régime strict, et lui restait sur sa faim la plupart du temps, ce qui le déprimait. Chaque fois qu'il en avait l'occasion, il s'offrait donc une petite douceur, ni vu ni connu. Il y avait quelque chose de pathétique là-dedans, mais tant pis.

Les cafés arrivèrent, il tendit l'une des tasses à Jan qui prenait le sien noir et sans sucre, et ajouta dans le sien de la crème et deux édulcorants.

— C'est vraiment la peine, tu crois ? s'enquit Jan, amusée.

— Quoi ?

— Les édulcorants. Tu t'apprêtes à ingurgiter des centaines de calories, alors pourquoi t'embêter avec de l'aspartam ?

Duncan ignora la remarque et prit une gorgée de café.

— Alors ? dit-elle.

— Quoi ?

— Pourquoi souhaitais-tu me rencontrer ? Et pourquoi ici ? À moins que Carol-Anne ne t'ait mis à la diète et que ce soit le seul moyen pour toi d'assouvir ton envie de sucre ?

— Ne sois pas ridicule !

— Combien de kilos as-tu perdus ?

— Presque cinq, répondit-il sans réfléchir.

Jan se mit à rire.

— Oh, très drôle ! commenta-t-il avant de mordre à belles dents dans son beignet. Mais dis-moi Jan, comment va ta vie sentimentale ?

Jan plissa les paupières. Au ton sarcastique qu'il avait employé, elle en déduisit qu'il était déjà au courant de ses déboires.

— Je n'ai personne en ce moment, admit-elle.

— Désolé.

— Oh, arrête !

— Eh, tu n'as pas besoin d'être agressive ! Écoute, j'ai voulu qu'on se parle à propos du dossier Tonsbry. Toi et moi, nous savons parfaitement qu'il n'a jamais été égaré. Je veux le récupérer, Jan.

Ayant fini son beignet, Duncan s'attaqua au croissant.

— Ce dossier est la propriété de la société, poursuivit-il. Tu le détiens illégalement et, si tu ne me le rends pas, je vais être obligé d'avoir recours à un avocat.

— Tu plaisantes ?

— Pas le moins du monde. Ce dossier est primordial. Le confisquer sciemment peut être qualifié de vol.

Jan n'en croyait pas ses oreilles.

— Si tu veux jouer à ce petit jeu, rétorqua-t-elle, je te réponds que je ne sais absolument pas de quoi tu parles.

Comme elle se penchait pour prendre ses cigarettes dans son sac, Duncan lui saisit le poignet.

— Arrête, Jan ! Ce n'est pas un jeu. Je veux ce dossier et je l'aurai. Alors, plutôt que de me mettre des bâtons dans les roues, tu ferais mieux de me dire où il se trouve.

— Duncan, lâche-moi ou je vais crier très fort.

Il la regarda, et ses lèvres se plissèrent en une moue méprisante. Dans une soudaine torsion, la pression de ses doigts s'accrut et Jan tressaillit.

— Salaud !

Il la relâcha aussitôt. Incapable de se retenir, Jan se dressa et lui envoya un violent coup de pied dans le tibia.

— Bon Dieu, Jan, tu es folle !

Plusieurs personnes tournèrent la tête vers leur table. Duncan se pencha pour frotter sa jambe meurtrie.

Jan se levait déjà pour partir.

— Au fait, Duncan, j'ai oublié de te demander : comment va ta patte folle ? lança-t-elle d'une voix sonore.

Balançant son sac sur son épaule, elle s'éloigna en lui laissant régler l'addition.

Stefan se trouvait dans la vaste cuisine d'une immense demeure de Regent's Park. À côté de lui, Rebecca disposait des canapés thaï sur des plats d'argent, tandis que lui confectionnait les Tonsbry Original Coller.

Il était midi, et Stefan en était déjà à sa deuxième mission de la journée. Un petit déjeuner au champagne pour vingt personnes avait d'abord monopolisé son attention. Vers 18 heures, il devait encore livrer des boissons dans la City, puis s'occuperait d'un dîner à Chelsea vers 20 heures.

Pas étonnant que Kate soit si mince ! songea-t-il. Il y a de la nourriture partout, mais pas une miette à manger !

— Tu as fini, Rebecca ?

Rebecca était en train de mettre des carottes sculptées en roses sur un lit de cresson.

— Presque, annonça-t-elle. Combien de temps nous reste-t-il ?

— Environ dix minutes. Je vais apporter les cocktails, amène les canapés dès que tu pourras. Nous grignoterons les restes tout à l'heure.

Comme il s'essuyait les mains sur un torchon, la maîtresse de maison entra dans la cuisine, nimbée d'un nuage de parfum.

— Stefan ? J'aimerais vous parler, si cela ne vous dérange pas.

Stefan échangea un regard avec Rebecca qui venait de terminer la décoration de son plat.

— Je vais amener le premier plateau, dit-elle avant de disparaître avec les cocktails.

D'un mouvement langoureux, la maîtresse de maison se jucha sur le coin de la table. Sa jupe dévoila ses cuisses.

— Stefan, j'ai appris que vous n'étiez pas seulement traiteur, susurra-t-elle.

Il ne changea pas d'expression et elle reprit, tout en l'enveloppant d'un regard appréciateur :

— Voilà, je me demandais si vous ne pourriez pas m'emmener dîner dans un endroit tranquille. Bien sûr, c'est moi qui vous invite…

Elle lui sourit, un peu gênée, avant de préciser :

— Je paierai pour tout.

Stefan se raidit. Les yeux rivés au plancher, il réfléchit rapidement et décida que Mme Dolby était effectivement une excellente cliente potentielle… pour l'entreprise de restauration.

— Madame Dolby, je crains qu'il n'y ait une petite méprise. À présent, je m'occupe uniquement de cuisine.

La voyant rougir violemment, il saisit le shaker à cocktail et proposa :

— Avez-vous goûté le Tonsbry Original Cooler ?

Lui tendant un verre, il lui caressa gentiment la main.

— Je suis vraiment désolé, dit-il d'une voix douce

Puis il quitta la cuisine pour aller aider Rebecca.

La réception battait son plein. Stefan en était à la cinquième tournée de cocktails, et Rebecca empilait les canapés sur les plats aussi vite qu'elle le pouvait.

— Ils partent à toute vitesse, commenta-t-elle par-dessus son épaule. Ça doit être à cause de tout cet alcool qu'ils boivent. C'était une bonne idée, Stef, il faudra recommencer. Ce cocktail est délicieux.

Stefan, qui avait fini de couper les citrons verts, se mit à les presser pour en extraire le jus.

— Pas le temps de bavarder, Rebecca. Les gens meurent de soif, là-bas !

Rebecca se mit à rire et sortit de la cuisine, un plateau à la main. À cet instant, un homme entra dans la pièce. De petite taille, il portait un jean, des tennis et un T-shirt gris sous une veste Armani. Lorsque Stefan releva la tête et le vit, il se demanda depuis combien de temps l'inconnu l'observait ainsi en silence.

— Pas question, je ne fais pas les hommes ! déclara-t-il, avant de se remettre à l'ouvrage.

— Je vous demande pardon ?

Stefan se figea, puis murmura :

— Euh… désolé, j'ai dû me tromper. Que puis-je pour vous ?

— C'est la première fois que vous faites ça pour une réception de ce genre ?

À son accent prononcé, Stefan comprit qu'il était américain.

— Vous voulez parler des cocktails et des canapés thaï ?

— Oui.

— C'est la première fois, en effet. Vous aimez ?

— Moi ? Non, je ne supporte pas les cocktails. Mais ma fille Dolorès les adore. C'est son anniversaire la semaine prochaine, reprit-il. Nous organisons une petite garden-party avec quelques amis. J'ai déjà commandé la nourriture, mais je voudrais en plus quelque chose de spécial, de festif, vous comprenez. Et je pensais à ces cocktails et à ces petits-fours. Vous croyez pouvoir les préparer pour cette date ? Je sais que je m'y prends très tard, mais je suis prêt à payer un bonus.

Le cœur de Stefan battait si fort qu'il craignit un instant de faire une apoplexie. Il prit une profonde inspiration.

Reste calme, s'admonesta-t-il. Tu es peut-être sur un coup génial.

— Combien de personnes assisteront à la réception ?

— Je ne sais pas, environ cinq cents…

Stefan déglutit. Cinq cents ? *Cinq cents !* Mais qui diable était cette Dolorès, une altesse américaine ?

— Écoutez, dit-il, donnez-moi cinq minutes, le temps d'appeler quelqu'un et de vérifier si nous pouvons tout organiser en si peu de temps.

Il devait téléphoner à Eddy pour savoir si Tonsbry était capable de produire la quantité de gin nécessaire dans ce délai. Bon sang, il faudrait au moins vingt à vingt-cinq caisses, presque une chauffe entière !

— Vous n'avez qu'à me joindre à ce numéro ce soir, dit l'homme en tirant une carte de sa poche. Je m'appelle Justin North, je suis producteur des Films ACE.

Stefan prit la carte.

— Appelez avant 22 heures.

— Merci, monsieur North. Je suis convaincu que ce sera possible.

Duncan était resté enfermé dans son bureau tout l'après-midi et avait aboyé sur tous les téméraires qui avaient osé venir le déranger. Il avait téléphoné à la banque, au cabinet juridique, aux avocats personnels de Jan... Bon sang, il avait même appelé sa belle-mère ! Personne n'avait la moindre idée de l'endroit où elle avait bien pu ranger ce dossier, ou bien alors, ils se gardaient bien de le dire ! Il avait exploré toutes les pistes possibles, en vain. Jan était peut-être facile à manipuler dans le temps, mais elle reprenait du poil de la bête. Elle était rusée, et Duncan commençait à regretter de se l'être mise à dos si rapidement.

Se redressant, il s'étira et se frotta les yeux. La lumière crue des néons lui brouillait la vue. Comme un coup était frappé à la porte, il jeta :

— Fichez-moi le camp, je suis occupé !

Il se mettait à feuilleter le manuel d'utilisation de l'ordinateur quand la porte s'ouvrit en dépit de son interdiction.

— J'ai dit que je n'avais pas le temps ! grogna-t-il sans lever les yeux. Je ne veux pas de café, ni de thé, ni quoi que ce soit !

— Je ne comptais pas te proposer à boire, murmura Carol-Anne.

— Oh, chérie ! C'est toi. Désolé, je croyais que c'était...

— Une de tes petites secrétaires dévergondées, c'est cela ? roucoula-t-elle en passant derrière lui pour lui masser les épaules. Il va falloir qu'elles s'en aillent.

— Hein ? Qui ça, chérie ?

— Tout d'abord la réceptionniste et ta secrétaire.

— Ne sois pas ridicule...

Carol-Anne fit glisser ses doigts le long des muscles douloureux, et il ferma les yeux.

— Je suis sérieuse.

Elle se pencha et glissa sa langue dans son oreille. Duncan sentit son souffle tiède dans son cou. L'instant d'après, elle fit pivoter la chaise vers elle d'un mouvement brusque.

— Ô mon Dieu ! souffla-t-il.

Carol-Anne venait de faire glisser son long manteau sur ses épaules. En dessous, elle ne portait qu'un body de satin noir, des bas de la même couleur, et des escarpins à talons hauts.

D'une main experte, elle défit sa braguette avant de s'installer à califourchon sur lui.

— Carol-Anne, je... Si jamais quelqu'un entre...

Comme elle se frottait voluptueusement contre lui, il se tut, oubliant ses objections. La chaise craqua sous leur poids, et Duncan s'abandonna au plaisir d'une femme dominatrice. Il renversa la tête en arrière mais, ce faisant, son regard tomba sur une photographie punaisée au mur, sur laquelle Jan, en tailleur bleu marine, semblait le regarder. Elle était entourée de collègues à la mine sérieuse et, pourtant, Duncan aurait juré qu'elle souriait.

Alice longeait la plage de Norfolk en compagnie de son frère Philip. Le soleil couchant mourait dans les flots bleu-noir. Elle ramassa un caillou lisse et le jeta au loin : il rebondit plusieurs fois à la surface scintillante avant d'être englouti.

— Tu as toujours été douée pour faire des ricochets, Alice. Bien meilleure que moi, en fait.

— Cela fait si longtemps que je n'ai pas été douée pour quelque chose, que je ne sais même plus l'effet que ça fait! rétorqua-t-elle.

Philip lui passa un bras autour des épaules.

— Allez, ne ronchonne pas. Là, c'est mieux! dit-il en la voyant sourire.

Ils marchèrent en silence un moment.

— Alice, tu sais que Cath et moi ne nous attendions pas à ce que tu reviennes si vite. Nous pensions que tu séjournerais à Londres pendant quelque temps.

— Je n'ai rien à y faire. Ma présence ne vous gêne pas, au moins?

— Mon Dieu, bien sûr que non! Simplement nous nous demandons... Écoute, dis-moi si je suis trop indiscret, mais nous pensions que tu souhaiterais passer plus de temps avec Flora, pour apprendre à la connaître.

Alice haussa les épaules tout en fixant un point sur la mer.

— Encore une fois, j'ai tout foiré, dit-elle. Les choses n'ont pas tourné comme je l'escomptais, j'ai dit des mots que je n'aurais pas dû prononcer, et... j'ai préféré partir. Oh oui, je sais! C'est toujours la même histoire: Stupide Alice! Quand grandiras-tu? Quand cesseras-tu de gâcher ta vie...?

— Ce n'est pas ce que je pensais.

— Alors dis-moi à quoi tu pensais. Franchement, Philip.

— Je pensais que ce devait être très dur pour toi, que la situation n'était pas facile à assumer, mais que...

— Que quoi?

— Oh, je n'en sais rien! Peut-être tu n'aurais pas dû partir? Je pense qu'un jour, il te faudra faire face à tes responsabilités. Plus tu attends, plus ce sera dur.

Alice ramassa une autre pierre mais, cette fois, la garda dans sa main. C'était un galet rond et doux, lourd, solide.

— Comment pourrais-je faire, Philip? Dieu sait que j'y ai réfléchi, mais Kate m'a ignorée, Eddy était furieux et amer... Comment puis-je changer tout cela?

Machinalement, elle fourra le galet dans sa poche.

— Tu n'as pas parlé d'une histoire de gin, il y a quelques jours ? demanda soudain Philip. Eddy a monté une boîte avec Kate, c'est cela ? Ils fabriquent du gin ?

— Oui, mais je ne vois pas le rapport avec moi...

Alice se figea tout à coup, paupières plissées, pour dévisager son frère avec insistance.

— Dis donc, depuis combien de temps ressasses-tu cette idée, toi ?

— Cath et moi, nous en avons discuté hier soir.

— Voilà donc pourquoi vous êtes partis vous promener si longtemps !

Philip sourit.

— Alice, dans le temps, tu travaillais pour une grosse entreprise qui vendait de l'alcool. Tu étais chef de produit, c'est grâce à toi que leurs boissons finissaient dans le Caddie des consommateurs. Que dire de plus ? Cette chance te sourit enfin, tu as l'occasion de te racheter ! Appelle Eddy et propose-lui ton aide. Tu as des années d'expérience, ou dois-je dire de bouteille ?

— Écoute, Philip, je ne suis pas sûre... Comment vont-ils réagir si moi, l'ennemie jurée, je leur offre de travailler avec eux ? D'ailleurs, je ne fais plus de marketing depuis la naissance de Flora, je n'ai pas cherché de travail après. Et même si Kate et Eddy acceptaient, je ne suis pas certaine d'être encore compétente...

— Tu cherches des excuses ! Eddy acceptera, j'en suis convaincu. Il est comptable, il ne laissera pas passer une telle occasion. Cela te permettra de voir Flora le plus naturellement du monde. Et puis, ce sera enfin une action constructive dans ta vie. Et je crois qu'Eddy le mérite, non ?

Alice resta silencieuse. Elle se remémorait la conversation qu'elle avait eue avec Eddy. Elle ne s'était pas seulement comportée comme une garce avec lui, elle avait brisé sa vie. Oui, Eddy méritait qu'elle l'aide.

— Oh Philip, je ne sais pas, j'ai tellement peur !

Philip prit les mains de sa sœur dans les siennes.

— Personne n'est jamais sûr de rien, déclara-t-il. C'est la vie, Alice. Allez, sois courageuse ! Pour Eddy, pour Flora et… surtout pour toi-même.

Pierre Glibert, comte de Grand Blès, était assis dans sa Mercedes conduite par un chauffeur, en compagnie d'Adriana, sa femme. Tous deux se taisaient. C'était lui qui avait insisté pour faire le voyage avec elle, lui qui avait téléphoné à Kate de la voiture pour lui annoncer qu'ils étaient en route pour Tonsbry. Il était bien décidé à découvrir ce que mijotait son épouse. Il en avait assez des départs précipités sans la moindre explication, de ces colères injustifiées contre Kate, de ces rendez-vous secrets avec des avocats, de ces coups de fil interminables auxquels Adriana mettait un terme dès qu'il entrait dans la même pièce qu'elle…

Pierre était patient, il aimait beaucoup sa femme, mais à présent toutes ces simagrées le fatiguaient. Il n'était même pas intrigué, juste agacé.

Comme la Mercedes quittait la Nationale pour s'engager sur une route de campagne, il prit la main d'Adriana.

— Où irons-nous dîner, ma chérie ? Kate n'aura peut-être pas de restaurant à nous conseiller ?

Adriana ne répondit pas. Figée, elle regardait par la vitre le paysage familier qui défilait, et rongeait son frein en silence. Comme la voiture dépassait la pancarte qui signalait le village de Tonsbry, elle se raidit. Pierre lui serra la main.

Lorsque les grilles du domaine apparurent sur la droite, le chauffeur ralentit et mit son clignotant. Adriana arracha soudain sa main à Pierre.

— Stop ! cria-t-elle. Arrêtez cette voiture. Pierre, je veux rentrer à la maison !

Pierre se pencha et tapa le chauffeur sur l'épaule pour lui faire signe de se garer sur le bas-côté. Puis il se tourna vers sa femme :

— Adriana, vas-tu enfin m'expliquer à quoi rime tout ce cirque ?

— Je n'irai pas là-bas. Je suis venue une fois pour ce mariage raté, et je me suis juré que c'était bien la dernière ! Je suis sérieuse, Pierre. Téléphone à Kate et dis-lui de nous retrouver au village.

— Adriana, j'ai toléré tes cachotteries concernant Tonsbry pendant des années mais, maintenant, trop c'est trop ! Que fait David Lowther pour ton compte, et quels liens entretiens-tu avec cette société auprès de laquelle le domaine est hypothéqué ?

— Mais comment sais-tu... ?

Il leva la main. La question ne méritait même pas de réponse. Pierre connaissait tous les faits et gestes de sa femme, et elle le savait pertinemment.

— Je voudrais l'entendre de ta bouche, Adriana. Ou dois-je continuer ?

Elle se détourna obstinément vers la fenêtre.

— D'accord. Tu fais tout ce qui est en ton pouvoir pour influencer Kate et la détacher de cette charmante maison. Tu lui mens, tu as des entretiens privés avec son fiancé que, soit dit en passant, tu n'apprécies même pas, et...

— Très bien ! lança-t-elle. Oui, j'essaie de convaincre Kate d'abandonner cette folie, mais c'est pour son bien. Elle n'a aucune idée de ce qui l'attend, elle va se couvrir de ridicule et...

— Elle est en train de réaliser ce que tu as toujours rêvé de faire, coupa Pierre. Elle s'efforce de sauver cette propriété, comme tu l'aurais fait si celle-ci t'était revenue. Est-ce que je me trompe ?

— Non, je n'ai jamais voulu de cette maison sans aucune valeur...

— Adriana, si le domaine n'a pas de valeur, pourquoi n'as-tu cessé de racheter des parcelles de terrains environnants au cours des dix dernières années ? Chaque fois que ton frère Leo a eu besoin d'argent, David Lowther est intervenu pour lui présenter un acquéreur, qui n'était bien sûr qu'un homme de paille, puisque c'est toujours toi qui devenais propriétaire. Ai-je raison ?

Il y eut un silence.

— Ai-je raison, Adriana?

— Oui, c'était moi! Oh, pour l'amour de Dieu, Pierre, sommes-nous obligés de continuer cette conversation?

Elle ouvrit son sac et en sortit un petit miroir de poche ainsi que son rouge à lèvres. Pierre lui saisit la main.

— Je veux savoir pourquoi, Adriana.

Elle haussa les épaules, ôta le capuchon du tube de rouge.

— Adriana, je t'ai posé une question, j'exige que tu répondes. Nous resterons devant l'entrée de Tonsbry le temps qu'il faudra.

De nouveau, elle haussa les épaules.

— *Adriana!*

— O.K.! riposta-t-elle. Très bien, je vais te le dire.

Elle se tourna vers les grilles rouillées de Tonsbry soutenues par les piliers de pierre. Tonsbry, sa maison, son héritage, qui lui appartenait de droit.

— C'est moi qui aurais dû l'avoir, dit-elle entre ses dents serrées. J'étais l'aînée, j'aimais cette demeure, c'est moi qui ai travaillé au côté de mon père, tenu les livres de comptes, appris à gérer le domaine. Je l'aimais, Pierre. J'en aimais chaque pierre, chaque arbre, chaque brin d'herbe. Et… le jour de mon dix-huitième anniversaire… il m'a dit qu'il me léguait un petit appartement en ville, à Chelsea; que c'était normal, car Leo hériterait de la maison, et que moi aussi j'avais droit à un petit quelque chose…

Elle émit un ricanement.

— Un petit quelque chose! Voilà ce que j'ai reçu, un misérable appartement de trois pièces, alors que lui, ce geignard pathétique qui ne savait pas faire la différence entre un mouton et une chèvre, lui, a décroché le gros lot, la maison, les terres, tout! Pour l'unique raison qu'il était un homme!

Elle désigna le paysage qui s'étendait devant eux, et poursuivit avec amertume:

— Et regarde ce qu'il en a fait! Il n'a jamais su comment s'y prendre, l'imbécile! C'est un vrai désastre. Il s'est couvert de dettes, il a vendu tout ce qui avait un tant soit peu de valeur, a hypothéqué! Quel crétin! Il...

— Adriana, tu parles de ton frère. Il a fait de son mieux...

— De son mieux? Et d'abord, qu'en sais-tu?

— Plus que tu ne penses, crois-moi. Adriana, Leo m'a dit une fois que Tonsbry était un gouffre financier, qu'il se saignait aux quatre veines pour l'entretenir, mais l'argent filait, et il aurait fallu qu'il soit très fortuné pour maintenir tout cela en état.

— Mais il était riche... au début! Il...

Pierre secoua la tête.

— Non, c'est faux, et tu le sais aussi bien que moi.

— Quoi qu'il en soit, cela ne change rien au fait que si c'était moi qui avais hérité de la maison, elle tiendrait encore debout, et que le domaine dégagerait sans doute de beaux bénéfices, merci! J'aurais...

— Tu aurais fait exactement ce que Kate est en train de faire. Voilà pourquoi je ne comprends pas ton désir aveugle de contrecarrer ses projets.

— Je ne fais rien de tel, j'essaie seulement de l'empêcher de se ridiculiser. Si elle échoue, elle devra rembourser ses dettes le restant de sa vie. Tu n'y penses pas, n'est-ce pas? Tu me voies en marâtre, alors que je ne cherche qu'à l'aider!

Adriana termina d'un ton larmoyant et tâtonna dans son sac à la recherche de son mouchoir. Imperturbable, Pierre la fixa.

— Adriana, si tu dépossèdes Kate de Tonsbry, elle ne te le pardonnera jamais.

— Je ne veux pas qu'elle souffre à cause de cette vieille maison et d'Eddy...

— Qu'as-tu l'intention de faire, Adriana?

Elle sursauta, prise au dépourvu par la question.

— Que veux-tu dire? s'étonna-t-elle.

— Qu'as-tu l'intention de faire avec Tonsbry? Si, bien entendu, Ingram Lawd arrive à mettre la main dessus. Ils te revendront directement la propriété, c'est bien cela?

Adriana demeura coite un instant tant elle était stupéfaite qu'il soit au courant de tous ces détails. Enfin elle se ressaisit :

— Cela ne te regarde pas !

Pierre reprit sa main et la tint fermement. Très fermement.

— Je crois que si, Adriana. N'oublie pas qui paye les factures, dit-il d'un ton menaçant.

Blessée, elle détourna la tête.

— Je laisserai ces vieilles pierres pourrir sur place, répondit-elle froidement. Et lorsqu'il ne restera plus que des ruines, je vendrai le tout à des promoteurs. Voilà !

Pierre la lâcha enfin, et elle massa ses doigts meurtris.

— Oh, Adriana ! soupira-t-il. Pauvre Kate !

Et, se penchant, il demanda au chauffeur de faire demi-tour et de regagner Londres.

Il était 9 h 30 quand le téléphone sonna à Gully Cottage. Eddy était assis sur son lit et feuilletait des exemplaires de *Drinks International*, un magazine traitant de l'industrie des spiritueux. Il voulait s'informer sur les différentes campagnes de lancement, dans l'espoir de trouver des idées performantes, néanmoins il n'avançait guère, incapable de se concentrer.

Pour la première fois depuis la conception du projet, il commençait à douter de leur réussite. Tout était là, ils avaient un bon potentiel, simplement ils disposaient de trop peu de temps. Il faudrait au moins un miracle pour les projeter là où ils devaient aller, et Eddy, qui n'était pas un mystique, ne voyait tout simplement pas comment cela pourrait se produire.

Il venait d'achever la lecture d'un magazine quand le téléphone posé près de lui sonna.

— Eddy Gallagher, j'écoute.

— Bonsoir, Eddy, c'est Stefan. Pardon d'appeler si tard. J'ai travaillé toute la journée et je n'ai pas eu une minute pour passer un coup de fil. Je ne suis même pas encore rentré chez moi, j'appelle de la voiture.

— Comment ça va, là-bas ?

Stefan avait appelé Kate la semaine passée pour lui proposer de se charger entièrement de l'entreprise de restauration tant qu'elle était occupée par ailleurs. Elle avait sauté sur l'occasion.

— À vrai dire, je me surprends moi-même, confia Stefan. Je me débrouille très bien ! J'ai une bonne équipe de cuisinières, et ce cocktail… ! D'ailleurs, c'est à ce propos que j'appelle. Rebecca et moi, nous avons innové ce midi en présentant lors d'une réception le Tonsbry Original Cooler accompagné de canapés thaï. Un vrai succès !

— Vous plaisantez ?

— Pas du tout. Nous croulons sous les commandes et, tenez-vous bien ! il y a une grande fête d'anniversaire vendredi ! Pouvez-vous nous fournir en gin ?

Eddy feuilletait déjà son carnet de commandes.

— Combien de bouteilles vous faut-il ?

— Des caisses entières ! Ils m'en faut dix pour les cocktails, et pour l'anniversaire au moins vingt caisses. Est-ce possible ?

— Bien sûr ! Avec le plus grand plaisir ! Vous voulez que nous les fassions livrer ?

— Oui, en milieu de semaine prochaine.

— Pas de problème. Je vous enverrai quelqu'un.

— Merci, et à bientôt.

— Non, merci à vous, Stefan !

Eddy raccrocha. Il était sur le point d'appeler Kate pour lui annoncer la bonne nouvelle quand la sonnerie retentit de nouveau.

— Eddy Gallagher.

— Bonsoir, Eddy, c'est Alice.

L'humeur d'Eddy retomba aussitôt.

— Oh, Alice… Que puis-je pour toi ?

Alice, qui avait perçu le durcissement de sa voix, dut se forcer pour continuer :

— Eddy, c'est à propos de votre distillerie… Je me

demandais si je ne pouvais pas vous donner un coup de main.

— C'est une plaisanterie ?

— Non. Rappelle-toi, j'étais dans le marketing avant, j'étais chef de produit pour la Virtual Vodka. Tu ne t'en souviens sans doute pas, mais je travaillais pour *Worldwide Distillers*, avant que nous... avant d'avoir Flora.

— Je n'étais pas au courant.

— Écoute, Eddy, j'ai des années d'expérience dans ce domaine, cela pourrait vous être utile. Je ne veux aucune contrepartie. Je viens, je m'occupe du marketing tant que vous serez d'accord, puis je m'en irai, c'est aussi simple que ça.

— Vraiment ? C'est que, vois-tu, rien n'est jamais simple avec toi ! répliqua-t-il en serrant le cordon du téléphone entre ses doigts.

— Eh bien, il est peut-être temps que cela change.

Il y eut un long silence, puis Eddy demanda :

— De quel genre de marketing parles-tu ?

— Tout d'abord, de la publicité banale, je pense. Ainsi, cela ne coûterait pas trop cher. Il suffirait de distribuer quelques caisses de bouteilles gratuites et, de mon côté, je parlerai aux médias. Si ça marche, nous pourrons envisager d'autres dépenses, mais seulement quand nous aurons vu la réaction à la première campagne. Il faut dresser un profil du consommateur type et choisir les bons supports publicitaires. Ensuite, nous pourrions...

— O.K., O.K. ! Tu crois vraiment que tu peux gérer ça, Alice ?

Eddy s'était assis au bord du lit. Ce n'était pas à proprement parler un miracle, mais en tout cas, c'était un grand bond en avant.

— Bien sûr ! répliqua-t-elle.

— Combien de temps te faut-il pour mettre tout ça en train ?

— Le temps dont tu disposes.

— Même si je ne te donne que quinze jours ?

— D'accord.

— C'est vrai ?

Pour la première fois, Alice perçut de la chaleur dans la voix d'Eddy. Elle sourit.

— Mais oui, c'est vrai! dit-elle. Si tu es d'accord, c'est comme si c'était fait.

22

Un mois plus tard

Alice répondait au téléphone :

— Oui, bien sûr, nous pouvons vous envoyer deux bouteilles. Pas de problème, je dirai à Kate Dowie de vous appeler quand elle rentrera, elle vous communiquera tous les détails. Puis-je noter votre numéro ? D'accord, merci...

Comme Kate pénétrait dans le bureau, Alice posa un doigt sur ses lèvres et continua de parler dans le combiné :

— Pour quand l'émission est-elle programmée ? Lundi prochain ? Parfait! Encore merci, et au revoir.

Kate piétinait impatiemment près de la porte.

— Suis-je autorisée à m'exprimer, maintenant ? demanda-t-elle sèchement.

— Désolée. C'était le producteur de «Food and Drink». Il prépare une émission sur les alcools de Noël et désire vous parler du Tonsbry Original. Apparemment, l'un des journalistes a bu de notre gin au Harry's Bar l'autre jour, et il a adoré. Je pense les avoir convaincus de monter un sujet de deux minutes. Entre-temps, il faut bien réfléchir à ce que nous allons dire...

— Parce que je ne suis pas capable de me débrouiller toute seule, peut-être ?

— Non, ce n'est pas ce que je veux dire. Mais il est préférable de s'entendre au préalable. Par exemple, mieux vaut éviter qu'ils sachent que nous allons aussi passer à «Good Morning». Ils pourraient changer d'avis, trouver que ce serait de la redite.

Alice rassembla ses notes. En proposant son aide à l'entreprise, elle n'avait pas espéré la moindre chaleur de la part de Kate, s'était même attendue à être franchement ignorée. Néanmoins, cette hostilité immuable la surprenait. Il était quasi impossible de travailler dans une ambiance de guerre froide. Toutes ses initiatives étaient reçues dans la plus grande indifférence, parfois même avec animosité.

— Bon, je pense en avoir fini pour aujourd'hui, ajouta Alice. Vous désirez appeler *Beeb* maintenant?

Voyant Kate hausser les épaules, Alice serra les poings, envahie par une brusque colère.

— Kate, dit-elle aussi calmement que possible, cette publicité est gratuite, mais en termes de marketing, elle peut nous rapporter beaucoup. Il a vraiment fallu que je me batte pour qu'ils s'intéressent à Tonsbry, et...

— D'accord, je vais les appeler.

C'était typique de ce qui se passait entre elles: Kate ne laissait jamais Alice finir ses phrases, elle lui coupait sans cesse la parole, ce qui mettait Alice hors d'elle. Mentalement, celle-ci compta jusqu'à dix, le temps de se dominer.

— Le numéro est ici, indiqua-t-elle. Si vous pouviez mettre l'accent sur les dettes, et aussi sur le fait que vous avez découvert la distillerie par hasard, et que tout s'est brusquement mis en marche...

— Ce n'est pas la stricte vérité.

— Non, mais c'est le meilleur moyen de retenir l'attention de la presse.

Alice glissa ses notes dans une chemise et se dirigea vers la porte. Au moment de sortir, elle surprit le regard belliqueux de Kate rivé sur elle.

— Kate, est-ce que...?

Elle laissa sa phrase en suspens. Elle avait failli demander s'il était bien utile qu'elle s'obstine à travailler à Tonsbry si Kate continuait à se montrer aussi peu coopérative. Après tout, c'était son entreprise.

Mais Alice savait que la situation ne ferait que s'envenimer si elle abordait la question.

— Oui ? fit Kate.

— Est-ce qu'il y a un dîner ce soir ?

— Bien sûr, nous sommes vendredi.

C'était devenu une sorte de rituel : chaque vendredi soir, toutes les personnes impliquées dans l'entreprise se réunissaient pour discuter de la semaine écoulée et se détendre un peu. Kate s'occupait de la cuisine.

— D'accord, alors à tout à l'heure, fit Alice.

Et, sans se donner la peine de sourire, elle sortit et s'en alla trouver Eddy.

En atteignant la rue où il habitait autrefois, Duncan retrouva avec plaisir la familiarité des lieux. Il gara sa voiture le long du trottoir, demeura immobile un instant, pensant à Jan, à toutes ces années de mariage passées à cette adresse. C'était sa maison, il l'avait adoptée le jour même où il l'avait visitée en compagnie de l'agent immobilier, et elle lui manquait. Jan aussi lui manquait, il devait bien se l'avouer, et c'était vraiment très bizarre.

Il haussa les épaules, descendit de voiture. Cette sensiblerie ne rimait à rien. Il venait ici dans un but précis, avait travaillé dur et manœuvré habilement pour arriver là où il était.

Après avoir rectifié son nœud de cravate, il remonta l'allée de gravillons et sonna à la porte, ce qui était plutôt étrange quand on savait que, légalement du moins, il était encore domicilié ici.

Jan apparut, vêtue d'un peignoir blanc. Un moment, ils se dévisagèrent, et Duncan se dit qu'elle avait énormément changé depuis un an.

Quant à Jan, elle pensait qu'en dépit des événements, Duncan ressemblait plus depuis quelque temps à l'homme qu'elle avait épousé jadis.

— Entre, lui dit-elle en ouvrant largement le battant. Je ne suis pas encore prête. Tu n'as qu'à prendre un verre, je redescends d'ici cinq minutes.

Il acquiesça, attendit qu'elle le précédât dans le salon. Il connaissait le chemin évidemment, il aurait pu s'y rendre les yeux fermés, mais cette maison était celle de Jan aujourd'hui, et il ne voulait rien faire qui puisse la contrarier.

Jan disparut à l'étage tandis qu'il se servait un verre de whisky, puis allait chercher des glaçons dans le bac du congélateur.

Dans sa chambre, Jan respira à fond plusieurs fois de suite. Elle saisit l'une des deux tenues étalées sur le lit, la plaqua contre elle, puis se regarda dans la glace. Non, l'autre était mieux. Elle voulut changer de coiffure, mais renonça finalement et se donna juste un coup de peigne. Une fois le tailleur enfilé, elle changea d'avis, troqua le chemisier contre un autre, plus transparent, essaya une deuxième paire de chaussures, avant de se déshabiller rapidement pour passer une robe de lainage noir et une veste assortie. Elle agrémenta le tout d'escarpins en daim noir, d'une paire de bas, et d'un collier en argent que Duncan lui avait offert trois ans plus tôt.

Une dernière fois, elle se regarda dans le miroir... et se pétrifia. Mon Dieu, qu'était-elle en train de faire ?

Atterrée, elle se laissa tomber sur le lit, mit sa tête entre ses mains.

Duncan l'avait manipulée sans la moindre vergogne, il s'était servi d'elle, et maintenant, il tentait de la circonvenir en usant de son charme. Elle en avait parfaitement conscience, et cependant elle s'en fichait. Dernièrement, il s'était montré affable avec elle. Il l'appelait plusieurs fois dans la journée à son bureau, bavardait, s'attardait en sa compagnie après les réunions de travail... Elle retrouvait ce bon vieux Duncan, sociable, sympathique.

Jan savait qu'elle ne l'aimait plus, enfin plus comme avant. Mais elle avait quarante-cinq ans, et elle était seule. L'aventure désastreuse avec Stefan ne comptait pas. Si Duncan souhaitait renouer avec elle d'une manière ou d'une autre, pourquoi lutter ? Après tout, une seule entorse en vingt années de mariage, ce n'était pas si terrible...

Jan se leva, lissa sa robe sur ses hanches et se plaça devant le miroir. Elle mit du rouge sur ses lèvres et, plutôt satisfaite du résultat, sortit de la chambre après avoir pris son sac sur le lit.

— Tu veux un verre ? lui proposa Duncan.

Jan secoua la tête. Duncan buvait du whisky. Elle-même n'en prenait jamais, et personne n'avait touché à la bouteille depuis qu'il était parti, six mois plus tôt. En attendant qu'il termine son verre, elle alluma une cigarette.

— Le jardin d'hiver est joli, commenta-t-il. J'aime ces pots en terre. D'ordinaire, tu ne t'occupes pas des plantes à cette saison.

— J'ai besoin de distraction, répondit-elle un peu trop vite.

— Tu as toujours eu la main verte, admit-il avec un sourire. Tes fleurs tiennent toujours plus longtemps que celles des autres.

Ce qui n'était pas le cas de Carol-Anne, qui dépensait vingt livres par semaine chez le fleuriste, pour des bouquets qui fanaient en trois jours.

— Je peux ? demanda-t-il en tendant la main vers le paquet de cigarettes de Jan.

— Bien sûr, sers-toi.

Elle lui passa le briquet et le cendrier, un lourd objet de cristal taillé qui scintillait de mille feux. Cela lui fit penser à un autre travers de Carol-Anne. Ce n'était pas une femme d'intérieur.

Il termina son verre et Jan se dirigea vers le buffet sur lequel était posée la bouteille de whisky.

— Tu en veux un autre ?

Il remarqua comment sa robe tombait de manière impeccable sur ses formes amincies.

— C'est une nouvelle toilette ?

Jan haussa les épaules, encore une réaction que Carol-Anne n'aurait jamais eue si on lui avait posé une telle question. Elle adorait faire les magasins et abreuvait Duncan de détails sur chaque nouvel article acheté.

— Merci pour le whisky, mais je pense qu'il est temps d'y aller, déclara-t-il. Nous sommes invités pour 18 heures, et il est déjà 17 h 30.

— Je vais chercher mon manteau.

Duncan suivit Jan dans le hall. Son regard tomba sur la patère libre à côté du manteau de Jan, et il éprouva une curieuse nostalgie. Auparavant, son manteau et sa veste étaient accrochés là, fraîchement repassés, impeccables.

Jan ouvrit la porte et s'immobilisa, attendant qu'il sorte.

— Dois-je brancher l'alarme ? s'enquit-il.

— Inutile, de toute façon, j'ai changé le code.

Voilà, la réalité le heurtait de plein fouet. Il n'habitait plus ici.

Il sortit dans l'air froid, nota qu'en quelques minutes, la nuit était déjà tombée. Comme Jan le rejoignait sous le lampadaire, il dit :

— Comme au bon vieux temps, hein ? Un cocktail à la City, Noël qui approche, toi et moi...

Jan le regarda un moment, s'efforça de croire au fantasme. En vain.

— Non, pas vraiment, répliqua-t-elle.

Et ils se dirigèrent vers la voiture en silence.

Debout près de Duncan, Jan sirotait son cocktail au gin qui lui était monté tout droit à la tête. Elle éclata de rire à une blague qu'il venait de raconter. En fait, c'était la troisième fois qu'elle l'entendait, pourtant elle s'en amusait encore. Duncan savait raconter les histoires et, quand il était de bonne humeur, c'était un vrai boute-en-train.

L'invité avec qui ils discutaient s'éloigna, et Duncan se tourna vers Jan :

— Carol-Anne est sortie avec des amis ce soir, mais j'imagine que tu ne tiens pas à dîner avec moi ?

Les doigts de Jan se crispèrent sur son verre. Si, elle avait envie d'aller dîner, elle détestait manger seule. Toutefois elle ne voulait pas servir de bouche-trou les soirs où Carol-Anne s'absentait. Pas question qu'elle se prête à ce petit jeu.

— Merci, mais j'ai d'autres projets, mentit-elle.

— D'autres projets... ? Oh, désolé, cela ne me regarde pas.

— Exactement. Si tu veux bien m'excuser...

Elle posa son verre sur le plateau que tenait un serveur, puis se dirigea vers les toilettes des dames.

Le cocktail avait lieu dans une salle de réception située à l'étage d'une demeure privée. Jan passa dans le hall décoré d'une luxueuse moquette gris perle. Des œuvres d'artistes contemporains à la mode, plutôt plaisantes à l'œil, ornaient les murs blancs. Jan prit le temps de les admirer une par une. Elle contemplait depuis un moment un tableau dont les couleurs et les formes l'intéressaient, quand elle perçut une voix familière.

Elle se tourna et aperçut Stefan qui, non loin, s'entretenait avec une femme d'âge mûr. Superbe, il portait une chemise blanche et un jean noir.

Jan tressaillit et lutta contre l'attirance physique immédiate qu'elle éprouvait. Puis elle le vit tendre sa carte à son interlocutrice et se rendit compte qu'elle assistait à une transaction commerciale. Outrée, elle était sur le point de s'éloigner quand Stefan la remarqua.

— Jan ! Bonsoir. Tu es invitée au cocktail des Kennings ?

— Oui, répondit-elle d'une voix froide. Et toi ?

— Je...

Jan ne put le laisser poursuivre. Elle explosa :

— Je sais très bien ce que tu fais ici, Stefan! Et cela me choque énormément! Non, disons pour être plus juste que cela me dégoûte!

Elle le planta là pour disparaître dans les toilettes. Stefan voulut lui courir après mais se heurta à Rebecca qui venait à sa rencontre.

— Stef, nous commençons à manquer de gin. Tu peux aller chercher deux ou trois bouteilles dans la voiture?

Stefan jeta un regard vers les toilettes, avant de reporter son attention sur Rebecca. Il poussa un grognement.

— Stef, est-ce que ça va?

— Mais oui. Je vais chercher le gin. Oh, à propos, je viens de décrocher une autre commande pour le 23, ajouta-t-il en cherchant ses clés de voiture dans la poche de sa veste.

— Super!

— Ouais, vraiment super, grommela-t-il, avant de s'éloigner.

Jan retrouva Duncan à l'endroit exact où elle l'avait laissé.

— Jan, que se passe-t-il? Tu fais une de ces têtes!

— Merci, tu sais vraiment parler aux femmes! ironisa-t-elle.

Mais sa voix tremblait et elle était toute pâle. Il l'entraîna.

— Viens, on s'en va.

— Non, Duncan, ça va, je te jure. Je ne veux pas gâcher la soirée simplement parce que...

— Projet ou pas, je vais t'emmener dîner dans un cadre sympathique, trancha-t-il.

Jan se laissa faire. Elle détestait les scènes, et elle se sentait abattue depuis qu'elle avait vu Stefan. Elle réagissait vraiment de façon pathétique, mais bon, le pire était passé et Duncan avait pris les choses en main.

— Alors, que préfères-tu? demanda-t-il comme ils quittaient la maison. Un restaurant bruyant, chic et cher, ou un restaurant tranquille, intime et cher?

— Je m'en fiche, du moment que c'est vraiment très cher, rétorqua-t-elle.

— Ah, je te retrouve enfin !

Il lui passa le bras autour des épaules, et Jan ne se dégagea pas.

Kate descendit l'escalier, habillée pour le dîner. Elle passait toute la semaine en jeans et Doc Martens, mais le vendredi soir, elle faisait un effort de toilette une fois qu'elle avait fini de cuisiner. Aujourd'hui, elle portait une longue robe de laine écarlate qui lui moulait les hanches et s'évasait à mi-cuisses, ainsi que des bottines lacées à talons carrés. Une écharpe noire était nouée autour de son cou.

Elle était ravissante et, en la voyant entrer dans le bureau où il était en train de téléphoner, Tommy Vince se demanda comment elle pouvait avoir l'air si rayonnant après une semaine aussi épuisante.

Il posa sa main sur le micro et chuchota :

— Kate, vous êtes sublime !

Elle lui sourit, demanda :

— Vous avez Mary au bout du fil ?

— Oui.

— Elle veut se joindre à nous ?

— Non, impossible de trouver une baby-sitter.

Tommy poursuivit sa conversation quelques instants avec sa femme avant de raccrocher.

— Est-ce que Harry vient ce soir ? s'enquit-il.

— Aucune idée.

Kate se rendit compte qu'elle avait répondu avec une totale indifférence. Elle n'y pouvait rien, Harry déclenchait toujours cet effet sur elle. Durant le mois qui venait de s'écouler, il s'était comporté de manière franchement bizarre. Il semblait obsédé par cette histoire de restaurant qu'il voulait monter à Londres, et chaque fois qu'il venait à Tonsbry — c'est-à-dire pas très souvent —, il abordait la question avec enthousiasme. Il ne leur proposait jamais un coup de main, passait son temps à répondre à son téléphone portable qui sonnait à tout bout de champ. Avec une mine de conspirateur, il courait alors s'enfermer quelque part pour poursuivre une mystérieuse conversation.

Kate faisait beaucoup d'efforts pour aimer Harry, mais il ne lui facilitait vraiment pas la tâche.

— Il doit vous manquer quand il n'est pas là, hasarda Tommy.

— Pardon, que disiez-vous ? fit Kate qui s'était mise à feuilleter les notes prises par Alice.

Tommy comprit qu'il était inutile d'insister. Il appréciait Kate, mais ne comprenait absolument pas ce qui se passait entre elle, Harry et Eddy, ni ce qu'Alice venait faire au milieu de tout ça.

— Je rentre me changer, mes vêtements empestent, déclara-t-il en se levant.

— On se revoit tout à l'heure autour d'un Tonsbry Original Cooler ! lança Kate en agitant la main dans sa direction.

Un peu plus tard, Kate, assise au bureau de Leo, étudiait le dossier publicité lorsqu'elle perçut la voix d'Alice dans le hall. Elle se raidit et se redressa, s'attendant à voir la jeune femme entrer dans la pièce. Puis elle entendit la voix d'Eddy, sans comprendre ce qu'il disait. Ce devait être une plaisanterie, car le rire aigu d'Alice retentit.

Kate sentit sa gorge se nouer. En dépit de l'entreprise qui démarrait vraiment bien — essentiellement grâce au travail fourni par Alice —, et en dépit de la confiance qui les galvanisait tous, elle aurait préféré que tout reste comme avant, quand Eddy et elle étaient seuls à se battre.

Alice et Eddy entrèrent dans le bureau, riant toujours.

— Oh, Kate ! Que fais-tu ici toute seule ?

— Je consulte les chiffres, répondit-elle avec un sourire crispé qui ressemblait plus à une grimace.

Alice s'avança vers le grand vase posé sur le manteau de la cheminée que Kate prenait toujours soin d'emplir de freesias. Elle se pencha pour humer le parfum suave des fleurs et arranger quelques tiges. Puis, comme elle se redressait, elle surprit dans le miroir l'expression du visage de Kate.

Un instant, le choc la paralysa, et elle ferma les yeux. Bien sûr! Comment ne s'en était-elle pas aperçue plus tôt? C'était l'évidence même...

Aussitôt, l'esprit de l'ancienne Alice se réveilla, celui de la manipulatrice, menteuse et rouée.

Eddy demanda:

— Est-ce que Harry vient ce soir?

— Pas que je sache, répondit Kate. Mais tu le connais.

Alice rouvrit les yeux. Si elle s'était laissé abuser, c'était en partie à cause de Harry qui servait de paravent. Jusqu'ici, personne n'avait compris de quoi il retournait, pas même Kate.

Alice s'approcha d'Eddy et, très doucement, posa la main sur son bras. Ignorant le regard surpris qu'il lui lançait, elle observa Kate à la dérobée et la vit tressaillir. C'était l'ultime preuve qu'elle attendait. Sa dernière chance.

— Viens, dit-elle à Eddy en souriant, laissons Kate travailler, je meurs de soif.

Et elle l'entraîna vers la cuisine, laissant dans le bureau l'écho de sa voix et le sillage de son parfum.

Il était très tard quand Duncan regarda enfin sa montre. Il était vautré sur le canapé, face à Jan, avait ôté sa veste et sa cravate, posé ses pieds sur la table basse, et sirotait un vieil armagnac. Il se sentait bien, plus détendu qu'il ne l'avait été depuis longtemps.

Jan avait elle aussi prit un digestif, une liqueur d'orange glacée, qu'elle buvait à petites gorgées sans vraiment y prêter attention. Sans être vraiment saoule, elle n'était plus très lucide. Elle s'était déchaussée, avait replié ses jambes sous elle, si bien que sa jupe retroussée révélait le haut de ses bas.

Cette vision troublait Duncan, suffisamment pour

qu'il se demande ce qu'avait vécu sa femme depuis qu'il l'avait quittée. Jan n'était pas du genre à mettre des sous-vêtements sexy, mais apparemment cela aussi avait changé.

Il fixait ses cuisses, bien plus minces qu'avant, et il se rendit compte qu'elle le dévisageait.

— Je vois tes bas, déclara-t-il.

— Et alors ? Il n'y a rien là-dessous que tu ne connaisses déjà par cœur.

Duncan prit une gorgée d'armagnac et soupira :

— Je n'en sais rien, Jan. Tu es différente, tu n'es plus la femme que j'ai connue.

— Oh non, je suis la même. Je te réserve très peu de surprises, tu sais.

Elle rejeta la tête en arrière, étendit ses jambes pour poser ses pieds sur la table.

— Bon sang, Jan, tu me manques ! avoua-t-il. Tu me manques vraiment !

Jan sentit sa vision se brouiller. Tout à coup, elle se sentait épuisée.

— Je vais me coucher, annonça-t-elle.

Elle se leva, tituba légèrement, et mit les bras autour de ses épaules dans un geste frileux.

— Je peux rester ? demanda Duncan dans un murmure.

Jan ne répondit pas et se dirigea vers l'escalier. Curieux comme il était aisé de retomber dans les vieilles habitudes. Quand ils vivaient ensemble, elle montait toujours se coucher la première. Duncan passait dans les différentes pièces pour éteindre les lumières, puis il la rejoignait un peu plus tard.

— À tout de suite, murmura-t-elle.

Souriant, il but une gorgée d'armagnac en la regardant s'éloigner. Une fois seul, il embrassa le salon du regard, retrouva l'ordre et la netteté qu'affectionnait Jan. Oh, il la connaissait, bien mieux qu'elle ne le croyait ! Il l'avait toujours comprise.

Par curiosité, il se leva, s'approcha du secrétaire, une

antiquité, et ouvrit le petit tiroir secret dissimulé sous un pan d'acajou.

Le dossier Tonsbry était là, dans la chemise marron.

Duncan s'en saisit, referma le tiroir. Sur le canapé, il ramassa sa veste, trouva ses clés de voiture, remit ses chaussures. Jan l'avait sans doute oublié, ce fichu dossier, et elle ne remarquerait même pas qu'il s'était envolé. Elle avait juste voulu marquer le coup, le contrarier, et maintenant que c'était fait, elle n'en avait plus besoin.

C'est du moins ce qu'il se dit pour justifier son geste.

Il sortit, alla glisser le dossier dans la boîte à gants de la voiture, puis retourna dans la maison. Après avoir éteint les lumières, il abandonna son verre vide sur l'évier de la cuisine. Puis, se souvenant de Carol-Anne, il passa dans le bureau pour laisser un bref message sur leur répondeur. «Je dors à l'hôtel, la réception s'est éternisée, il est trop tard pour rentrer…»

Puis il débrancha le téléphone.

Tandis qu'il montait l'escalier, un mélange de fatigue et d'excitation l'envahit. Faire l'amour à Carol-Anne ressemblait à un parcours athlétique.

Parvenu dans la chambre, il se déshabilla dans le noir. Pour une fois, il n'était pas obligé de rentrer le ventre, ni de parader. Il était à l'aise, naturel. Sans même se laver les dents, il se glissa dans le lit et se tourna vers Jan.

Elle était déjà à moitié endormie. L'espace d'un instant, elle ouvrit les yeux, puis elle passa ses bras autour de lui. Il la sentit se détendre et retrouva avec plaisir sa chaleur si familière.

Ils firent l'amour et, quelques minutes plus tard, roulèrent chacun de leur côté aux extrémités du lit, avant de sombrer dans un profond sommeil.

23

Jan s'éveilla avec la migraine. La douleur commençait à la base du crâne et remontait jusqu'au sommet en passant par les tempes. Elle ouvrit les yeux, sentit le mal empirer et les referma aussitôt. Puis elle se souvint de Duncan.

Roulant sur le côté, elle tendit le bras pour le toucher et fut presque surprise de le trouver encore là. Elle caressa la chair tiède de sa cuisse, l'entendit grogner dans son sommeil. Elle se tourna et s'assit sur le matelas, porta les mains à sa tête douloureuse, gémit.

D'une démarche vacillante, elle se traîna dans la salle de bains, s'assit sur le rebord de la baignoire. Elle ouvrit le robinet d'eau froide et, après avoir imprégné un gant de toilette, le plaqua contre son front. Un moment, elle demeura immobile, attendant que le froid apaise sa souffrance. Elle avait besoin de nager et d'une bonne séance de sauna pour évacuer tout cet alcool accumulé en elle.

Sur le porte-serviettes chauffant, elle prit son survêtement gris, l'enfila, puis se lava les dents avant de regagner la chambre.

Duncan était réveillé.

— Où vas-tu? marmonna-t-il.

Jan se pencha pour ramasser ses sous-vêtements sur le sol. Elle les plia et les déposa sur la chaise.

— Je vais à mon club de gym.

— Tu t'es inscrite dans un club?

Il se redressa, tapa l'oreiller avant de se carrer confortablement dessus.

— Oui, depuis quelques mois, répondit-elle.

— Tu y vas tout de suite?

— Oui, répéta-t-elle en ôtant les chaussettes de Duncan du dessus-de-lit.

Ce désordre l'agaçait. Ordonnée de nature, elle aimait que sa chambre soit parfaitement nette. S'avançant vers la fenêtre, elle releva le store et l'ouvrit, laissant entrer une bouffée d'air frais.

— Eh, on gèle! protesta Duncan en remontant la couette sur son menton. Si tu veux que je parte, dis-le-moi carrément.

Jan se retourna. Elle avait pris ses petites habitudes depuis six mois.

— Bien sûr que non! répliqua-t-elle. Désolée, je vais fermer la fenêtre.

Elle s'exécuta, avant de demander:

— Tu ne vois pas d'inconvénient à ce que je parte?

— Non, pas du tout. Mais dis-moi, tu ne pourrais pas me faire une tasse de thé avant de partir?

Dehors, il gelait presque, mais Jan n'en avait cure. L'air glacé la revigorait et soignait sa migraine. Quelqu'un lui avait dit un jour qu'on n'avait jamais la gueule de bois en vacances de neige. C'était sans doute vrai. Si les choses tournaient bien entre elle et Duncan, ils pourraient peut-être vendre la société et aller skier. Peut-être.

Elle resserra les pans de sa veste autour d'elle, fit tinter ses clés de voiture dans sa poche. Comme elle s'approchait du véhicule, elle se rendit compte qu'une autre voiture était garée juste devant l'entrée et bloquait la sienne. Ravalant un juron, elle s'avança. Le pare-brise était recouvert de givre, mais il y avait quelqu'un à l'intérieur.

Doucement, elle cogna contre la vitre.

— Bonjour, pouvez-vous déplacer votre voiture, je...

La personne installée dans l'habitacle releva la tête.

— Stefan! s'exclama-t-elle.

Il avait les yeux rougis et semblait avoir très froid. Il s'était emmitouflé dans une couverture en peau de mouton retournée, mais cela n'avait apparemment pas suffi pour le réchauffer.

— Jan, je suis si content de te voir! Je suis venu ici après le boulot, j'ai sonné, mais personne n'a répondu. J'ai dû m'endormir...

Jan jeta un coup d'œil dans la voiture. Elle était pleine de cartons de verres, d'assiettes et de bouteilles vides. Elle recula d'un pas, sans trop savoir que faire, puis aperçut une petite pancarte apposée sur la vitre, sur laquelle était écrit : KATE DOWIE — TRAITEUR SURFIN.

— Tu travaillais ? s'étonna-t-elle.

— Oui, à la soirée des Kennings, hier soir. Quand tu m'as vu avec cette femme, j'étais en train de prendre une commande, et...

Jan retint son souffle en mesurant l'étendue de sa méprise, et une subite envie de pleurer la submergea.

— Mon Dieu... Tu as changé de métier ? bredouilla-t-elle.

Comme Stefan ouvrait la portière, elle tourna les talons et s'enfuit. Il voulut se lancer à sa poursuite, mais ses jambes engourdies par le froid se dérobèrent sous lui et il glissa. À quatre pattes sur le trottoir, il la rappela :

— Jan, attends ! Reviens ! Jan !

Abandonnant sa voiture, elle courut le long de la route et héla un taxi qui passait. Quand Stefan réussit à se mettre debout, il n'y avait plus personne.

— Jan ! cria-t-il désespérément sur la rue déserte.

Et il retourna dans sa voiture.

Harry sauta hors de la Jeep et alla chercher son sac dans le coffre. Ses hommes étaient en exercice, et lui était revenu au mess, fatigué et tremblant de froid. Brecon Beacons était peut-être une destination prisée par certains touristes mais, pour le régiment, elle était synonyme de fatigue et d'inconfort.

En pénétrant dans le mess, il prit son courrier et ses messages, avant de regagner sa chambre. Il mourait d'envie de prendre une longue douche brûlante, et de dévorer des œufs au bacon avant de dormir tout son saoul.

Malheureusement, quand il ouvrit la porte de sa

chambre, il comprit que son programme allait être sérieusement chamboulé.

— Sasha !

— Bonjour, Harry.

Il laissa tomber son sac par terre et fit remarquer :

— Ça devient une habitude, chez toi.

Sasha quitta le fauteuil dans lequel elle s'était installée.

— Pas vraiment. La dernière fois, je n'avais pas grand-chose sur le dos, si tu t'en souviens bien.

— Comment pourrais-je oublier ? répliqua-t-il en ôtant son treillis pour le laisser en tas sur le sol.

Voyant Sasha s'approcher, il la prévint :

— Si j'étais toi, je ne ferais pas un pas de plus ! J'empeste littéralement.

— Cela fait une éternité qu'on ne s'est pas vus. Je ne t'ai pas manqué ?

Il la regarda. C'était une blonde à la peau de porcelaine, aux joues roses, et aux courbes généreuses. Elle sentait divinement bon la vanille, un parfum dont il gardait toujours l'empreinte et qui se rappelait à lui dans les moments les plus étranges. Elle lui sourit, et il lui rendit son sourire. Sasha était tellement féminine ! En sa compagnie, il se sentait viril, fort, maître de la situation.

— Bien sûr que tu m'as manqué, admit-il avec une sincérité qui le surprit lui-même. Écoute, je vais me doucher et me changer, puis appeler Kate pour voir si elle a pris une décision. Ensuite nous irons déjeuner au mess. Ça te va ?

Sasha était entièrement d'accord, excepté pour la partie qui concernait Kate. Toutefois, elle n'allait pas le lui dire. Elle en était désormais à la phase finale de son plan.

— Comment va Kate ? demanda-t-elle. Vous avez fixé une date ?

— Une date ? répéta-t-il, à genoux, en train de fourrager dans son sac.

— Oui, pour le mariage.

— Mon Dieu, non ! Ils sont bien trop occupés, là-bas.

En fait, le colonel m'a posé la même question l'autre jour, durant les manœuvres. Je lui ai expliqué que nous n'avions pas eu le loisir d'en discuter, à cause de cette fichue bicoque.

Il saisit son téléphone, ainsi qu'une serviette de toilette, et ajouta :

— Je vais me laver, j'appellerai Kate de la salle de bains.

Il ôta rapidement ses sous-vêtements, les abandonna par terre, et Sasha remarqua avec amusement qu'il n'était pas aussi indifférent qu'il le prétendait à sa présence.

— Tu veux que je vienne te frotter le dos ? ronronna-t-elle.

Harry se mit à rire. Sasha le divertissait toujours. Un instant, il songea à Kate, à leurs derniers rapports plutôt sinistres. Il fut tenté d'accepter la proposition de Sasha. Un homme avait besoin de se sentir désiré…

Pourtant sa conscience l'emporta.

— Merci, Sasha, mais je crois que nous devrions arrêter, maintenant.

— Vraiment ?

— Oui. Ne me tente pas.

Il enroula sa serviette autour de ses reins, ramassa sa trousse de toilette, puis rejoignit la salle de bains.

Finalement, il opta pour un bain. Il était fatigué et avait envie de barboter un long moment. De plus, il pourrait appeler Kate tout en se prélassant dans l'eau chaude et parfumée.

Une fois installé dans la baignoire remplie, il téléphona à Kate. Ce fut Mme Able qui répondit.

— Bonjour, madame Able, c'est Harry. Harry Drummond, le fiancé de Kate, vous vous souvenez de moi ? Est-ce que Kate est dans le coin, s'il vous plaît ?

La gouvernante le pria de patienter un instant, ce qu'il fit, yeux fermés. Il n'entendit pas la porte s'ouvrir doucement, ni Sasha pénétrer dans la pièce sur la pointe des pieds. Au moment où Kate prenait la communication et qu'il ouvrait la bouche pour la saluer, des lèvres douces et veloutées se refermèrent sur lui.

— Ô mon Dieu !

— Harry ? fit la voix de Kate à son oreille.

Il ouvrit les yeux, vit Sasha penchée au-dessus de lui.

— Oui, Kate, réussit-il à articuler.

— Harry, que se passe-t-il ? Tu es encore en manœuvres ?

— Oui..., siffla-t-il entre ses dents serrées.

Kate poussa un soupir irrité.

— Écoute, Harry, la communication est mauvaise. Je vais raccrocher.

Kate se trouvait dans la cuisine, elle voyait par la fenêtre Alice et Eddy qui marchaient vers la maison, côte à côte. Ce spectacle, pour une obscure raison, renforça sa mauvaise humeur.

— Rappelle-moi plus tard, d'accord ? dit-elle.

Un bruit étouffé lui parvint en guise de réponse.

— Au revoir, Harry.

Harry s'enfonça dans la baignoire. Sasha, nue, s'agenouilla à califourchon sur lui, et il perçut l'odeur de vanille qui se mêlait à la vapeur du bain. Il ferma les yeux. Kate s'évanouit de son esprit, tandis que le plaisir montait en lui.

Duncan se servit un verre de jus d'orange, trancha quelques tartines de pain et fit du café frais. Puis, il s'attabla et prit son temps pour déjeuner. Jan se faisait livrer le journal du samedi, aussi consulta-t-il la partie financière, avant de glisser le magazine dans sa poche de manteau pour le lire plus tard. De toute façon, Jan ne lisait jamais le supplément couleur.

Une fois douché et habillé, il griffonna un petit mot à Jan dans lequel il lui disait qu'il devait partir, mais qu'il la verrait lundi. Enfin, après avoir donné un bref coup de fil à Carol-Anne, il quitta la maison.

Dans sa voiture, il mit le contact et tourna le chauffage à fond. Puis il composa un numéro sur son portable :

— Je voudrais parler à Me Rickman, s'il vous plaît. Oui, je patiente... Bonjour, Paul, c'est Duncan Lawd. Bien, merci, et vous ? Bon, j'ai récupéré le dossier Tonsbry, et il faut faire avancer les choses maintenant. Je suis sur le point de me rendre au cabinet, pouvez-vous me retrouver là-bas ? Oui, je sais bien que nous sommes samedi, mais comme vous allez sans doute me facturer des honoraires doubles, peu importe. Je veux conclure, Paul, et aujourd'hui même. Je ne peux plus me permettre de tergiverser !

Tout en écoutant la réponse de son avocat, Duncan baissa le chauffage dans l'habitacle.

— Parfait, à 11 heures, alors, confirma-t-il.

Et, sans un regard vers la maison, il démarra.

Kate était surprise de constater qu'il fallait bien peu de personnel pour réaliser une émission télévisée. Elle avait toujours cru qu'il y avait foule sur les plateaux : des maquilleuses, des ingénieurs du son, des scriptes, des réalisateurs, des producteurs... En réalité, l'équipe de *Food and Drink* qui était arrivée vers midi ce samedi tenait dans un minibus. Ils étaient trois, et n'avaient apporté qu'une caméra, quelques spots, ainsi que du matériel pour le son.

Kate se sentait très nerveuse.

— C'est tout ce que vous avez ? s'étonna-t-elle en les guidant vers la salle à manger afin qu'ils puissent voir le théâtre des opérations.

— Nous tournons un sujet de trois minutes, ma chère, pas *Ben Hur*, rétorqua le producteur.

Il y avait des cartons un peu partout dans le hall, des bouteilles prêtes à partir, d'autres qui revenaient en consigne, d'autres encore qui attendaient d'être étiquetées...

— Désolée pour le désordre, s'excusa-t-elle. Je suppose qu'il en va toujours de même dans les entreprises familiales...

Ils l'écoutaient à peine. Sentant son assurance faiblir, Kate ouvrit la porte de la salle.

— Voilà, c'est ici que nous... Oh, Alice ! Je ne savais pas que vous étiez là.

Alice s'avança vers le producteur.

— Vous êtes Mike Sawyer, c'est cela ? Nous nous sommes déjà rencontrés, mais c'était il y a si longtemps ! Vous ne devez pas vous en souvenir. Je suis Alice White. J'assurais la promotion de Virtual Vodka à l'époque, et vous avez tourné un petit reportage dessus. C'était vraiment un bon sujet, vous aviez filmé notre vodka dans des bars, dans trois régions différentes du pays, afin de présenter les consommateurs.

Le producteur morose se fendit aussitôt d'un sourire.

— Oui, je m'en souviens ! Un très bon sujet, opina-t-il. Je ne me rappelle pas vous avoir croisée, mais je me rappelle très bien Virtual Vodka !

— C'est donc que j'ai bien fait mon boulot ! conclut Alice avec humour.

Elle traversa la salle pour aller chercher une bouteille de Tonsbry Original.

— Avez-vous goûté ce gin ? Il est fabuleux !

— Vous savez, je ne bois pas beaucoup...

Sans l'écouter, elle leur servit un verre à tous.

— Tenez, dit-elle en distribuant les verres. Il peut très bien se boire pur.

Alice huma l'odeur du gin, et tous les membres de l'équipe l'imitèrent. Kate était complètement déstabilisée. Alice avait pris le contrôle de la situation.

— Alors ? il est bon, n'est-ce pas ? fit cette dernière.

Elle termina son verre, puis alla chercher d'autres bouteilles qu'elle offrit au cameraman et à l'ingénieur du son.

— C'est pour vous, cadeau de la maison, dit-elle. C'est mieux que l'artisanat local habituel, non ?

Tous se mirent à rire, tandis qu'Alice servait une autre tournée générale. À cet instant, la porte s'ouvrit.

— Ah, Eddy ! s'exclama Alice. Messieurs, je vous présente Eddy Gallagher, l'un des piliers de notre entreprise. Avec Kate Dowie, bien entendu, ajouta-t-elle après une courte pause.

Eddy regarda Kate, puis Alice. Que diable se passait-il ici ?

Souriante, Alice s'approcha de lui pour lui poser la main sur le bras dans un geste affectueux.

— Non seulement Eddy gère le domaine, mais il fait partie intégrante de la société. N'est-ce pas, Kate ?

Furieuse, Kate se borna à hocher vaguement la tête. Tout à coup, elle se sentait au bord de la nausée. Elle se tourna vers l'équipe de tournage :

— Désirez-vous visiter la distillerie afin de préparer les prises de vue ? proposa-t-elle.

— Quelle bonne idée ! s'écria Alice. Vous allez accompagner ces messieurs, n'est-ce pas, Kate ?

— Je pense qu'il vaut mieux que je les accompagne, intervint Eddy.

— Oh, Kate est parfaitement capable de se débrouiller seule. C'est plus facile ainsi, n'est-ce pas, Mike ?

Le producteur, qui en était à son troisième verre de gin, acquiesça en souriant. Kate eut envie de hurler, mais elle se contenta de répliquer :

— Très bien, j'y vais.

Elle se dirigea vers la porte puis, jetant un coup d'œil par-dessus son épaule, désigna la bouteille que le producteur tenait à la main.

— Vous souhaitez peut-être l'emporter avec vous ?

Gêné, celui-ci s'empressa de reposer la bouteille.

— Bon, à tout à l'heure ! lança Kate avant de disparaître dans le hall.

Eddy n'eut pas le temps de la retenir. L'équipe de tournage emboîta docilement le pas à la jeune femme, et il se retrouva seul avec Alice.

Il lui fit face, une expression menaçante sur les traits.

— Peux-tu m'expliquer à quoi tu joues, Alice ? Tu flirtes ouvertement avec moi, je n'aime pas ça. Pas du tout !

Alice poussa un soupir et alla s'asseoir sur un coin de la table.

— Eddy, réponds-moi, es-tu toujours amoureux de Kate?

Il sursauta.

— Amoureux d'elle? Qu'est-ce que tu me racontes? Elle est fiancée et va épouser ce crétin de Drummond!

— Tu n'as pas répondu à ma question. Est-ce que tu l'aimes encore?

Eddy baissa les yeux sur le plancher et croisa nerveusement les doigts. Quand enfin il releva la tête, il avait l'air si bouleversé qu'un instant, Alice regretta de s'être montrée si brutale.

— Oui, j'aime toujours Kate, avoua-t-il. Je n'ai jamais cessé de l'aimer, et je crois que je l'aimerai toute ma vie.

— Voilà, c'est tout, dit Alice.

— Voilà quoi?

— Tu dois me faire confiance.

— Te faire confiance? Alice, la dernière fois que je me suis fié à toi, tu m'as menti et tu as brisé tous mes espoirs. Pourquoi diable devrais-je te faire confiance?

— C'est une excellente question, murmura Alice, énigmatique.

— Mais enfin, qu'est-ce qui te prend?

Dents serrées, elle garda le silence. Il s'approcha d'un pas.

— Tu vas me le dire, ou faut-il que je t'arrache les mots de la bouche?

— Écoute, je ne veux pas passer le reste de ma vie à éprouver des regrets. C'est tout ce que tu sauras, d'accord?

— Non, pas d'accord! Alice, je t'ai déjà mise en garde une fois, et je n'ai pas changé d'avis depuis. Tu me comprends bien?

Alice sentit son souffle sur sa peau. Elle recula légèrement, mais hocha finalement la tête.

— Parfait! conclut Eddy, avant de quitter la pièce d'un pas décidé.

24

On était lundi, le sujet sur le gin était passé dans l'émission *Food and Drink* la veille et, dans la salle à manger de Tonsbry, toutes les lignes téléphoniques sonnaient sans discontinuer.

Tout était arrivé si vite qu'on n'avait pas eu le temps d'obtenir des bons de commande, ni de créer des formulaires types sur l'ordinateur. Dès qu'un appel survenait, Kate et Eddy griffonnaient à la hâte la commande sur une feuille volante qui atterrissait dans une boîte. Dans le bureau, Alice les recopiait lisiblement et s'occupait des relations avec les journalistes. Mme Able classait les commandes par catégories, tandis que Tommy Vince et John Able étiquetaient les bouteilles aussi vite que l'antique machine le leur permettait. Du jour au lendemain, le Tonsbry Original était devenu célèbre, et ils avaient du mal ??? ce succès.

— Kate, j'ai trois propositions des médias, lança Alice en pénétrant dans la salle à manger. *Country Life* veut faire un article sur les domaines agricoles et les industries artisanales ; *BBC Good Food* veut faire un sujet sur la fabrication du gin ; et le *Telegraph* souhaite vous interviewer pour l'émission « Les femmes au travail », diffusée le samedi.

Kate n'eut pas le temps de répondre : l'un des téléphones venait de sonner.

— Un instant, Alice, dit-elle en décrochant.

Alice soupira :

— Mais quand donc arrive la cavalerie ?

Les autres étaient bien trop occupés pour lui répondre. Eddy termina sa conversation téléphonique avant de déclarer :

— Tu as demandé du renfort, Alice ?

— Sans blague ? J'ai tout un tas de journalistes qui font la queue pour parler à Kate, mais elle n'a pas le temps. Elle est enchaînée à son téléphone, alors que les concurrents tueraient père et mère pour décrocher ce genre de publicité !

— Nous faisons de notre mieux, rétorqua Eddy un peu sèchement. Tu préfères t'occuper des appels à notre place ?

— Non, touché, reconnut Alice. Mais c'est si frustrant !

— Je sais. Écoute, il paraît que Harry doit débarquer dans la matinée. D'après Kate, il était en manœuvres jusqu'à dimanche, et il a pris quelques jours de congé pour venir nous donner un coup de main. Je ne sais pas ce qu'on peut lui confier, mais...

— Super ! La cavalerie débarque, mais personne ne sait quand ni comment ! Bon, je retourne rédiger mes bons de commande... En tout cas, préviens-moi dès que Harry sera là. Plus tôt Kate parlera aux journalistes...

— Oui, d'accord ! coupa Eddy avec une grimace. Désolé, je suis pressé.

Il sortit à la hâte, et Alice, sachant qu'elle avait mieux à faire que de traîner dans la pièce, réintégra le bureau.

Jan appela Molly de son bureau :

— Duncan est-il arrivé ?

— Pas encore.

La communication fut coupée instantanément. Molly se leva. C'était la troisième fois ce matin que Jan posait cette question, et il n'était pas encore 10 heures. Elle alla frapper à la porte du bureau.

— Oui ?

— Jan, puis-je vous parler un instant ?

— Bien sûr, entrez, Molly.

Molly s'exécuta, mais demeura le dos contre la porte fermée. Elle ne savait pas trop par où commencer, elle ne comprenait pas ce qui se passait, mais quelque chose clochait, elle en était sûre.

— Jan, je...

— Quoi ? Vous n'allez pas démissionner, au moins ?

— Oh non, pas du tout !

— Ouf !

— Jan, Duncan ne viendra pas ce matin, il ne passera que tard ce soir. C'est du moins ce que dit sa secrétaire, l'étudiante.

— Suzanne ?

— Oui. Apparemment, il est resté au bureau tout le week-end pour bosser sur un dossier très important, et il voit les avocats aujourd'hui.

— C'est Suzanne qui vous a dit tout ça ? s'enquit Jan en se mordant la lèvre.

— Oui, elle est restée ici samedi après-midi pour taper des documents.

— Quels documents ?

— Je n'en sais rien, elle n'a pas voulu me le dire.

Jan sentit soudain la panique l'envahir. Elle se tourna vers son ordinateur.

— Quels que soient ces documents, ils doivent être sur le réseau maintenant, raisonna-t-elle. Nous n'avons qu'à jeter un coup d'œil.

— J'ai déjà essayé, confessa Molly.

— Et alors ?

— Rien. Aucun fichier n'a été sauvegardé. Apparemment, le système a fonctionné tout le week-end, mais rien n'a été stocké sur les disques.

— Qu'est-ce que cela signifie ? grommela Jan en tambourinant des doigts sur le bureau.

— En tout cas, ça a l'air top secret. Suzanne ne veut pas piper mot, alors que c'est une bavarde de première.

— Oui, je sais !

Jan alluma une cigarette. Sa décision de modérer sa consommation de tabac, dans l'optique de cesser totalement de fumer plus tard, avait duré trois heures.

— Qu'en pensez-vous, Molly ?

— Je pense que cela a quelque chose à voir avec le dossier Tonsbry, répondit Molly. Je crois que…

La sonnerie du téléphone la réduisit au silence. Jan décrocha.

— Bonjour, Jan Ingram.

C'était Stefan. Jan le salua sèchement.

— Que veux-tu ?

— Jan, je suis à la réception, au rez-de-chaussée. Je veux te voir un instant.

— Désolée, ce n'est pas le moment.

— Je t'en prie, c'est à propos de Duncan !

— Duncan ?

— Oui, c'est très important. Puis-je monter ?

Jan écrasa sa cigarette dans le cendrier.

— Non, reste où tu es, j'arrive, décida-t-elle. J'en profiterai pour prendre un café. De quoi veux-tu me parler, Stefan ?

— Je te le dirai tout à l'heure.

Jan se leva.

— Molly, les choses prennent un tour vraiment bizarre, soupira-t-elle. Je dois m'absenter. Je reviens d'ici... une demi-heure, conclut-elle après avoir jeté un coup d'œil à sa montre.

— Bien.

— Si Duncan téléphone, priez-le de rappeler vers 11 heures, voulez-vous ?

Molly hocha la tête. *Si* Duncan téléphone ! songea-t-elle. Mais elle prit soin de garder sa réflexion pour elle.

Stefan l'attendait près de l'ascenseur.

— Merci d'avoir accepté de me parler, Jan.

— Allons boire un café, d'accord ?

— Parfait.

Ils sortirent de l'immeuble, longèrent la rue jusqu'au bar qui occupait l'angle. Jan le précéda à l'intérieur et ils s'installèrent à une table isolée.

Stefan alla droit au but :

— Écoute, Jan, je voulais te parler depuis longtemps, mais tu ne m'en as jamais laissé l'occasion. Et puis, j'ai fini par hésiter. Ce que je vais te dire ressemble fort à une accusation, et c'est peut-être complètement faux, mais ce sera à toi de décider.

Il attendit qu'elle allume sa cigarette pour enchaîner :

— Quand j'ai consulté la comptabilité de la Letchworth Housing Association, j'ai découvert que chaque vente négociée par Ingram Lawd était, primo, bien en dessous des prix du marché, secundo, l'occasion de verser des honoraires royaux à Rickman Levy. J'en ai tiré la conclusion suivante : quelqu'un, peut-être le vendeur, prend une ristourne chaque fois qu'il propose à la vente des biens immobiliers sous-estimés. Bien sûr, ce n'est que mon avis personnel. Il n'y a pas de preuve flagrante de...

— À combien se montent ces honoraires ? coupa Jan.

— Sur les deux dernières années, il y aurait eu, selon mon estimation, environ un quart de million de livres de dessous-de-table.

Jan porta la main à sa bouche, incapable d'articuler le moindre mot.

Stefan avança la main pour lui toucher le bras, mais elle se recula vivement.

— Jan, comme je te l'ai dit, il n'y a pas de preuves concrètes. Je me fais peut-être des idées...

Elle se leva, prenant appui sur la table. Sa vision se brouillait. Puis, laissant tomber sa cigarette dans le cendrier, elle se dirigea vers la sortie d'une démarche chancelante.

Stefan se leva d'un bond pour la rattraper.

— Jan, arrête ! Tu es choquée, je...

— Non, je vais très bien, répliqua-t-elle.

— Jan...

— Je t'assure, ça va, Stefan. Mais j'ai à faire. Pourrais-tu... m'appeler un taxi, s'il te plaît ?

Stefan ne mit qu'une minute à trouver un taxi.

— Où veux-tu aller ? demanda-t-il à Jan tout en lui ouvrant la portière.

— Chez moi.

— Ashmore House, sur Redview Road, à Putney, indiqua-t-il au chauffeur.

Comme il faisait mine de grimper à côté d'elle, elle le repoussa de la main.

— Non, je veux être seule.

Stefan hésita, puis finit par refermer la portière. Resté seul sur le trottoir, il regarda le taxi s'éloigner et Jan, le visage fermé, qui fixait la rue sans la voir.

Parvenue devant chez elle, Jan paya la course et fonça dans la maison. Elle alla droit au petit secrétaire où elle avait rangé le dossier Tonsbry, ouvrit le tiroir secret… vide. Le dossier avait disparu. Elle décrocha le téléphone, composa le numéro du portable de Stefan.

Pourvu qu'il réponde ! pria-t-elle.

La sonnerie retentit plusieurs fois, et elle attendit.

Duncan Lawd entra dans les locaux de Rickman Levy et aperçut Adriana en conversation avec son avocat. Pour la première fois depuis qu'ils se connaissaient, elle le salua de l'un de ses rares sourires désarmants. C'était une femme d'une beauté exceptionnelle, et Duncan fut troublé par son sourire.

— Êtes-vous prête, madame de Grand Blès ?

— Mais oui, répondit-elle en acceptant le bras qu'il lui offrait.

— Alors, concluons cette affaire !

— Oui, allons-y ! approuva-t-elle.

Comme promis, Harry arriva à Tonsbry. À peine en eut-il franchi le seuil qu'il se retrouva, contre son gré, devant un tas de formulaires et de bons de commande, pendant qu'Eddy et Kate s'occupaient de répondre au téléphone. Au moins, le chaos général commençait à s'organiser. Ils étaient inondés de commandes, et une noria de caisses de bouteilles s'effectuait entre les camionnettes de livraison et la salle à manger.

Ça y est, nous avons réussi ! jubilait Eddy.

Il nota une commande sur un bout de papier, avant de répondre à un autre appel. Oui, en dépit de tout, ils avaient atteint leur but !

Stefan sauta hors du taxi, glissa dix livres dans la main du chauffeur et lui dit de garder la monnaie. Il se mit à courir le long des voitures qui attendaient dans l'embouteillage, et parvint devant le cabinet Rickman Levy au moment même où un taxi noir démarrait. Ouvrant la porte, il fit irruption à la réception et demanda :

— Y a-t-il un M. Duncan Lawd ici ?

— Désolée, il vient juste de partir, lui apprit la réceptionniste.

— Il est parti ?

— Oui, en taxi...

Stefan fit volte-face et rebroussa chemin en courant.

Il y avait bien un taxi, mais à l'intérieur se trouvait un couple étrange, une femme d'une beauté surprenante, vêtue avec recherche, ainsi qu'un homme d'âge moyen.

La nuit allait bientôt tomber, et Alice n'avait pas eu un moment à elle. Elle avait finalement réussi à mettre en contact Kate et les différents journalistes qui la réclamaient ; elle avait rédigé des centaines de commandes, fait du thé, du café, préparé des sandwichs, répondu au téléphone... Et pourtant, durant tout ce temps, elle n'avait cessé de se demander comment elle pouvait influencer le cours des choses.

Assise dans la salle à manger où les appels commençaient à s'espacer, elle écoutait Kate qui était en train d'enregistrer l'annonce du répondeur. Trop fatiguée pour réfléchir encore, Alice laissa tomber sa tête entre ses mains. Elle entendit soudain un bip, jeta un coup d'œil autour d'elle, et constata que toutes les lignes étaient occupées.

— Il y a un portable ici ? demanda-t-elle.

Comme personne ne daignait relever la tête, elle cria :

— Quelqu'un a un portable ?

Harry, qui comptait les bons de commande à voix

haute — un tic qui rendait fous tous les autres —, s'interrompit soudain pour s'exclamer :

— Oh oui, c'est le mien ! Pourriez-vous être assez aimable pour répondre ? Sinon, je vais perdre mon job ! ajouta-t-il en désignant la pile de formulaires qui s'accumulaient devant lui.

Pourvu qu'il ne recommence pas son calcul depuis le début ! pria Alice en se levant.

— Où est-il ? demanda-t-elle.

— Dans mon sac, ou alors dans la poche de mon manteau.

Parvenue dans le hall, Alice fouilla le manteau sans rien trouver, puis elle ouvrit la fermeture Eclair du sac de voyage. Elle en retira le téléphone qui sonnait toujours.

— Allô ? fit-elle.

— Qui est-ce ? demanda une voix féminine après une seconde de silence.

— C'est Alice. Je réponds à la place de Harry qui est occupé pour le moment. Qui le demande ?

— Alice qui ? répliqua la voix, visiblement troublée.

— Alice White. Qui est à l'appareil ?

— Oh, peu importe ! Dites-lui simplement que Sasha a appelé.

— D'accord.

— Êtes-vous... une de ses amies ?

Alice hésita une seconde.

— Oui, acquiesça-t-elle. Pourquoi ?

— Oh, euh... pour rien. Attendez, je vais vous donner mes coordonnées.

La voix trahissait un émoi croissant. Sourcils froncés, Alice nota rapidement le nom de Sasha et son numéro de téléphone.

— Vous êtes sûre que vous ne voulez pas patienter ? reprit-elle. Harry va...

Elle ne put achever : la communication venait d'être coupée. Haussant les épaules, elle mit l'appareil en veille et le replaça dans le sac. Puis elle alla placer le papier sur la pile de formulaires posée devant Harry. Celui-ci y jeta un coup d'œil et rougit.

— Alice, attendez! Y a-t-il... un message?

Alice le considéra avec une attention soudaine. Harry était visiblement très nerveux, et rouge jusqu'aux oreilles. Tout à coup elle comprit.

— Non, pas de message, répondit-elle.

— Je vois.

Il sourit un peu rêveusement, replia soigneusement le papier qu'elle lui avait donné et le fourra dans sa poche de chemise.

— Alors... dit-il en reprenant ses bons de commande, cent six, cent sept, cent huit...

Alice s'éloigna. Mais la voix de Sasha résonnait toujours dans sa tête. Elle avait mémorisé son numéro de téléphone.

Duncan termina le courrier qu'il comptait envoyer à Tonsbry. Il ne leur donnait qu'un délai de douze heures, car il ne voulait pas de surprise de dernière minute. Il patienta jusqu'à 17 heures, puis appela un coursier qui arriva dans la demi-heure. Paul Rickman, son avocat, servit de témoin tandis qu'il signait l'avis de saisie du domaine de Tonsbry. Puis il le confia au coursier.

Jan ignorait tout de ce qu'il était en train de faire. De toute façon, il s'en fichait éperdument. Au point où il en était rendu, plus rien ne comptait que la conclusion de cette opération immobilière. Il allait empocher une énorme somme d'argent pour le mal qu'il s'était donné et l'habileté qu'il avait déployée. Ce dossier, devenu symbolique à ses yeux, était la preuve ultime de son intelligence et de sa supériorité.

— Et voilà! lança Kate en branchant le répondeur. Je crois qu'il est temps de boire un verre!

Elle souriait. Ses yeux étaient fatigués, ses traits tirés. Elle déboucha une bouteille et entreprit de servir tout le monde.

— Tommy, John, madame Able, Alice, Harry et... Ah

Eddy, te voilà! Tiens, nous allons porter un toast à notre succès.

Elle s'approcha d'Eddy qui se tenait sur le seuil de la pièce, et soudain elle se rendit compte qu'il arborait une mine lugubre.

— Eddy, que se passe-t-il?

— Il y a un coursier dehors qui veut te faire signer un accusé de réception. Il apporte des documents qu'il doit te remettre en main propre.

— Un coursier?

Kate posa le verre qu'elle tenait.

— Que personne ne bouge, nous porterons ce toast dès mon retour, annonça-t-elle avant de sortir.

Sur le pas de la porte, le coursier releva sa casquette à visière et lui tendit une épaisse enveloppe brune.

— Mademoiselle Kate Dowie?

— Oui, c'est moi.

— Pouvez-vous signer ici?

Kate saisit l'enveloppe et y jeta un coup d'œil.

— C'est d'Ingram Lawd, annonça-t-elle à Eddy qui l'avait suivie.

Avec un soupir, elle signa le reçu et le rendit au coursier.

— Vous ne voulez pas boire quelque chose de chaud avant de repartir pour Londres? lui proposa-t-elle.

— Non, merci, mam'zelle.

L'homme avait manifestement hâte de s'en aller. Il les salua et tourna les talons pour se fondre dans la nuit.

Kate ouvrit l'enveloppe et en sortit un premier document juridique. Elle parcourut quelques lignes, ferma les yeux.

— Ô mon Dieu! C'est l'avis de saisie de Tonsbry! Ils vont prendre possession du domaine! s'exclama-t-elle avec désespoir.

25

Jan était allongée sur le lit, dans son tailleur chiffonné. Elle ouvrit les yeux, réveillée par la sonnerie du téléphone et se redressa péniblement. Elle voulut se mettre debout, mais ses jambes se dérobèrent sous elle et elle tomba à genoux par terre. D'une main tremblante, elle décrocha le combiné juste au moment où la sonnerie se taisait. Elle s'effondra et, de nouveau, les ténèbres l'enveloppèrent.

Une ambiance de stupeur régnait à Tonsbry. Les verres pleins de gin étaient restés abandonnés sur la table, là où Kate les avait posés. Celle-ci était assise dans le fauteuil, et Eddy se tenait derrière elle pour lire les documents par-dessus son épaule.

Quand elle eut terminé, elle le regarda d'abord, puis se tourna vers l'assemblée.

— Il est écrit ici qu'à 9 heures demain matin, le domaine de Tonsbry House décrit ci-dessus, deviendra propriété d'Ingram Lawd Ltd. Je n'arrive pas à y croire ! Ont-ils vraiment le droit de faire ça, Eddy ? Nous avons fait appel, la procédure est sûrement stoppée pour le moment...

— Tout d'abord, il faut joindre David Lowther, et ensuite Stefan, pour voir s'il peut amadouer cette Jan Ingram. Bon sang, ces salopards ont fait livrer les documents à la tombée du jour, pour être sûrs que nous ne pourrons contacter personne !

Kate se leva.

— Je vais appeler David Lowther à son domicile. Mais si je n'arrive pas à le joindre, qu'allons-nous faire ?

— Chaque chose en son temps, conseilla Eddy en lui effleurant le bras. Occupe-toi de Lowther, moi je téléphone à Stefan. Madame Able, voulez-vous être assez gentille pour nous faire un café ?

Celle-ci acquiesça et, s'adressant aux autres, déclara :

— Nous ferions mieux de nous retrouver dans la cuisine et de laisser Kate et Eddy faire ce qu'ils ont à faire.

Il y eut un murmure d'assentiment général, et chacun se dirigea vers la porte, tandis que Kate sortait de son sac son carnet d'adresses.

Comme elle s'asseyait devant le téléphone, Eddy lui dit :

— Ne t'inquiète pas, Kate. Nous allons sûrement trouver une solution.

— Tu crois ?

Il ne répondit pas. À ce stade, il n'était plus sûr de rien.

Stefan raccrocha. Une fois de plus, il avait tenté de joindre Jan et avait échoué. Nerveux, il se mit à arpenter la pièce. Quand la sonnerie retentit, il se précipita pour répondre. Ayant écouté ce qu'Eddy avait à lui dire, il prit sa décision en une seconde, saisit sa veste et quitta l'appartement. Une minute plus tard, au volant de sa voiture, il fonçait en direction de Putney.

— Stefan va essayer de parlementer avec Jan Ingram, annonça Eddy. Je suis certain qu'elle voudra nous aider.

— Eh bien, on ne peut pas en dire autant de Lowther ! rétorqua Kate. Ce type a disparu ! Leo disait pourtant qu'il ne sortait de chez lui qu'une fois l'an, pour la messe de Noël !

— Il va rentrer, Kate. Il va forcément rentrer, murmura-t-il sans conviction.

Chez Jan, les rideaux étaient tirés au rez-de-chaussée ainsi qu'à l'étage. Stefan sonna à la porte mais n'obtint aucune réponse. La maison était silencieuse et plongée dans l'obscurité. Pourtant la voiture était garée dans l'allée. Il y avait une bouteille de lait sur le seuil, et le journal du matin était glissé dans la fente de la boîte aux lettres. Jan était là, Stefan en était convaincu.

Escaladant la barrière, il passa dans le jardin qui s'étendait sur l'arrière de la maison et constata que, de ce côté-là aussi, les rideaux étaient tirés. C'était bizarre, voire louche.

Levant les yeux sur la façade, il repéra une fenêtre ouverte, celle de la salle de bains. Il décida de tenter sa chance et entreprit d'escalader la gouttière. Ses tennis accrochèrent le crépi et il atteignit la terrasse qui longeait la salle à manger. Passant son bras par le carreau supérieur de la fenêtre de la salle de bains, il essaya d'atteindre la poignée, en vain. Il se hissa sur l'appui, jeta un coup d'œil à l'intérieur de la pièce. Son malaise se mua rapidement en panique. Par la porte ouverte, il apercevait la chambre plongée dans la pénombre, le lit, le téléphone posé sur la table de chevet et… les jambes de Jan !

— Jan ! Jan ! appela-t-il sans succès.

Il retourna sur la terrasse, chercha désespérément un objet à lancer contre le carreau. Rien. Alors il s'attaqua à l'extrémité rouillée de la gouttière, qu'il finit par arracher dans un craquement.

Brandissant le tube de métal, il le balança de toutes ses forces contre la vitre de la salle de bains qui vola en éclats.

Stefan lâcha la gouttière et, après un prompt rétablissement, se glissa dans la salle de bains, avant de se précipiter vers Jan.

Dans la maison d'à côté, la voisine téléphonait à la police.

— Jan !

Agenouillé auprès de la forme inerte, Stefan lui tâta le pouls. Il perçut un battement, quoique faible.

— Dieu soit loué ! soupira-t-il.

Il souleva la tête de Jan et la plaça sur un oreiller. Jan ouvrit brièvement les yeux, battit des paupières. Elle était consciente.

— Jan, que s'est-il passé ?

Elle referma les yeux. Regardant autour de lui, il aperçut alors un flacon de pilules vide sur la table de chevet. Il s'en saisit, sursauta en lisant l'étiquette. Affolé, il oublia le téléphone posé près du lit et se précipita au rez-de-chaussée pour téléphoner du salon.

Fébrile, il composa le numéro du SAMU.

— Qu'on m'envoie une ambulance, vite ! cria-t-il.

Un fracas soudain dans le vestibule le fit se retourner.

— Mais qu'est-ce que... Oui, oui, une overdose de médicament, certainement, répondit-il à l'opérateur qui l'interrogeait. C'est 3, Redview Road...

Il bondit d'un coup en sentant une main s'abattre pesamment sur son épaule.

— Tu es fait, ne bouge pas ! tonna une voix dans son dos.

Il était 3 heures du matin quand Eddy regagna Tonsbry. Il s'était rendu au cabinet de David Lowther, puis à son domicile, sans trouver trace de l'avocat.

Ayant garé sa Land-Rover devant la maison, il franchit le seuil de la porte restée ouverte et tomba sur John Able qui l'attendait.

— Mme Able a trouvé des lits pour tout le monde, lui apprit le domestique. Personne n'a voulu rentrer chez soi.

— Bien sûr...

— De bonnes nouvelles ?

Eddy secoua la tête.

— Je vais voir Kate, annonça-t-il. Stefan a peut-être appelé ? Merci, John.

Eddy pénétra dans la salle à manger et trouva Kate endormie, la tête posée sur ses bras, emmitouflée dans son manteau. Seul le bruit régulier et doux de sa respiration troublait le silence de la pièce. Il s'approcha et, doucement, lui caressa la tête, comme il le faisait souvent avec Flora.

Il s'éloignait quand la sonnerie du téléphone retentit. Kate s'éveilla dans un sursaut.

Jan s'était réveillée dans un lit des Urgences. Une infirmière prenait sa tension lorsque Stefan, qui avait été téléphoner à Kate d'une cabine, revint dans la chambre.

L'infirmière disait :

— À mon avis, vous ne devriez pas, madame Ingram. Je sais bien que le médecin a donné son accord, mais vous feriez mieux de rester en observation. La chambre est libre, de toute façon. Votre fils est sûrement d'accord avec moi, non ? ajouta-t-elle en cherchant l'assentiment de Stefan.

Jan frémit.

— Je ne suis pas son fils, je suis son petit ami, rétorqua Stefan. Mais oui, je suis d'accord avec vous.

Jan ignora la remarque. Dès que l'infirmière eut lâché son bras, elle repoussa les couvertures et se mit debout. Stefan s'avança aussitôt pour lui prêter assistance.

— Je peux y arriver toute seule, assura-t-elle.

— Vous avez signé la décharge ? s'enquit l'infirmière.

— Oui.

Jan rassemblait son sac, la trousse de toilette et la serviette que Stefan lui avait apportés.

— Pouvez-vous me dire où se trouve la salle de bains ?

L'infirmière secoua la tête d'un air réprobateur.

— Par ici, indiqua-t-elle. Venez. Et fermez votre blouse, elle est assez… décolletée dans le dos.

Dix minutes plus tard, Jan était prête. Elle avait une mine affreuse, le teint gris, d'horribles cernes sous les yeux et le visage gonflé, mais elle s'en fichait. Elle avait aussi l'impression que quelqu'un avait passé la nuit à la tabasser. Reconnaissante, elle accepta le bras que Stefan lui tendait pour rejoindre la voiture.

Elle se laissa tomber sur le siège du passager tandis que Stefan s'installait au volant. Avant de démarrer, il lui jeta un regard inquiet.

— Je ne crois pas que tu puisses encore changer quoi que ce soit à la situation de Tonsbry, Jan. Tu ferais mieux de…

— Non ! coupa-t-elle en lui faisant face, indifférente à son apparence. Tu as sans doute raison, mais je me sens responsable et je veux aller là-bas. On ne sait jamais, il y a peut-être une chance minuscule pour qu'il y ait eu une erreur, pour que la procédure n'ait pas été enclenchée... Quoi qu'il en soit, allons-y.

Stefan hocha la tête et passa la première.

— Il nous reste cinq heures avant que la saisie devienne effective, déclara-t-il. Tu es prête ?

— Oui.

— Alors, allons-y !

26

Il était 5 heures du matin quand Jan et Stefan atteignirent Tonsbry. Kate les accueillit dans le hall, et Jan sentit l'émotion la gagner en lisant l'espoir sur son visage.

— J'ignore si je puis encore intervenir, la prévint-elle tout de go. En fait, je ne le pense pas, mais bon, je me suis dit...

— Bien sûr, dit Kate dont les épaules se voûtèrent.

— Où sont les documents ?

— Dans le bureau. Venez, je vais vous montrer.

Ils traversèrent le hall et les talons de Jan cliquetèrent sur les dalles de pierre.

— Voilà, c'est ici, dit Kate en poussant une porte. Désirez-vous du café ?

— Oui, merci. C'est cette enveloppe ? demanda Jan en désignant l'objet posé sur un bloc de papier gribouillé de noms.

— Oui. Je vous la confie ?

— D'accord. Vous savez, Kate, je suis navrée de ce qui vous arrive.

— Moi aussi, répliqua Kate avant de refermer la porte derrière elle.

Eddy et Stefan étaient restés dans le hall. Ils regardèrent Kate approcher.

— Ça va ? lui demanda Eddy.

Elle haussa les épaules en guise de réponse.

— Bon, je vais rejoindre Jan, annonça Stefan en s'éloignant.

Kate le rappela :

— Stefan ? Que s'est-il passé ?

— Franchement, je n'en sais rien. Quoi qu'il en soit, Jan n'a rien à voir là-dedans. Elle ne voulait certainement pas en arriver là.

Sur ces paroles proférées d'un ton ferme, il disparut dans le bureau.

— De toute façon, ça ne fait pas une grande différence, commenta Kate.

Elle ne tenta pas de résister quand Eddy lui passa le bras autour des épaules, et il se mit à lui caresser les cheveux.

— Kate, tu n'as peut-être pas envie d'entendre ça mais, en dernier recours, as-tu pensé à appeler ta mère ?

Doucement, Kate se dégagea, un sourire triste flottant sur ses lèvres.

— Qu'est-ce qui te fait sourire ? s'étonna-t-il.

— J'ai déjà appelé maman. Quand tu es parti pour Chartwell, j'ai ravalé ma fierté et j'ai mendié son aide. J'ai réveillé Pierre, qui m'a dit qu'il allait parler à Adriana, qu'elle me rappellerait ensuite. Mais bien sûr, elle n'en a rien fait.

— Attends encore un peu.

— Non, ce n'est pas dans le style de ma mère. Bah, je ne lui en veux pas, elle pense agir dans mon intérêt.

— Tu ne veux pas faire une nouvelle tentative ?

Kate frissonna.

— Non, décréta-t-elle. Tout repose sur Jan, maintenant. Eddy, pourrais-tu rassembler tout le monde dans la cuisine, s'il te plaît ? Il faut que je les prévienne de ce qui se passe.

Une demi-heure plus tard, tenant entre ses mains tremblantes une énième tasse de café, Kate se retrouva face au petit groupe qui avait travaillé si dur pour elle.

— Je crains d'avoir de mauvaises nouvelles, annonça-t-elle. L'avis de saisie que nous avons reçu hier soir prendra effet ce matin à 9 heures. Au début, Eddy et moi avions l'espoir de faire appel, mais nous n'avons pas réussi à joindre David Lowther, notre avocat, et au fil des heures, nous avons compris que c'était sans espoir. Ce qui signifie… que nous allons devoir partir, quitter Tonsbry, sans doute dès aujourd'hui, et que la production de Tonsbry Original va certainement devoir cesser.

Un silence de plomb retomba dans la cuisine, tandis que Kate regardait les visages qui l'entouraient. Les larmes lui montèrent aux yeux, elle toussa et se mit à fixer un point sur le mur.

— Je suis vraiment très malheureuse, poursuivit-elle avec effort, non seulement parce que je vais perdre ma maison, mais aussi à cause de vous tous…

Comme la sonnette de la porte d'entrée se faisait entendre, elle se tourna vers Mme Able :

— Pourriez-vous aller ouvrir, s'il vous plaît ?

La gouvernante obtempéra avec empressement. Personne ne pipait mot dans la pièce, le silence paraissait s'appesantir de seconde en seconde. Puis un bruit de pas s'éleva dans le hall et dans le couloir. Mme Able entra, suivie d'une jeune femme blonde.

— Sasha ! s'exclama Harry avec stupéfaction.

— Sasha ? Qui est Sasha ? demanda Kate, sourcils froncés.

— Euh… une amie, bredouilla Harry.

Sasha corrigea aussitôt :

— Bien plus qu'une amie, Harry ! J'ai pensé à toi toute la nuit. J'avais déjà l'intention de venir, et quand cette Alice m'a téléphoné…

Elle s'interrompit, lança un regard dur à Kate. C'était la dernière partie de son plan : la confrontation. Elle avait tout organisé dans sa tête, mais au dernier moment, elle n'en avait pas eu le courage. Il avait fallu ce coup de fil d'Alice pour la convaincre finalement.

Kate se rembrunit davantage. Elle avait à peine conscience de la scène qui se déroulait sous ses yeux, et essayait seulement de retrouver le fil de ses pensées.

— Bon, reprit-elle, je suis désolée que vous ayez tous travaillé si dur pour rien, et...

Brusquement elle se tourna vers Sasha :

— Pardonnez-moi, mais... qui êtes-vous ?

— Sasha Tully. Je fréquente Harry depuis plusieurs années maintenant, et je...

— Vous fréquentez Harry ?

Kate secoua la tête tout en portant la main à son front. Cela n'avait aucun sens.

— Écoutez, je ne comprends pas. Que voulez-vous dire ?

— Harry Drummond et moi, nous sommes amants depuis des années.

— Sasha ! protesta Harry.

— Mais c'est vrai, Harry ! J'en ai assez de toutes ces cachotteries ! C'est la vérité, et tu dois l'admettre.

Un murmure parcourut l'assemblée, et Kate ferma les yeux. Bravement, Sasha poursuivit :

— C'est Alice qui m'a persuadée de venir. Il faut tirer les choses au clair, une bonne fois pour toutes.

— Alice ? répéta Kate, hébétée.

Le passé se répétait, s'avançait pour l'avaler. Elle s'appuya au rebord de la table.

— Mais à propos, où est Alice ? s'enquit Eddy.

Alice avait disparu. Tout à coup, Kate se mit à pleurer. Son visage se décomposa et elle le couvrit de ses mains. Eddy se précipita.

— Kate ?

Mais elle le repoussa et, tournant les talons, s'enfuit dans le couloir, le bruit de sa course résonnant contre les murs.

Eddy se tourna vers Harry.

— Est-ce que tout cela est vrai ? Tu vois cette fille depuis longtemps ?

Harry hocha la tête.

— Tu n'es pas amoureux de Kate, avoue-le ! fit Eddy d'un ton accusateur.

Harry ouvrit la bouche pour protester, puis il surprit le regard de Sasha posé sur lui. Elle était très pâle, ses lèvres tremblaient et, soudain, il se dit qu'il avait vraiment été stupide.

— Non, tu as raison, admit-il. Je ne suis pas amoureux de Kate.

Et il s'approcha de la femme qu'il aimait pour lui prendre la main.

Eddy n'attendit pas une seconde de plus. Il se lança à la poursuite de Kate, tout en jetant à ceux qui restaient dans la cuisine :

— Parce que moi, si ! Je l'aime !

Le silence envahit de nouveau la cuisine, jusqu'à ce que Mme Able décrète avec vigueur :

— Eh bien, c'est pas trop tôt !

Eddy finit par dénicher Kate seule sur la terrasse de pierre qui courait sur l'arrière de la maison. Cela faisait bien une heure qu'il la cherchait, quand il avait soudain eu l'idée d'aller explorer cet endroit.

Elle n'avait pas de manteau et tremblait de tous ses membres dans l'air glacé. Doucement, il déposa un ciré doublé de feutre sur ses épaules et s'assit à côté d'elle sur le banc de pierre, avant de prendre ses mains dans les siennes pour les réchauffer.

— Tout est fini, murmura-t-elle.

— Non, pas tout. En fait, il nous reste deux choses à régler. Tout d'abord, Flora n'est pas ma fille.

Kate tressaillit et le dévisagea, les yeux écarquillés.

— Que veux-tu dire ? Je croyais…

— Je sais, moi aussi je l'ai cru. Je suis désolé, Kate, je voulais t'en parler, mais je n'en ai pas eu l'occasion. Ce n'était jamais le moment propice.

— Parce que ça l'est maintenant ?

— Sans doute pas, mais je n'ai plus vraiment le choix.

Elle baissa la tête, son cœur tambourinant dans sa poitrine.

— Cela veut dire que tu n'as jamais couché avec Alice ? dit-elle enfin.

— Non, je n'ai jamais couché avec elle. J'étais saoul, cette nuit-là, je me suis réveillé dans son lit, mais c'est elle qui m'y avait mis. J'étais incapable de me déshabiller, de toute façon.

— Je comprends.

— C'est vrai, Kate ? Tu comprends ?

— Oh, je n'en sais rien… !

— J'ai autre chose à te dire.

Elle s'emporta soudain :

— Je n'en peux plus ! Je ne veux pas t'écouter, tu peux garder pour toi…

— Mais je ne peux pas ! cria Eddy. Je t'aime, et je n'arrive plus à prétendre le contraire ! Écoute ce que j'ai à te dire, Kate. Tout n'est pas fini, en tout cas pas pour moi. Je crois encore à nous. Et je pense que tu m'aimes toi aussi, même si cela peut sembler prétentieux de ma part… Maintenant que Harry s'en va, plus rien ne se dresse entre nous pour nous séparer. Enfin, si j'ai raison, si tu m'aimes encore… Oh Kate, je resterai auprès de toi quoi qu'il advienne, même si la maison est saisie, même si tu es couverte de dettes, mise en faillite personnelle… Je suis là, et même si nous perdons tout, le domaine, l'entreprise de gin, ton entreprise de restauration, il y aura toujours notre amour et Flora, et c'est tout ce qui compte ! Dis-moi seulement si tu partages mes sentiments et…

— Eddy ! Kate !

Il se tut en entendant une voix les appeler et tous deux se tournèrent vers la porte-fenêtre du salon qui venait de s'ouvrir à la volée. Stefan fit irruption sur la terrasse. Plusieurs personnes se pressaient derrière lui.

— Eddy, Kate ! Venez, venez tout de suite !

— Qu'est-ce que…

— Venez !

Kate se leva.

— Nous ferions bien d'aller voir ce qui se passe, soupira-t-elle.

Ils réintégrèrent la cuisine par la porte de derrière. Eddy entra en premier, et il perçut un brouhaha inhabituel dans le couloir. Craignant le pire, il se mit à courir... et tomba sur son père.

— Papa ? Que se passe-t-il ? Ce n'est pas Flora, n'est-ce pas ?

— Non, non. Calme-toi, tout va bien. Ah Kate, vous voilà ! s'exclama le révérend en apercevant la jeune femme qui avait suivi son fils.

— Monsieur Gallagher ? Que...

— Rassurez-vous, rien de grave. Au contraire, j'ai d'excellentes nouvelles à vous annoncer. Venez

Eddy regarda son père, puis Mme Able, et enfin John. Puis son attention se reporta sur les inconnus qui attendaient dans le hall.

— Mais qui sont ces gens ?

— Kate, fit Michael Gallagher en prenant la main de la jeune femme, permettez-moi de vous présenter Me Henry Pascoe, qui est l'avocat d'un de mes paroissiens. Et voici Kirk Bradshaw. Vous avez déjà dû le rencontrer, il tient la boutique d'antiquités au village.

Kate, abasourdie, hocha machinalement la tête. Eddy consulta rapidement sa montre.

— Papa, il est 8 h 45 ! Vas-tu m'expliquer... ?

— Suivez-moi, coupa le révérend.

Il entraîna Kate et son fils dans la salle à manger, où Jan et Stefan se tenaient près de la cheminée... en train d'arracher une à une les lattes du lambris.

— Mais qu'est-ce que vous fabriquez ? s'écria Kate, indignée.

— Viens voir ! lui répondit Stefan, hilare. Tu sais ce que c'est ?

Il lui montra un trou béant dans le lambris, et une matière dure, noire et dorée, qui se trouvait derrière.

— Non, je n'en sais rien.

— Moi non plus, je ne savais pas, mais Jan, elle, le sait ! répliqua-t-il avec un sourire triomphant. Nous étions assis ici en train de discuter, et Jan s'est approchée de la cheminée pour prendre des allumettes. Elle a remarqué un petit trou dans le lambris, elle a regardé de plus près, et voilà !

— Voilà quoi ?

— Du marbre noir et or !

— Du marbre noir et or ?

— Je me suis précipité pour trouver Mme Able qui a appelé le révérend Gallagher. Puis Jan nous a conseillé de convoquer un avocat afin qu'il bloque la saisie, ainsi qu'un expert en antiquité qui serait en mesure d'authentifier...

— Une minute, une minute ! objecta Kate. Je ne comprends rien. Authentifier quoi ?

— C'est du marbre noir et or, intervint Kirk Bradshaw. Une pierre extrêmement rare et précieuse. À mon avis, toute la salle à manger en est couverte. Cela vaut entre un quart et un demi-million de livres.

Kate ouvrit stupidement la bouche, avant de s'écrier :

— Vous plaisantez ?

— Absolument pas, rétorqua Stefan. Me Pascoe a déjà rédigé un document pour faire appel, et tout ce qu'il nous reste à faire, c'est d'attendre le représentant d'Ingram Lawd pour contrer la procédure.

Se sentant faible tout à coup, Kate s'adossa contre le mur et ferma les yeux un instant.

— Je n'arrive pas à y croire, murmura-t-elle.

Il y eut un silence, et Eddy se surprit à retenir son souffle. Puis Kate sourit.

— Et voilà ! s'exclama-t-elle en se mettant soudain à rire. Nous avons réussi ! Vous avez réussi ! Maintenant, je peux rembourser le prêt, poursuivre la fabrication de gin, garder Tonsbry ! Voilà, tout est réglé !

Eddy baissa la tête. Oui, tout, sauf pour moi, songea-t-il.

Dans la pièce, tout le monde se mit à parler en même temps. Les gens souriaient, se congratulaient. Au milieu de cette ambiance de fête, Eddy se dirigea vers la porte.

Il s'en voulait, mais vraiment, il ne se sentait pas capable de se réjouir avec les autres.

Parvenu dans le couloir, il soupira tristement.

La voix de Kate s'éleva alors dans son dos:

— Sauf pour toi, Eddy.

— Pardon? dit-il en lui faisant face.

— Tout est réglé, sauf pour toi. Tu m'as déclaré tout à l'heure qu'il me suffisait de dire que je t'aimais?

— Oui.

— Moi, je pense que cela ne suffit pas.

Comme il restait silencieux, elle s'approcha de lui et s'immobilisa à quelques centimètres de son corps.

— Je pense qu'il est important que je te dise que je t'aime et… que si jamais tu me quittes encore, Eddy Gallagher, je t'écrase comme une punaise!

Et, éclatant de rire, elle se hissa sur la pointe des pieds pour l'embrasser.

ÉPILOGUE

Adriana, comtesse de Grand Blès, se sentait triomphante. Elle prenait son petit déjeuner en compagnie d'un Pierre morose et, avec entrain, beurrait un croissant.

— Oh, ne fais pas cette tête-là, Pierre !

Il ne répondit pas, mais souleva le *Financial Times* qu'il était en train de lire afin de masquer son visage.

— Cela n'aurait servi à rien que je rappelle Kate à une heure pareille, reprit-elle en mordant avec appétit dans son croissant. De toute façon, les jeux étaient déjà faits. Désolée si tu n'es pas d'accord, mais je n'agis que dans son intérêt et...

— Adriana ! Je te prie de ne pas m'insulter en t'enfonçant dans tes mensonges ! coupa Pierre en baissant brutalement son journal. Tu n'as jamais considéré que tes propres intérêts !

Imperturbable, Adriana prit une autre bouchée de croissant. Le téléphone sonna et, gracieuse, elle se leva pour aller répondre.

— Sauvée par le gong ! ironisa-t-elle gaiement, avant de décrocher : Oh, Kate chérie, c'est toi ?

Pierre dressa l'oreille.

— Pardon ? Tu... plaisantes ? bredouilla Adriana, soudain tétanisée.

Il y eut un bref silence, puis :

— Du marbre ? Oh, je t'en prie, ne sois pas ridicule !

C'est impossible... Je l'aurais su s'il avait été là toutes ces années... Comment ? Tu as fait quoi ?

Très intéressé, Pierre reposa son journal et observa sa femme avec attention.

— Mais tu ne peux pas ! s'écria Adriana. Non, c'est... c'est... Comment ? David Lowther ? Non, j'ignore totalement où il se trouve. Vraiment ? Tu crois que tu peux poursuivre un notaire en justice ?

Nouveau silence, puis la voix d'Adriana s'adoucit :

— Si tu es convaincue que cette entreprise peut fonctionner, et si tu tiens vraiment à garder le domaine, bien entendu, Pierre et moi nous te félicitons.

Adriana toussota pour s'éclaircir la voix. Une grosse boule se formait dans sa gorge. Ses doigts qui agrippaient le cordon du téléphone étaient si crispés que ses jointures blanchissaient.

— Oui, Kate. J'espère que tout ira pour le mieux. Certainement, je transmets ton bonjour à Pierre. Au revoir, chérie.

Pierre sourit. Adriana raccrocha et, tête haute, revint s'asseoir à la table du petit déjeuner. Son mari ouvrit la bouche, mais elle ne lui laissa pas le temps de s'exprimer :

— Ne dis... pas un mot ! articula-t-elle.

Et, le dos raide, elle se remit à manger, tandis que les larmes ruisselaient sur ses joues.

Rendez-vous au mois de novembre
avec trois nouveaux romans de la collection
Aventures et Passions

Le 2 novembre
Mises au défi
de Maggie Osborne (nº 5356)

Texas, XIXᵉ siècle. Pour gagner l'héritage de leur père, riche *rancher*, trois filles doivent se soumettre à l'épreuve qu'il leur a imposée dans son testament : apprendre à la dure le métier de cow-boy. Pour cela, elles doivent conduire deux mille bœufs au marché à bestiaux situé à l'autre bout du pays ! Heureusement qu'elles sont escortées par quelques cow-boys expérimentés...

Le 10 novembre
Libre d'abord !
de Jill Marie Landis (nº 5357)

La Nouvelle-Orléans, 1816. Pour éviter un mariage forcé avec son cousin, Emma s'enfuit en laissant sa place à une inconnue. Elle a toujours rêvé de vivre des aventures trépidantes et son indépendance toute neuve pourrait bien être le début d'une nouvelle vie. Elle ne tarde pas à rencontrer Rick, un homme qui l'entraîne dans les plus folles histoires...

Le 26 novembre
Le cygne d'émeraude
de Jane Feather (nº 5358)

Londres, 1591. Gareth Harcourt revient de France où il a arrangé un mariage entre sa très timide cousine Maude et le roi. Par hasard, il rencontre une jeune bohémienne qui ressemble à s'y méprendre à Maude. Ils sympathisent et il lui demande si elle veut prendre la place de sa cousine pendant que le roi la courtisera. Miranda accepte car elle a besoin d'argent...

Aventures et Passions

Quand l'amour s'aventure très loin, il devient passion

Composition Interligne B-Liège
Achevé d'imprimer en Europe (France)
par Maury-Eurolivres – 45300 Manchecourt
le 30 septembre 1999.
Dépôt légal septembre 1999. ISBN 2-290-05340-6

Éditions J'ai lu
84, rue de Grenelle, 75007 Paris
Diffusion France et étranger : Flammarion